# Una Luz en la Ventana

books4pocket

Christina Dodd

# Una Luz
# en la Ventana

**EDICIONES URANO**
Argentina - Chile - Colombia - España
Estados Unidos - México - Perú - Uruguay - Venezuela

Título original: *Candle in the Window*
Editor original: Avon Books, An Imprint
of HarperCollinsPublishers, New York

Traducción: Claudia Viñas Donoso


Copyright © 1991 by Christina Dodd
All Rights Reserved
© de la traducción, 2012 *by* Claudia Viñas Donoso
© 2011 *by* Ediciones Urano, S.A.U.
      Aribau, 142, pral. – 08036 Barcelona
      www.titania.org
      www.books4pocket.com


1ª edición en **books4pocket** octubre 2015


Impreso por Novoprint, S.A.
Energía 53
Sant Andreu de la Barca (Barcelona)

Fotocomposición: Ediciones Urano, S.A.U.

ISBN: 978-8415870-71-5
E-ISBN: 978-84-9944-004-0
Depósito legal: B-17.752-2015


Código Bic: FRH
Código Bisac: FIC027050

Impreso en España – *Printed in Spain*

*Para Scott, que me ha apoyado y alentado en el uso de dos procesadores de texto y diez años de escritura. Te quiero*

# Capítulo 1

*Inglaterra medieval*
*Primavera de 1153*

¿La deseas?

Sobresaltado, lord Peter giró la canosa cabeza hacia su anfitrión, sorprendido por la pregunta.

—¿Qué?

Theobald se limpió la nariz con el dorso de la mano en que sostenía su cuchillo.

—He dicho si la deseas. No paras de mirarla.

—¿Esa joven? —dijo lord Peter, cauteloso, desconfiado de su anfitrión, receloso de la hostilidad que veía reflejada en sus ojos—. Es muy bonita.

—¿Bonita? —bufó Theobald, con el cuchillo bien agarrado con una mano y levantando su copa con la otra—. Sí, mírala. Tiene la boca tan ancha, roja y tersa, y ese pelo negro, largo y suelto a la espalda, se ve magnífico en contraste con su piel. La peste se la lleve. Saura tiene el tipo de cuerpo al que cantan los poetas. Tiene unas piernas largas interminables, y un trasero muy bonito también. Una cinturita estrecha y esos...

Movió las dos manos como formando los contornos del cuerpo de la chica, se derramó cerveza en el regazo y soltó una maldición.

Repelido por esa grosera manera de enumerar los encantos de la joven y por la idea del viejo gamberro manoseándola, lord Peter se disculpó secamente:

—Lo siento, no sabía que era tu concubina.

—¡Concubina! —exclamó Theobald, riendo despectivo, y lanzando una mirada de odio a la chica—. No la querría en mi cama, ni te la daría para la tuya. Es inservible, ¿no lo ves? Es ciega, más ciega que un topo con tres vendas en los ojos. Es la hija de mi primera mujer y Elwin de Roget, y ni siquiera puedo casarla. Es una piedra colgándome del cuello, ¡una inútil!

¿Inútil?, pensó lord Peter. Lo que le había atraído la atención era la manera como ella parecía dirigir el servicio de la comida desde su asiento. Toda la actividad en la sala grande giraba en torno a ella; los siervos le hablaban con respeto, se inclinaban ante ella y obedecían sus órdenes. Vio que la joven le decía algo en voz baja a su criada personal y ésta salió a toda prisa en dirección a la cocina; cuando volvió, la mujer le susurró algo al oído y Saura se levantó y pasó las piernas por encima del banco. La observó atentamente para ver si vacilaba o se tropezaba, pero no, caminaba con agilidad y garbo, y después de tocar ligeramente un lado de la puerta en arco que separaba la sala grande del resto, desapareció en una escalera.

—Me interesa su criada —dijo a Theobald, sin apartar la vista del lugar por donde había desaparecido Saura—. ¿Cómo se llama?

Theobald soltó una risotada.

—¿La criada de Saura? Eres un alma valiente. Podemos encontrarte algo mejor que la vieja Maud.

Lord Peter volvió a mirar a su anfitrión, esbozando una fría sonrisa.

—Prefiero mi comida bien sazonada.

—Sí, encubre el mal olor, ¿no?

Entonces Theobald miró sonriendo a su joven esposa, que estaba encogida a su lado, y lord Peter sintió lástima de la chica, que esa noche tendría que compartir la cama de su amo y señor.


—¿Maud? —dijo lord Peter saliendo del esconce y mirando atentamente a la mujer que le había traído su escudero. Sus trenzas veteadas con canas le colgaban a la espalda y en su cara redonda se veían arrugas que indicaban que era de edad madura; era una mujer alta. Recordando lo alta que se veía la criada al lado de la joven ciega, comprendió que había encontrado a la mujer que buscaba. Despidió a su escudero con un gesto—. ¿Eres Maud? ¿Eres la mujer que sirve a Saura de Roget?

Unos ojos azul vivo recorrieron su figura, buscando sus credenciales en el corte de sus ropas y el estado de su cuerpo.

—Soy Maud. Saura es mi señora. Serví a su madre y la serviré a ella hasta el último aliento que quede en mi cuerpo, y si ese imbécil de Theobald te la ha ofrecido…

—¡No! —rugió lord Peter, furioso por esa suposición—. No. Es tan joven que podría ser mi nieta.

Maud lo miró interrogante, sorprendida por su vehemencia, y lord Peter se lo explicó haciendo un tímido encogimiento de hombros:

—Mi señora esposa me rebanaría la molleja en un plato.

—Buena mujer —dijo Maud—. Ven conmigo. Llamamos demasiado la atención aquí en este ventoso corredor. ¿Por qué deseas ver a mi señora?

Lord Peter echó a andar a su lado.

—Quiero hablar con ella.

—¿Para qué?

—Eso es un asunto entre ella y yo. —Al ver que Maud seguía mirándolo dudosa, continuó—: Creo que no puedo hacerle daño estando tú montando guardia, ¿o es tan tímida que necesita un escudo?

—¿Tímida? Buen Dios, no, lady Saura no. Tiene el corazón de una leona.

—Estupendo. No me serviría de nada si no fuera fiera. Parece que lleva el gobierno de la casa.

Maud continuó caminando a su lado, mirando al frente.

—Ah, sí, eso parece.

A eso no siguió ningún comentario, así que él insistió:

—Bueno, ¿lo lleva?

—Como sabes, lord Theobald se ha casado con la joven lady Blanche, y ella es la señora del castillo.

Lord Peter la miró atentamente, soprendido por esa cautelosa respuesta.

—¡Lady Blanche no me importa un comino! No soy pariente de lady Blanche. Sólo me interesa Saura de Roget. Bueno, ¿ella lleva esta casa?

Maud se detuvo ante una puerta y miró su cara sincera, exasperada. Empujando la puerta con una mano, sugirió:

—¿Por qué no se lo preguntas a ella?

Lord Peter entró en la habitación y una mirada le bastó para ver cuánto valoraba a Saura su familia. En la pequeña habitación sólo había espacio para un jergón de paja y un pequeño arcón francés hecho de madera y hierro. De todos modos ardía un fuego en el hogar y no salía humo, señal de un humero limpio.

Sentada en la única silla, Saura estaba envuelta hasta el mentón en una manta de lana basta. Tenía apoyados los pies en un escabel para protegerlos del frío suelo. Tenía la cabeza cubierta hasta las orejas por una cofia de lino fino, atada bajo el mentón; pero la cofia estaba muy raída y ya no se veía blanca, y era casi demasiado pequeña para su cabeza, como si la tuviera desde que era niña y nunca la hubiera reemplazado.

¡Su cara! Buen Dios, lo que desde la distancia parecía un admirable retrato de la Virgen era en realidad la obra de un pintor más profano. Era hermosa de una manera terrenal; hermosa de la manera que hace a los hombres desear complacerse con ella. Su piel blanca resplandecía, limpia, sin ninguna picada de viruelas, las mejillas levantadas por exóticos pómulos que hablaban de antepasados normandos. Se le movió la nariz larga y recta indicando que había sentido su olor. Tenía los labios agrietados por el frío, como los tenía él, como los tenía todo el mundo, pero los de ella se levantaban hacia arriba en las comisuras, formando una boca ancha, atractiva. Sus largas pestañas negras, que parecían sombrear sus mejillas, eran un marco para sus grandes ojos color violeta que se volvieron hacia él interrogantes.

No era de extrañar que Theobald gruñera al hablar de ella, no era de extrañar que la mirara con avidez y odio. Esa chica vivía bajo su dominio, pero alejada de su contacto, y para cualquier hombre sería imposible no desearla. Mientras algún hombre no la marcara como su posesión, Saura sería una manzana de la discordia en cualquier casa.

Ojalá William... Interrumpió el pensamiento exhalando un fuerte suspiro.

—¿Has visto bastante? —le preguntó la mujer que estaba a su lado, con austero énfasis.

Sorprendido, comprendió que las dos mujeres habían estado calladas, esperando a que él terminara su evaluación.

—¿Siempre tenéis tanta paciencia? —preguntó, sonriendo a Maud y avanzando para sentarse en el arcón.

Saura lo detuvo con un gesto.

—Un momento —ordenó y, metiendo la mano en una ancha bolsa que estaba en el suelo a su lado, sacó un cojín con perfume a claveles. Pasándole el cojín, explicó—: La inclinación de la tapa hace incómodo el arcón para sentarse.

—Gracias, milady —dijo él, poniendo el cojín sobre el arcón y sentándose, soprendido de lo bien que supo ella el lugar donde estaba él.

—Te he traído a lord Peter, señor de Burke, milady. Desea hablar contigo.

—¡Lord Peter! —exclamó Saura, levantándose, conocedora de su riqueza y prestigio—. ¿Por qué no me lo dijiste inmediatamente, Maud? Ocupará mi silla.

Poniéndole una mano en el hombro, lord Peter la instó a volver a sentarse.

—Estoy muy cómodo, os lo aseguro, y soy más capaz de soportar el frío que una personita tan bella.

—Es un hombre corpulento —añadió Maud, irónica—. Y seguro que ha conocido condiciones peores.

—Maud, eres incorregible —la regañó Saura.

Pero él manifestó su acuerdo.

—He conocido condiciones peores, justamente hoy, con la nevada que me impulsó a solicitar la hospitalidad del castillo Pertrade. Os aseguro, lady Saura, que estoy seco y bien vestido, y, como ha dicho vuestra doncella, soy un hombre corpulento y fuerte.

Diciendo eso sonrió a Maud con tanta simpatía que ésta retrocedió un paso, sorprendida.

—¿Cómo puedo honraros, entonces, milord? —preguntó Saura, arrebujándose nuevamente en la manta.

—Necesito información. Vos podéis ayudarme.

Su voz reveló inquietud y perturbación, y puesto que no dijo nada más, ella lo alentó:

—Con mucho gusto os daré toda la información que tenga, milord.

—Me parece que sois… —se interrumpió, sin saber cómo seguir. Miró a Maud y vio la diversión que iluminaba los ojos de la mujer, esperando—. Me pareció que dirigíais el servicio de la comida desde vuestro puesto en la cabecera de la mesa. ¿Lo dirigíais?

Un leve gesto de pena pasó fugaz por la cara de Saura.

—Como sabéis, mi padrastro se ha casado con lady Blanche y ella…

—¡No! —interrumpió lord Peter, bruscamente, por la impaciencia—. No lo entendéis. No me importa si lady Blanche no mueve un dedo. Sois vos quien me interesa. ¡Vos! ¿Sois ciega?

Saura levantó una mano y se puso un dedo detrás de la oreja, como si no pudiera creer la pregunta. Él se pasó la mano por su ralo pelo.

—No fue mi intención preguntar eso. En realidad, vine aquí con la esperanza de un encuentro con vos, porque Raymond de Avraché recordaba haber oído historias de vos. Sé que sois ciega, pero os manejáis tan bien que casi parece mentira.

—No dirías eso si hubieras visto las veces que ha tropezado con un banco y chocado con una puerta —dijo la doncella, con la voz sin inflexión.

—O las veces que Maud le ha dado una paliza a un pobre idiota por dejar fuera su banco —añadió Saura, riendo con risa cristalina.

—¿Habéis sido ciega toda vuestra vida? —preguntó lord Peter, en tono vehemente, por el interés.

Ella lo obsequió con su pausada sonrisa y contestó:

—No todavía.

Lord Peter movió la cabeza mirando hacia todos lados; comprendiendo la ironía de la respuesta, suspiró.

—Lleváis muy bien la falta de visión. —Casi desesperado, añadió—: Y qué joven sois. Camináis con garbo y soltura, coméis sola, os vestís pulcramente. ¿Lleváis el gobierno de esta casa? —Vio que Maud asentía—. ¿Vuestra criada os lo hace todo?

La mujer lo miró enfurruñada, pero por la cara de Saura pasó una fugaz sonrisa complacida.

—No, lord Peter. Maud es mi fuerte mano derecha y mis ojos, pero soy autosuficiente. Mi madre me enseñó a cuidar de mí, de mis criados, de mi familia y de mi casa.

—¿Cómo?

—¿Milord?

—¿Cómo os enseñó esas cosas? ¿Era ciega también? ¿Habló con alguien, aprendió de alguien? ¿Cómo sabía qué hacer?

Le tembló la voz, preñada de angustia. Perturbada, Saura captó su problema, pero no logró discernir la causa.

—Mi madre era una dama ingeniosa, astuta, y si alguna vez se preocupó por mí, yo no lo supe. Hacía las cosas que me ordenaba porque nunca supe que no podía hacerlas, y si me hubiera entregado a la desesperación, ella me la habría quitado con castigo.

—¿Cómo se castiga a una persona ciega? ¿Dándole golpes que no ve venir y no puede esquivar? —preguntó él, con palpable amargura.

—No es de mí de quien habláis, señor. ¿Tenéis un ser querido que ha perdido la vista?

—Un ser querido, sí, muy querido. Mi hijo, mi único hijo, el hombre más fuerte y robusto que ha caminado por esta tierra, ahora no puede caminar sin tropezar y maldecir, caerse y chocar con algo. —Bajó la cabeza y se cubrió la cara con las dos manos—. Necesita ayuda, milady, ayuda, y yo no conozco ninguna manera de ayudarlo.

El silencio invadió la habitación; sólo se oía el crepitar del fuego en el hogar mientras el valiente guerrero combatía sus emociones para dominarlas. Saura le puso una mano en el codo, y cuando él levantó la cabeza, le pasó una copa llena de sidra, caliente por haber estado cerca del fuego. Maud estaba a su lado, sonriendo alentadora, y ella lo invitó:

—Contádmelo.

—Desde que Esteban de Blois usurpó el trono de la reina Matilda,* no ha habido otra cosa que problemas. Nada aparte de problemas. —Se friccionó el vientre, recordando—. William y yo estamos equilibrados sobre el filo de una espada, tratando de cumplir nuestros juramentos, conservar nuestras propiedades y mantener nuestro honor. Vivimos sofocando alguna rebelión de un aparcero o discutiendo con alguno de los barones que cree que posee un acre de tierra que no posee.

—¿Vuestro hijo tiene que ir a combatir en alguna de esas interminables guerras reales?

—No, no. Matilda se ha retirado a Ruán. ¿Para qué va a combatir a Esteban cuando sus barones están haciendo tan buen trabajo en destruir Inglaterra con esas interminables y mezquinas guerras intestinas? —preguntó amargamente—. Está al otro lado del Canal, observando y esperando. Su venganza se acerca. Ha preparado a su hijo para la lucha.

—Él ya intentó tomar Inglaterra —observó Saura.

Él la miró sorprendido.

—¿Estáis al tanto de las locuras de nuestros soberanos, pues?

Ella bajó la cabeza, como corresponde a una doncella modesta, pero su voz sonó firme:

---

* Matilda (1102-1167) era hija de Enrique I de Inglaterra y Edith Matilda (hija de Malcolm III de Escocia), casada con Geoffrey IV de Anjou y madre de Enrique de Plantagenet. Enrique I la nombró su heredera, pero a su muerte (1135) llegó el primo de ella, Esteban de Blois (1097-1154), a exigir el trono. Los nobles, que no deseaban ser gobernados por una mujer, lo aceptaron. Matilda intentó recuperar el trono, ayudada por el rey de Escocia y su hermanastro Robert, conde de Gloucester, hijo ilegítimo de Enrique I. Esteban deseaba que su heredero fuera su hijo mayor Eustace, pero éste murió, así que finalmente aceptó al hijo de Matilda como heredero, que a su muerte lo sucedió como Enrique II. Es la norma traducir los nombres de reyes y reinas, actuales y futuros, no así los nombres de los demás personajes. (N. de la T.)

—Poseo tierras que soportan la marcha de los ejércitos. Con mi débil mente femenina trato de entender lo que puedo, pero aquí estamos en el fin del mundo. Me entero de muy poco y de eso con dos años de retraso.

Lord Peter comprendió que en ese descargo se ocultaba un gran interés, así que explicó:

—Enrique sólo tenía catorce años esa vez, pero dicen que ha madurado y se ha convertido en un poderoso líder. Ha causado muchísimos problemas a Esteban desde sus tierras en Normandía, y hay quienes dicen que ya desembarcó en Inglaterra con un ejército. —Observándola atentamente, añadió—: Se le concedió el ducado de Normadía después de haber sido armado caballero por el rey de Escocia.

Fue recompensado por la forma como a ella se le iluminó la cara.

—El rey de Escocia es su tío, ¿verdad?

Recordando su modestia, volvió a bajar la cabeza y juntó las manos en la falda, pero él ya no se dejaba engañar. Ésa era una mente inteligente e inquisitiva, que languidecía en la ignorancia. Él nunca había sido un hombre que permitiera que una mente como ésa se desperdiciara en un hombre, y por su esposa sabía lo peligroso que es ignorar esa valiosa ventaja en una mujer.

—Sí, es tío de Enrique. Enrique está emparentado con todos los grandes señores y reyes de Europa, creo. De su madre recibió el ducado de Normadía, y de su padre las provincias de Maine y Anjou. Ante Dios, el chico ha heredado muchísimas tierras, muchísimas responsabilidades, y aun así desea el puesto de rey de toda Inglaterra.

—El rey Esteban no va a ceder su trono a petición de Enrique.

—No, pero estos años de lucha han envejecido a Esteban. No puede vivir eternamente —añadió, más esperanzado que convencido.

—¿Qué le va a ocurrir a nuestra pobre Inglaterra? —preguntó ella.

—No lo sé —suspiró él—. No lo sé. Diecinueve años atrás, todo parecía claro. La reina Matilda era la única hija viva que le quedaba al buen rey Enrique, y él hizo jurar a los barones que respaldarían su derecho al trono. Pero es mujer, y una mujer altiva, altanera, además.

—Una dosis de altanería muy amarga para que la traguen los hombres —comentó Saura con humor.

—Demostráis tener una perspicacia formidable —dijo él, también con humor, para reconocer el de ella—. Cuando murió Enrique, el abuelo del actual Enrique, Esteban reclamó el trono en Londres, e Inglaterra lo aclamó. Parecía ser la solución perfecta. Es nieto de Guillermo el Conquistador, tal como Matilda. Era encantador, generoso y valiente. Los barones pensaron que Esteban traería prosperidad. Pronto descubrimos que ese encanto, generosidad y valentía son malos sustitutos de la inescrupulosa severidad y dureza que necesita tener un monarca.

—No recuerdo ningún periodo de prosperidad —dijo Saura—. Nací el año en que murió el buen rey Enrique.

—Sí, toda una generación de niños se ha criado en medio de conflictos. No ha habido ley ni orden, y los poderosos aterrorizan a quienes deberían proteger. El recuerdo de estos últimos años me hiela la sangre.

—Comprendo. Mis tierras, las tierras que me dejó mi padre, se las están comiendo lentamente los «amables vecinos» que tratan de cuidar de ellas.

—¿Lord Theobald no lucha?

Saura curvó la boca en un gesto despectivo, tanto más eficaz porque era natural, no visto por ella en ningún ser humano.

—Hace demasiado frío para que lord Theobald salga.

—Comprendo.

—Perdonad mi interrupción. Mi avidez de noticias me disuelve los modales y mi sincero interés en la historia de vuestro hijo.

—No pidáis perdón. Vuestro interés por el bienestar del país me ha dado un momento para serenarme. De todos modos, no puedo hablar de William, veréis, sin sentir dolor en mi corazón. Me enfurece muchísimo, porque fue herido por nada. ¡Por nada! —Movió la cabeza hacia atrás y hacia delante, tratando de aflojar la tensión que le anudaba el cuello. —Tuvimos una batalla con un vecino, apenas una escaramuza. Una lucha de lo menos importante.

—¿Vuestro hijo fue herido?

—Buen Dios, sí. Lo golpearon en la nuca. Su yelmo quedó aplastado y la capucha de malla le dejó marcas ensangrentadas en el cuello. Tuvimos que cortarla para liberarle la cabeza. Ese golpe habría matado a un hombre inferior, pero no a mi Will. Durante dos días yació inmóvil como una piedra, y Kimball y yo estábamos asustados. —Encogió los hombros, incómodo con la no acostumbrada sensación de miedo, incómodo con la volátil emoción del amor—. Bueno, es el único hijo que me queda vivo, y es el padre de Kimball. Y ahí estaba tendido, pálido e inmóvil, apenas respirando, como un enorme roble talado. Pero despertó. Despertó rugiendo, pidiendo el desayuno y exigiendo que encendiéramos las malditas antorchas. Y estaba encendido el fuego del hogar y la luz del sol entraba por las saeteras de las paredes.

Saura inclinó la cabeza, sumida en sus pensamientos.

—¿Cuánto tiempo hace?

—Dos meses.

—¿Está sano, milord?

—Sano como un caballo. Bueno, tiene dolor en la cabeza. Pero ¿de qué le sirve la salud? Ya es demasiado mayor para adaptarse con dignidad. Ya tiene casi veintisiete años. Recibió el espaldarazo a los quince, armado caballero por valentía en el campo de batalla. Ha supervisado la administración de las tierras de su madre todos estos malditos años negros desde la muerte del rey Enrique. Es un hombre corpulento, pardiez, tiene las piernas como troncos de árbol y los hombros a reventar de músculos. Es un luchador y un hombre de acción, pero ahora no quiere salir de casa, lo avergüenza que la gente lo vea, y teme hacer el ridículo. No quiere hacer nada dentro.

Saura entendía eso, se le encogieron las entrañas al recordar los momentos en que se sentía ridícula, tonta, momentos en los que sentía las despreocupadas risas ante su sufrimiento.

—¿Porque teme hacer el ridículo?

—Exactamente. Y porque desea estar fuera, al aire libre. No acepta ayuda, no se ayuda a sí mismo; simplemente se pasa las horas sentado, triste y caviloso, y bebe.

—Se tiene lástima —bufó Maud.

Saura asintió, conmovida por el verdadero tormento que detectaba en la voz de lord Peter, la ronca petición de ayuda.

—Está enredado en la autocompasión —dijo—. Sólo hay una cosa para curar eso, milord, y ésa es una rápida y brutal patada en el trasero.

—¡No puedo! Yo también estoy lisiado, lisiado por mi cariño al chico. —En reacción al movimiento de los cuerpos de las dos, que se inclinaron hacia él en actitud protectora, tartamudeó, incómodo por la emoción—: No os conozco, lady Saura, aparte de lo poco que he visto esta noche, pero veo que sois una mujer buena atrapada en una mala situación. Vuestro padrastro os mira con ojos lascivos, y es un hombre débil.

—Bastante rápido para llegar a esa conclusión —dijo Maud.

—Soy un guerrero. Hay ocasiones en que mi vida depende de mi juicio acerca del carácter de las personas y de las circunstancias. —La miró, y Maud le sostuvo la mirada y asintió—. Yo os puedo ayudar, y lo que voy a sugerir mitigará todas nuestras discordias. Os admiro. Admiro vuestra manera de manejaros, vuestra vida. Admiro vuestro ánimo, vuestro espíritu. Quiero que os vengáis a vivir conmigo. —Un gruñido de Maud lo interrumpió. Levantó una mano—. Paz, mujer. No la quiero por ningún motivo vil. Sólo para que viva en mi castillo un tiempo. Ella podría ayudarme con William, decirme de qué forma ayudarlo, y tal vez podría ayudarlo ella misma.

—¿Y si tu William rechaza su ayuda, viejo tonto, qué haríamos? —dijo Maud, indignada—. Ese baboso hijoputa de abajo no nos permitiría volver.

—¿Qué sería peor? —dijo Saura, curvando los labios en un gesto de desdén—. ¿Morirnos de hambre en una tierra inhóspita o vivir bajo el techo de Theobald?

Lord Peter se frotó el mentón. El argumento de Maud era válido. Si Saura se marchaba de casa por libre voluntad y William no aceptaba nada de ella, ¿qué harían con ella? Un toque de humor le iluminó la cara.

—Yo podría tomar a Maud como amante y negarme a separarme de ella.

La mujer emitió un bufido.

—¿Siempre se expresa con tanto desdén? —le preguntó él a Saura, tocándole la mano con un dedo mimoso.

—Siempre. Es su manera de dar su opinión del mundo —contestó la joven, sonriéndole, divertida y pensativa al mismo tiempo—. Pero supongo que seríais bueno con Maud. No es tan vieja ni tan dura como querría haceros creer.

—Creí que tu señora esposa querría tu molleja en un plato —ladró Maud.

—Por tratos con una mujer joven. Y lady Saura es demasiado joven. Mi esposa me pintó un cuadro muy claro de un viejo chivo como yo con una niña. Pero si estuviera viva, que en paz descanse, te aprobaría, Maud. Créeme, tú y ella sois tal para cual.

Mirándolo indignada, Maud tomó bruscamente conciencia del guerrero que tenía delante. Tenía la piel de la cara manchada por haber estado demasiado expuesta al sol y con cicatrices de muchísimas batallas, pero su cuerpo de luchador era atractivo. Su pelo ya algo ralo resplandecía de salud y sus ojos castaños la miraban sonrientes. Conservaba la mayor parte de sus dientes y los enseñaba todos al sonreírle travieso.

—Soy viudo. También lo es mi hijo, y su hijo aún no se ha casado; Kimball sólo tiene ocho años. Lo que tenemos es una casa de solteros y está hecha un sucio desastre. Tal vez, si no sois feliz aquí, lady Saura, podría convenceros de venir conmigo a ser el ama de llaves del castillo Burke.

—¿Ama de llaves? —exclamó Saura.

Él se golpeó la rodilla, entusiasmado.

—¡Sí, eso es!, porque creo que William se va a negar a aceptar ayuda de vos. Sois ciega, y él no desea ser enseñado por alguien que comparte su experiencia, no desea reconocer su apurada situación. Ya se lo he sugerido. Además, sois demasiado joven, y sois mujer.

—No puedo ocultar que soy mujer —dijo Saura—, pero no hay ninguna necesidad de decirle mi edad.

—¿No decírselo? —dijo él, preocupado—. Nunca le he mentido.

—Pero ¿es necesario?

—Sí —concedió él, pasado un momento—. No le diremos que podéis enseñarle, al menos no al principio. Primero dejaremos que demostréis qué magnífica ama de casa sois. Podríais conseguir que ese maldito castillo se limpie y se ponga en mejor forma la cocina. Si no le decimos que sois ciega, él no lo sabrá, ¿verdad? ¿Cómo podría? Cuando ya llevéis algún tiempo ahí y él se haya acostumbrado a vos, podríamos decirle que sois una mujer dedicada a enseñar a los ciegos, una mujer de…, mmm, tal vez de unos cuarenta años, que ha tenido muchos alumnos y les ha enseñado todo. Él respeta la edad y la eficiencia. ¡Condenación! Creo que ésa es la solución.

—¿Y qué obtiene mi señora de eso, viejo tonto? —preguntó Maud—. Un montón de trabajo arduo, y todo por un hombre al que no conoce.

Lord Peter cambió de posición, repentinamente incómodo con la inclinación del arcón.

—En mi casa se respeta a las mujeres que viven en ella y no se las golpea sin motivo ni se las encierra en una mazmorra por pecadillos. Lord Theobald tiene una nueva esposa, la que algún día estará lo bastante versada para asumir el gobierno de la casa, lo deseéis o no cualquiera de las dos. Y Theobald no le tiene ningún cariño a lady Saura. Es muy fácil morir por enfermedad o accidente. ¿Habéis pensado en eso alguna vez?

Dándole un primer atisbo del valor y la energía que se ocultaba bajo su exterior apacible, Saura levantó las manos y dio una palmada, impaciente.

—No soy tan idiota que no se me haya ocurrido nunca pensar en cómo me afectaría una caída por los peldaños de piedra. Pero tengo mi salvación, por escasa que sea. Mi madre enseñó a mis hermanastros a protegerme, y lo han hecho, estando muy vigilantes.

Maud curvó la boca con las comisuras hacia abajo y la miró.

—Sí, milady, pero a John lo han enviado a educarse en la casa de otro señor y Clare sólo tiene siete años y no sirve de mucha protección.

—Rollo…

—Rollo es el heredero de tu padrastro y es un hombre bueno que te quiere y se preocupa por ti, pero acaba de casarse y se está entrenando para ser armado caballero. Administra las tierras de tu madre. Está tan ocupado que si te ocurriera algo tardaría un mes en enterarse. O más. Evita a lord Theobald todo lo posible. Y Dudley está estudiando para cura. Después de Clare, sólo está Blaise, y tiene cuatro años. Está apegado a tu nueva madrastra, y las enseñanzas de tu querida madre no son útiles para él.

—Di tu argumento, Maud —dijo Saura, sarcástica.

—Milady, ¿es que no te das cuenta? Tus hermanos no son… —la miró acusadora—: Me estás tomando el pelo.

—Es que retuerces un poco el cuchillo en la herida, querida mía. Hemos evitado hablar de mi inminente muerte por un motivo. No había opciones. Ahora lord Peter me ofrece una alternativa a esta desdichada existencia y, sin razonar, mi reacción es cogerla con las dos manos. ¿Sabes cuánto tiempo hace que no salgo fuera de las murallas de este pequeño castillo? Las estaciones pasan y yo languidezco aquí, pagando con el dinero de mis tierras el privilegio de gobernar la casa para un borracho. De todos modos, dudo de que se pueda convencer a mi padrastro.

—Sí —convino Maud—. Theobald no le permitirá marcharse, por pura inquina.

—Permitidme que yo hable con vuestro padrastro —dijo lord Peter, sonriendo por adelantado—. Soy un hombre rico, un hombre poderoso. Me hará caso de una u otra manera. Si no es capaz de ver que una conexión con mi familia le daría más importancia, tal vez la amenaza de un asedio en verano le devuelva la sensatez.

Maud se rió fuerte.

—Eso hará entrar en razón al gamberro.

—Ojalá pudiera oír eso —dijo Saura—. Bueno, si lográis convencer a Theobald, y la seria y prudente Maud opina que debo ir, pues iré.

—Ah, milady —dijo la mujer con un toque de humor—, no ha sido idea mía que nos vayamos con este amable señor sin tener recomendaciones. Averiguaré la reputación de lord Peter entre sus criados.

Saura le cogió el brazo a Maud y deslizó la mano hacia abajo hasta encontrarle la mano. Lord Peter observó con qué elegancia le levantaba la nudosa mano a la criada y se la besaba con cariño.

Eso era lo que deseaba para su hijo. Esa soltura de movimientos, esa capacidad para juzgar sus limitaciones y adaptarse. Tenía que venir con él. Tenía que venir. William estaba desesperado, sucio y hundido; necesitaba orientación, y esa experta chica era la que debía guiarlo. Decidió apuntalar las defensas.

—Os daré el aposento de mi esposa, una habitación privada con un enorme hogar. Tenemos encendidos los fuegos día y noche. Burke está cerca de la costa, y tengo muchos codos de tela de Francia que compramos para la difunta esposa de William, Anne. Serán para vos.

—No es necesario el soborno, lord Peter.

—Nos convendrá llevar a Alden también, lord Peter —interrumpió Maud firmemente—. Es el criado personal de Saura y lo fue antes de su madre.

—Como quieras —dijo lord Peter, asintiendo a su aliada—. Mi casa está a tres jornadas a caballo, y la capa de nieve es espesa, pero con gusto compraría una carreta.

Saura hizo un mal gesto.

—Puedo cabalgar, señor, si alguien guía a mi caballo con una cuerda de tiro, y os aseguro que prefiero el movimiento de un caballo a los duros saltos de una carreta.

Lord Peter se levantó.

—Iré a ocuparme de ambas cosas inmediatamente.

—Esperad —exclamó Saura, levantando la mano—. La nieve está muy espesa.

—Vestíos con ropa muy abrigada y haced vuestro equipaje con todas vuestras cosas, lady Saura. Tan pronto como deje de nevar debo partir. Burke es mi principal castillo, más fuerte que los demás, pero aun así me preocupa William, solo ahí en la oscuridad. Está impotente de una manera que no os podéis imaginar, todavía lleno de fuerza y resolución, pero incapaz de encontrar una manera de proceder.

—¿Deseáis que le tenga lástima, milord?

—Sí, compadecedlo. Siempre ha sido claro y franco, todo él risas cordiales y ruidosos ataques de furia. Ahora sus ataques de furia son implacables y dirigidos a él, y su risa ha desaparecido. Por favor, lady Saura. —Le cogió la mano en las suyas temblorosas y le pasó los dedos callosos por su fría piel—. Venid, por favor. Sé que mi William está en alguna parte, enterrado debajo de la montaña de rabia y repugnancia. Mi hijo sigue ahí, pero perdido. Por favor, ayudadme a encontrarlo.

Conmovida por su súplica y su inesperada elocuencia, Saura desechó sus dudas. Suspirando, se pasó la mano por la frente y asintió.

—Pensaré y haré mi equipaje. Vuestra situación no puede ser peor que la mía aquí y tal vez pueda ayudar a vuestro hijo. Sin duda puedo poner en orden vuestra casa, con la ayuda de mi buena mano derecha, Maud. Ved qué podéis hacer, milord. Ved si lográis convencer a lord Theobald de dejarme marchar y desearme buena suerte.

—¿Qué es ese olor, Maud?

—No lo sé, milady, pero tengo mis sospechas. —Avanzó por encima de las esteras que cubrían el suelo y con sumo cuidado levantó una con la punta del zapato—. Esteras podridas, supongo, y sólo Dios sabe qué hay debajo.

—Bueno, yo sí sé qué hay —dijo Saura, apretándose la nariz con los dedos—. No necesito que el Todopoderoso me lo diga. ¿Ésta es la sala grande?

—Si quieres llamarla así. La hospitalidad no es el punto fuerte en el castillo de lord Peter.

Como para desmentir sus palabras, dos perros gigantescos se acercaron saltando, ladrando una entusiasta bienvenida. Maud los golpeó con la palma abierta.

—Atrás, señores.

Uno de los perros se alejó, pero el otro se quedó oliscando la falda de Saura como si fuera un hueso con carne.

—¡Apártate, perro! —exclamó Maud, golpeando las palmas ante el animal.

Un ronco gruñido la hizo retroceder.

Tranquilamente, Saura alargó la mano y dejó que el perro se la oliera.

—Milady, ese animal torpe te va a arrancar la mano.

—Tonterías.

El perro le tomó el sabor con una delicada lamida y luego intentó poner la cabeza debajo de su mano. Cuando ella empezó a rascarle alrededor de las orejas, el perro se estremeció de placer.

Maud se echó a reír, divertida a su pesar.

—Si pudieras verlo, milady. Tiene una boba expresión de placer en su arrugada cara.

Chasqueando los dedos, Saura le ordenó al perro que se pusiera detrás de ella y éste obedeció con todo el entusiasmo de un leal servidor. Entonces le colocó una mano en el hombro a Maud y le preguntó:

—¿Esta casa se ve tan mal como suena?

—No voy a cerrar los ojos para descubrir cómo suena, gracias. Pensaba que Theobald alimentaba a un grupo de gente ruda, pero parece que nadie está al mando aquí. Hemos llegado justo a tiempo, milady. Se están aprovechando de lord Peter.

El ruido de fuertes pisadas las interrumpió.

—¿Encontráis vuestro camino, lady Saura? —preguntó lord Peter cordialmente—. Venid a poneros junto al fuego. Estáis chorreando de nieve y tiritando de frío. Espero que ésta sea la última nevada antes de la primavera.

—No sé si habría tenido el valor de venir, milord, si hubiera sabido en qué estado se encontraban los caminos —lo informó Saura.

—Un estado lamentable, ¿verdad? Desde el derrumbe del gobierno no han hecho nada para mejorarlos, y antes ya no estaban muy bien. ¿Sirvió la carreta?

Maud expresó su disgusto, exasperada:

—Incómodo trayecto por caminos llenos de surcos la mayor parte del tiempo.

—¿La mayor parte?

—Sí, a menudo se quedaba atascada en la nieve y el barro y teníamos que bajarnos para que los caballos la sacaran. ¿Qué clase de loco no hace caso de las señales y sale con esa tempestad?

—Deberías agradecer que lo hiciera. —Eso silenció a Maud, y continuó—: Si no hubiera sido por la tormenta, sin duda nos habrían asaltado bandoleros. Ése es otro precio que tenemos que pagar por el desorden que nos gobierna.

—Lord Peter, vas a asustar a milady —ladró Maud.

—Condenación, tienes razón. No quiero que salga huyendo ahora que ha tenido un atisbo, o le ha tomado el olor, a la suciedad en que la hemos metido. La casa se ve peor aún que cuando me marché.

Le cogió el codo a Saura, pero ella se soltó suavemente.

—Permitidme que yo me apoye en vos, por favor —le dijo, poniendo la mano en la curva de su codo—. Es más eficaz.

—¡Abuelo!

El grito resonó en las paredes de la sala llena de humo, y un niño alto llegó hasta ellos tropezándose en las esteras debido a su entusiasmo.

—¡Abuelo, has vuelto por fin! Estábamos preocupados.

—Kimball, supongo que no habrás estado preocupado por un viejo guerrero como yo, ¿verdad? —Se inclinó a abrazar al sonriente niño—. Sólo he estado ausente tres semanas. Y has crecido desde que me marché.

—Dices eso cada vez que vuelves, pero no es posible que crezca todo el tiempo. Pero sí se me cayó otro diente, ¿ves? —Abrió la boca para enseñar el hueco, y continuó en voz baja—: No estaba preocupado, de verdad que no. Pero cuando comenzó a nevar mi padre empezó a inquietarse. Decía que el frío hace que te duelan las articulaciones y que él debería estar recorriendo las propiedades, y cuando pasaron los días y tú no volvías… —Miró a las dos damas desconocidas y terminó, algo desconcertado—: Bueno, ya sabes.

—Lo sé. —Lord Peter le puso una mano en el hombro con gesto solemne—. Gracias por estar atento a tu padre.

—De nada, señor, pero ¿quién es ése? —preguntó, apuntando con un dedo al niño de siete años que venía entrando por la puerta seguido por un criado.

Lord Peter se giró a mirar y vio al desdichado grupo de Pertrade, todos encogidos, sin atreverse a acercarse al hogar si no se los invitaba.

—Buen Dios, lady Saura, perdonadme. Afirmaos en mi brazo —Le ofreció el codo otra vez—. Permitidme que os lleve hasta el hogar. Kimball, ella es lady Saura. Ha venido a ser nuestra ama de llaves. Es una prima lejana de tu abuela. Ese niño es Clare, hermanastro de lady Saura. Lo he traído para educarlo. ¿Lo vas a hacer sentirse bienvenido, Kimball?

—Por supuesto, señor. Es un honor conoceros, lady Saura —dijo el niño, inclinándose por la cintura—. Espero que seáis feliz en nuestra casa.

Obedientemente, Kimball se quedó atrás con Clare, y Saura lo oyó decirle a su hermano:

—Muchas gracias por venir. Mi abuelo es un hombre muy popular para formar guerreros y siempre he tenido niños con quienes pelear. Pero desde el problema de mi padre todos mis amigos se han marchado. —Hizo un teatral gesto de pena, y continuó—: Me has salvado del aburrimiento.

—El nieto es tan agradable y cortés como su abuelo —comentó Saura.

—Espero que eso sea un cumplido —dijo lord Peter riendo, y ella también se rió.

—Ésa ha sido mi intención, por supuesto.

—¡Agradable! —refunfuñó Maud detrás de ellos—. Lord Peter sólo es agradable si no tomas en cuenta el chantaje y el soborno.

Lord Peter se detuvo y Saura sintió el calor del fuego en el lado izquierdo.

—Una silla, lady Saura —ofreció él.

Ella tocó el respaldo y se sentó. Todavía no acababa de instalarse cuando el perro se echó a sus pies.

—¡*Bula*! ¡Atrás! —ordenó lord Peter.

El perro se limitó a emitir un bufido y se apoyó en las piernas de Saura como si se estuviera revolcando de placer.

—Ese perro, lady Saura, debería ser un cazador —dijo él, irritado—. Dios sabe que jamás ha traído ni un conejo, pero eso no significa que yo desee que se convierta en un perro faldero. No debéis alentarlo a comportarse como si lo fuera.

—Es un don que tiene con los animales —refunfuñó Maud.

Él se giró hacia la criada para continuar la pelea desde donde la habían dejado.

—Mis sobornos pueden ser muy agradables.

—Hasta el momento sólo he oído palabras —replicó ella—. Prometiste una habitación privada para milady, con un fuego que será mejor que encendamos inmediatamente si queremos que haya calor ahí esta noche.

—¡Hawisa! —gritó lord Peter, y Saura hizo un mal gesto al oírlo—. ¿Dónde está esa condenada Hawisa?

—Probablemente tumbada en la paja del establo haciendo otro de sus eternos críos.

La voz proveniente del otro lado del hogar sorprendió a Saura. Sonó profunda y tan exquisita como una tela importada, el tipo de voz masculina que la hacía derretirse de placer. Pero contenía elementos que ella detestaba: sarcasmo, patetismo y furia.

—No —dijo lord Peter medio riendo—. En el establo hace demasiado frío. Probablemente está usando mi cama, si conozco a esa guarra. ¿Cómo estás, William? —preguntó en tono serio.

William gruñó, y su falta de cortesía se alargó a un incómodo silencio que sólo acabó con la intervención de Maud:

—Si ordenas a unos cuantos de esos siervos vagos que lleven leña y me indiquen el camino, puedo encender ese fuego para quitarle el frío a la habitación. Milady debe de tener los pies como hielo.

—Siempre tengo los pies como hielo —terció Saura.

Maud no le hizo caso.

—Y que suban los baúles de milady, que está mojada hasta la piel.

—¡Mojada hasta la piel! —dijo esa voz gloriosa—. Caramba, caramba, eso podría ser interesante. Ojalá pudiera verla.

—El viaje fue bien, William —dijo lord Peter en voz más baja, aparentando engañosa calma—. Ojalá me hubieras acompañado.

—Viajando en una carreta como una vieja, cómo se habrían reído de mí los vasallos —dijo la voz, amargamente.

—Merwyn preguntó por ti muy tiernamente. Te invitó a ir la próxima vez que yo vaya, y Raoul deseaba contar con tu pericia militar para guiarlo cuando vuelvan los asaltantes en verano.

—¿Está seguro de que volverán?

La voz profunda sonó más cálida, derrotada la amargura por el interés.

—¿Por qué no habrían de volver? Se hicieron con un pingüe botín el invierno pasado, limpiando los graneros y violando a las campesinas.

—Y nadie se lo impidió, estando yo yaciendo impotente en el castillo y tú rondándome como una gallina a sus polluelos. ¡Dios maldiga sus almas y los envíe a todos al infierno! El día que le ponga las manos encima al que me golpeó en la cabeza será el día en que vaya a encontrarse con su Hacedor.

A Saura le gustó más la voz. Ya no era sarcástica, resonaba llena de resolución. Con el fin de perpetuar su orgulloso desafío, ladró:

—¿Y qué haréis después? ¿Volver aquí a sentaros junto al fuego y apestar?

Silencio. Buen Dios, qué silencio. Lo oyó hacer una brusca inspiración, y ningún otro sonido. ¿Todos estaban reteniendo el aliento en esa inmensa sala?

—Señora, no sé quién sois ni me importa.

Cargada de furia, la voz le hizo subir estremecimientos por el espinazo. Amenazador, pero paciente; estaba dispuesto a esperar el momento en que pudiera arrancarle el corazón.

—Al parecer nadie os ha dicho que estoy ciego y soy incapaz de hacer nada aparte de estar sentado junto al fuego y apestar.

Fiándose de lo que le decían sus instintos acerca de la desaliñada y desaseada apariencia de William, y fiándose de que lord Peter la protegería, le dijo cordialmente:

—Inmediatamente me di cuenta de que sois ciego. Me parece que no habéis aprendido a comer sin derramar salsa en la ropa. Me parece que no lográis encontrar vuestro pelo con un peine ni una bañera con vuestro cuerpo.

Murmullos horrorizados de los criados llenaron la sala.

—¿Quién sois? —preguntó él, en un ronco gruñido.

—Soy lady Saura, pariente lejana de vuestra madre, y la nueva castellana. Vuestro padre opina que su casa está hecha un caos y que mi orden prevalecerá.

Ante su satisfacción, se callaron los criados. No oyó salir ni un solo sonido de ellos. Que los criados, además de la bestia furiosa que tenía delante, se prepararan para hacer frente a su desafío.

—Escuchadme, lady Saura. —La voz dorada sonó clara y sonora—. No soy uno de vuestros quehaceres domésticos. Aunque apeste, beba y sea una monstruosidad, no intentéis limpiarme. Soy feliz tal como estoy.

Levantando el mentón, altiva, y sorbiendo por la nariz, Saura contestó:

—Soy partidaria de dar buen uso a todo lo que tengo a mi disposición. No me cabe duda de que se me ocurrirá algún uso para un medio hombre ciego.

La firme mano de lord Peter la cogió por debajo de la axila y la puso de pie, en una orden tácita.

—Pero podemos limpiar a vuestro alrededor por un tiempo —concedió ella amablemente, liberándose de la sujeción de lord Peter y apartándose—. Tal como si fuerais parte del mobiliario.

# Capítulo 2

«¿Qué demonio se apoderó de vos para decirle esas cosas?»

Esa pregunta de lord Peter resonaba en la cabeza de Saura mientras recorría el castillo aprendiéndose su disposición; la seguía cuando se aventuraba a bajar la escalera al sótano, que quedaba debajo de la sala grande, y mientras visitaba la sucia y horrorosa cabaña que servía de cocina en el patio.

Cierto, podría haberle ido bien contar con el apoyo de William. Tenía a Alden, cuyo palo obligaba, y tenía a Maud, cuya salada lengua convertía a los medrosos siervos y criados en soldados combatiendo la suciedad. Tenía a *Bula*, cuya adoración de perro guardián convencía a más de un criado de colaborar con sus deseos. Esos tres valían más que una docena de piqueros, pero lo que necesitaba era una legión de caballeros. Tal como había esperado lord Peter, llegó rápido la primavera después de la última nevada, y cayó sobre ellos el tiempo para hacer una limpieza a fondo. Él le hizo entrega de las llaves de la casa con mucha ceremonia, pero los siervos estaban sumidos en la pereza y la indolencia, sin gobierno desde la muerte de la esposa de William. Se aprovechaban de una ventaja muy humana. Dirigidos por la desaseada Hawisa, hacían gala de una astuta perversidad cuando ella les daba órdenes. A veces las entendían mal; a veces eran terriblemente lentos para terminar las tareas;

a veces recordaban las diferentes maneras de Anne para ordenar que se hicieran las cosas.

Lord Peter respaldaba su autoridad, pero el tiempo más caluroso trajo una variada cantidad de trabajo para él también, y rara vez estaba dentro de las murallas del castillo. Pero sí se tomó el tiempo para convencer a todos los criados y siervos de la necesidad de guardar silencio respecto a la ceguera de ella. Satisfecha por la presteza con que ellos le obedecían a él, Maud observaba qué criados ayudaban a hacer cumplir sus órdenes y cuáles le obedecían apenas.

De todos modos, pensaba Saura, si ella hubiera sido capaz de poner de su lado la todavía inmensa autoridad de William, eso le habría facilitado muchísimo sus tareas domésticas.

«¿Qué demonio se apoderó de vos para decirle esas cosas?»

Todo el mundo trataba a William como si estuviera enfermo. Todos lo trataban como si fuera una fina copa de cristal, caminando de puntillas alrededor de él, con compasión y lástima, y nadie comprendía su verdadera situación. La lástima los cegaba a su robusta salud y a su mente aguda; esa lástima invalidaba a William para cualquier tarea útil. Así pues, ¿qué demonio se apoderó de ella para decirle esas cosas? Simplemente un irreflexivo deseo de sacudirlo, de sacarlo de su estupor y obligarlo a funcionar otra vez.

Siempre estaba con los oídos atentos por si notaba alguna reacción en el bulto llamado William, pero sólo oía gruñidos y secas órdenes. Nada que dijera ella cambiaba algo; nada que dijera llegaba a ese hombre, concluyó.

Pero las cosas que le dijo Saura sí habían sacudido a William.

Por primera vez desde su accidente, estaba furioso con alguien además de consigo mismo. Todo guerrero sabe que en la batalla ocurren incidentes inevitables, pero la mayoría de los guerreros no se ven obligados a enfrentar consecuencias tan horrendas de sus accidentes. Era capaz de enfrentar la enfermedad y la infección, las había enfrentado antes. ¡Pero esa «ceguera»! Un pobre cura idiota le dijo que se resignara a la voluntad de Dios; que sólo su humildad le haría ganar el reino de los cielos; y en la misma parrafada le sugirió que Dios lo estaba utilizando para Sus buenos fines. ¡Buenos fines!

Él maldecía a Dios. ¿Qué clase de Dios lo humillaría, incapacitándolo cuando era más necesario? La Isla de Inglaterra se retorcía de sufrimiento, desgarrada por la lucha entre Esteban de Blois y la reina Matilda. Lo atormentaba el sentimiento de culpa por dejar solo a su padre en la supervisión y defensa de sus extensas tierras y sus castillos. Desde su regreso al castillo Burke en una carreta tirada por un caballo, se había negado a poner los pies fuera de la puerta. Y ahora esa mujer infernal lo acusaba de miedo, de debilidad y de ser un inútil.

Esa mujer le había robado a su perro guardián, amansándolo para que hiciera su voluntad, pero con él nunca haría eso.

—¡Dientes de Dios! —exclamó, golpeando la mesa de caballete que tenía delante.

Esa mujer le amargaba la vida. Había hecho soplar los vientos del cambio en el fétido aire del castillo y no había ningún lugar al que pudiera escapar.

Sin ser llamado, le pasó el pensamiento por la cabeza: ¿esconderse?

¿Era eso lo que hacía? ¿Esconderse? ¿Como un buey cobarde, bobo, arrastrando los pies implacablemente hacia la gran nada?

—¡Dientes de Dios! —repitió.

Esa mujer lo estaba haciendo pensar: pensar en sus deberes, pensar en lo que podría hacer para ayudar a su padre, pensar en el hijo al que había abandonado.

En los remotos recovecos de su conciencia la voz de ella y la actividad que provocaba lo incitaban a prestar atención.

—Hoy vamos a fregar la cocina —anunció lady Saura—. Todas las paredes, el cielo raso, el suelo. Todas las ollas, sartenes, el asador, los hornos. Al anochecer habremos acabado.

Y al anochecer:

—No hemos terminado de limpiar la cocina. Lo siento, lord Peter, no hay ningún otro lugar para cocinar para el castillo. Mientras los siervos no hayan terminado, todos debemos pasar hambre.

William sonrió al oír el aullido de su padre, y cayó en la cuenta del mucho tiempo que había pasado desde la última vez que se le estiraron los labios por pura diversión. Se le alargaron los músculos y volvió a sonreír, por el simple placer de sonreír.

En realidad, esa mujer no le decía mucho a él; de hecho, lo ignoraba. No le había hecho más desafíos como el que le arrojó la primera noche. Tal como prometiera, parecía considerarlo no más importante que un mueble, su rehabilitación estaba en un pobre segundo lugar ante la limpieza del castillo. Tal vez se había imaginado su interés en él; tal vez no le importaba nada un mendigo ciego como él.

De todos modos, su voz le deleitaba los oídos. Era una voz femenina excepcional, suave y enérgica, que contenía toda una gama de emociones que hablaban claramente de sus estados de ánimo. Era como si se parara a escucharse y modulara su voz para que sonara agradable.

Le encantaba oír la exasperación en su voz cuando regañaba al enorme perro que la había adoptado, que la adoraba, la hacía tropezar y la protegía con amable fiereza. Le gustaba especialmente oír el acero en su voz cuando hacía frente a la intencionada incompetencia de los perezosos criados.

—Es necesario poner las mesas de caballete apoyadas en las paredes después del desayuno —anunció lady Saura—. Buena gente, hoy vamos a quitar las esteras del suelo. Están llenas de pulgas y estoy cansada de oír rascarse a los perros, y cansada de oíros rascaros a vosotros.

En medio de los murmullos y movimientos de pies se elevó la queja de una mujer hasta los arcos:

—Qué'tupidé. El e'pato pa hacé e'teras no e'tará crecío' ha'ta el verano y el suelo e'tará e'nudo. Lady Anne nunca no' hacía cambiá la'e'teras en primavera.

—¿Cuándo os ordenaba cambiarlas, Hawisa? —preguntó lady Saura cortésmente.

—Vamo', en otoño, po supue'to —bufó Hawisa, burlona, dirigiendo el coro de risas que se mofaron de la ignorancia de la lady.

—¿Y el otoño pasado? —preguntó Saura, su voz cargada de sarcasmo, y cuando se acallaron las risas, su voz sonó como un látigo—: El suelo estará desnudo hasta que se hagan nuevas esteras, y lo limpiaréis cada día, en expiación de vuestra pereza. Hoy vamos a quitar las esteras y fregar el suelo.

43

Comenzó el trabajo y fue avanzando a paso de tortuga, y en un momento en que Alden les gritó a los criados lentos, lady Saura lo hizo callar. William alertó los oídos, atento a oír cuál sería el castigo de esa mujer, y cuando se acercaba la hora de acostarse, ella no lo decepcionó.

—¿Donde'tán nue'tra' manta'?

—¿Mantas? —preguntó lady Saura, como si no hubiera entendido.

—La' manta' en que no' envolvemo' pa dormí.

—Las mantas se llevaron fuera para lavarlas. Las criadas habrán terminado ese trabajo… —William casi vio el morro que se le formaba en la cara al fruncir los labios—, más o menos cuando las esteras estén quemadas y el suelo bien fregado.

—No poemo' dormí en eso' banco' sin manta'. Toavía hace mucho frío.

—Supongo que tendréis que dormir en las esteras que habéis apilado —dijo lady Saura en tono indiferente.

—Pero e' que e'tán podría'.

—Sí.

Escuchándola día tras día, William le cogió gusto a la inteligente manera que tenía de hacer frente a las pueriles evasivas de los siervos, y estaba atento a las quejas que oía cuando comenzaban a hacer lo que ella ordenaba sin preguntar. Sólo unos pocos continuaban remisos, negándose a aceptar su autoridad, y él empezó a sentirse hervir de impaciencia por dentro. Esos sirvientes ponían en duda la autoridad de una mujer de su misma clase, una mujer que hablaba correctamente el francés normando y entendía frases enteras de la bárbara lengua inglesa. Esa mujer no les exigía nada más de lo que debían hacer para ganarse el sustento.

—Ha llegado el día que hemos estado deseando —anunció lady Saura en el desayuno—. Tan pronto como se quiten las mesas de caballete, limpiaremos con palas los retretes.

Se elevó un gemido colectivo.

—Sí, sabía que estaríais complacidos —dijo ella, y William detectó la implacable resolución en su voz—. Están llenos, y la costumbre de quitar sólo la capa de arriba se acaba hoy.

—Yo no haré eso —dijo Hawisa, plantándose—. *Soy criá co'turera, mi trabajo no e' acarreá mierda, y no puede' obligame.*

William detectó el desafío en su tono, oyó los pasos de Alden y los movimientos entre los siervos, que esperaban para ver qué suerte le depararía a Hawisa su franco desafío. No supo qué lo impulsó, pero con la paciencia al límite, la llamó:

—Hawisa, ven aquí.

Al instante se hizo el silencio, causado por esa intervención sin precedentes de su señor ciego. Escuchó los pasos arrastrados de Hawisa acercándosele. Se debía a su nueva y mejor audición que supiera de dónde venía y a qué distancia estaba, pero no sabía que en el tiempo de cavilosa tristeza había adquirido esa capacidad.

—Arrodíllate donde yo pueda tocarte —le ordenó, y sintió la presión de su cuerpo en las piernas cuando ella se puso de rodillas delante de su sillón.

Con sumo cuidado levantó la mano hasta su cara y localizó sus rasgos palpándoselos con un leve contacto; cuando hubo pasado el pulgar por la ancha mejilla, echó atrás la mano y le dio una palmada. El fuerte sonido resonó en los arcos de piedra, y la chica gimió y se agachó para hurtar la cara. Al instante él la cogió por los hombros y la enderezó hasta dejar su cara a nivel de la de él, y la sacudió hasta que a ella le crujió el cuello.

—Si eres tan fina que no puedes rebajarte a limpiar mi casa —dijo claramente—, puedes salir al patio y ver si limpiar de estiércol el establo te sienta mejor.

Hawisa movió su redonda cara de arriba abajo, con sincero terror, y con la astucia de una zorra arrojada al suelo.

—*¡Limpiaré! Sólo e' la lealtá a tu quería e'posa la que me hace no tragá a lady Saura. Son lo' aire' que se da pa convencenno' de que e' la nueva señora de Burke. Sí, y no e' má' que una enfema de ceguera acogía po lor Peter po cariá.*

Los siervos lanzaron exclamaciones y Maud masculló «Tenemos un problema», pero William sólo oyó la mofa de Hawisa respecto a la ceguera, y la interpretó como un insulto a él. Su siguiente bofetada lanzó al suelo a la criada, apartándola de sus rodillas y le hizo crujir la cabeza.

—¡Fuera! —rugió, levantándose en un solo y enérgico movimiento—. ¡Fuera, víbora de colmillos venenosos, y que yo no vuelva a oír tu voz!

Unas rápidas pisadas lo recompensaron cuando Hawisa salió corriendo de la sala grande, y entonces se giró hasta quedar de cara hacia lady Saura con el grupo de rebeldes. Por primera vez desde hacía meses estaba de pie en toda su estatura, con la espalda recta, los hombros derechos y la cabeza erguida. Tenía erizada de indignación la barba rubia, y los hoyuelos de las mejillas arrugados por su gesto de autoridad.

—He oído —comenzó en tono ominoso— las insolencias, las quejas y las desobediencias de los siervos de este castillo. Sé quiénes de vosotros sois lo bastante inteligentes para obedecer a lady Saura. Sé quienes de vosotros no lo sois. Y a aquellos que habéis sido haraganes y groseros os digo, ahora, que está a mano el momento del castigo. Lady Saura es vuestra superior. Lady Saura ha ocupado el puesto de mi esposa en el gobierno de la casa. Vais a obedecer a lady Saura tal como obedecíais a lady Anne. No me importa un comino lo vieja y fea que sea lady Saura. No me importa un comino si su sangre es vinagre y su sudor suero de leche. Esta mujer es la castellana, elegida por mi padre y aprobada y respaldada por mí, y el próximo siervo insolente responderá ante mí. Tengo todo el tiempo del mundo para supervisar vuestro comportamiento, y, por la gracia de Nuestra Señora de la Fuente, mi ceguera no ha destruido mi buen brazo derecho.

Terminó con un rugido que hizo vibrar las colgaduras de las paredes y retroceder a los culpables hasta estrellarse las espaldas en la pared.

—¿Y bien?

La respuesta fue el rápido movimiento de muchos pies. Maud ordenó a los hombres que salieran a limpiar el pozo negro hasta el fondo. A las mujeres las dividió en fregonas y paleadoras. Un niño salió corriendo a avisar a los jardineros que llegaría una repentina cantidad de excrementos y otro corrió hacia las carretas para acarrear basura. William volvió a sentarse en su sillón, buscando con los oídos a lady Saura, deseando su elogio por su mediación. Con el bullicio no la oyó acercarse, pero un ligero contacto en el hombro lo avisó de su presencia.

—Tal vez sois más que un medio hombre ciego, milord —sonó su agradable voz justo por encima de su cabeza—. Tal vez más que un mueble, después de todo.

47

—¿Lady Saura?

Ella interrumpió su conversación con Maud y giró la cabeza hacia la respetuosa voz de Bartley.

—¿Sí?

—Milord pregunta por ti.

Ella se puso de pie, ceñuda.

—¿Ya está en casa lord Peter? La comida no está lista.

—No, lady Saura. Lord William. Desea hablar contigo.

Ella frunció los labios, consternada. ¿Él ya había pensado su respuesta a su burla de esa mañana? No había olvidado el sonido de su mano sobre la cara de Hawisa, ni su grito de furia. En todo caso, ese día había sido provechoso. A Hawisa le habían dado el trabajo que detestaba; se había inclinado hasta bien adentro de los pozos y sacado el excremento con la pala, sin parar de gemir. Después se le ordenó que se lavara bien antes de ir a la cocina a girar el asador y fregar las ollas. Ya no se la necesitaba dentro de la casa.

Los retretes olían más limpios, el suelo parecía haberse fregado a sí mismo, los criados caminaban más rápido en el nuevo ejercicio de disciplina.

Y William; William había reaccionado por fin al ajetreo que lo rodeaba, al mundo real que existía fuera de su cabeza.

Aún no tenía una buena percepción de él, del hombre que aguantaba y resistía en su interior. No podía observar a nadie, ni sus gestos ni sus hábitos; sólo podía escuchar a las personas y sacar sus conclusiones por sus voces y entonaciones. En su casa, la familia y los criados con los que trataba reconocían su inteligencia y su percepción, pero William hablaba muy rara vez, así que sólo podía tantear cuando trataba con él. Palpar a otro ser era su mejor manera de percibir, pero dado el papel que se le había dado, el de una mujer madura, con él no podía beneficiarse de las percepciones posibles al coger una mano o dar un beso en la mejilla.

—¿Lady Saura?

La voz de Bartley le recordó su deber, y sintió un temblor en las rodillas, invisible, menos mal.

—Sí, sí, claro. ¿Sigue sentado junto al fuego?

Bartley asintió. Maud lo miró fijamente y él cayó nuevamente en la cuenta de que la noble Saura no lo veía.

—Sí, *maledi*. Nunca se va de ahí.

Saura avanzó hacia el criado, le tocó el hombro y luego le cogió el brazo, indicándole la manera de guiarla.

—Llévame hasta él, por favor —le pidió amablemente—. Y mientras vamos, háblame de ti.

El hombre echó a andar con pasos vacilantes.

—Sólo soy uno de *lo' criao'* aquí —dijo, y se quedó en silencio, pues no estaba acostumbrado a hablar con mujeres, y mucho menos con una mujer joven, hermosa, alta, que lo sobrepasaba en altura por cabeza y hombros.

—¿Estás casado? —preguntó ella, alentándolo, y adaptando el paso al dificultoso de él.

—Ah, no, nunca tuve tiempo *pa* eso, con el *traajo de viví* corriendo por las *propiedae'* de milord pesiguiendo a *ladrone' y cazaores furtivo'*.

—¿Eras soldado?

—Sí, y tenía mi propio caballo, que el señor me dejaba montar, ése era el padre de lord Peter, y *despué'* lord Peter, *ha'ta* que estaba tan lisiado que ya no podía *cabalgá* en invierno. —Bajó la voz—. Y *despué'* tanto que no podía cabalgar en verano y me *de'terraron*.

—¿Te desterraron? —lo alentó Saura, volviendo hacia él sus ojos violeta, y el anciano se olvidó de que era ciega.

—*Clavao* dentro del *ca'tillo* como un caballo viejo al que no matan por pura *bondá*. —La amargura se coló en su voz y se manisfestó en la agitación de sus piernas y brazos—. *E'toy agradecío. No mucho' señore' mantienen a su' soldao' viejo' donde e'tá abrigao cuando ya no sirven pa na. Pero e' horrible ser viejo. No envejezca' nunca, no e' má' que un largo día tra' otro, y no hay ba'tante trabajo pa llenar el tiempo.*

Saura le acercó más el brazo a su costado y se lo movió.

—¡Pero Bartley! ¿Qué habría hecho yo sin ti estas últimas semanas? Has sido un apoyo inmenso, ayudándome con los criados holgazanes y cuidando de lord William, para que yo estuviera libre para ordenar y dirigir las limpiezas.

—¿Y dónde estaría yo sin ti sentado conmigo en mi rincón contándome historias de las batallas de tu juventud?

El tono cálido, dorado, de la voz de William estaba impregnado de sinceridad y gratitud.

El viejo guerrero se estremeció otro poco, atacado por la debilidad muscular de la edad y el azoramiento.

—Buen amo, no sabía que *estaba' e'cuchando.*

—Ha sido lo único que me ha mantenido cuerdo.

Bartley se ruborizó, oscureciéndose su frágil y curtida piel.

—Aquí, *maledi*, ese condenado perro *e'tá pisándote los talone' otra ve', no tropiece' con él.* —Le acercó una silla, la ayudó a sentarse y se hizo a un lado cuando el mastín se echó a los pies de ella. Situándose delante de William, dijo—: Hace muchísimo tiempo que te enseñé a cabalgar sin caerte del caballo. *Compartíamo' alguna' cosa',* milord, *y pue'to que* tú ya no puedes luchar, y yo ya no puedo luchar…

—Ven a acompañarme junto al fuego mañana —lo invitó William—, y hablaremos de los recuerdos.

Complacido hasta más no poder, Bartley se alejó a alardear de que lord William le había hablado, tal como en los viejos tiempos, y tan cordial como siempre.

El silencio entre el lord y la lady zumbó elocuente con la armonía.

—Muy amable —dijo Saura, aprobadora—. ¿De verdad os enseñó a cabalgar?

—Todos metieron un dedo en ese pastel —contestó William, estirando las piernas hacia el fuego—. Si él quiere recordar sus enseñanzas, no se lo voy a negar.

Saura sonrió y se pasó un dedo por los labios para borrar la sonrisa. En su opinión, una sonrisa no iba bien con la imagen de ama de llaves seria y severa.

—¿Preguntasteis por mí, milord?

—¿Os estáis riendo?

Ella volvió a pasarse el dedo por los labios, con más fuerza.

—No me río de vos. ¡Es que habéis hecho tan feliz a ese anciano!

—Puedo hacer feliz a cualquiera estos días —dijo él con voz gélida— simplemente hablando con amabilidad.

A ella se le desvaneció la sonrisa.

—Pues entonces haced un poco más extensiva la alegría, milord.

—Vamos —musitó él—, ¿por qué cuando los criados os fastidian sois molestamente cortés y habláis con voz suave y cuando os fastidio yo montáis en cólera?

—Porque espero algo mejor de vos.

—¿Por qué?

—Milord —dijo ella, en el límite de su paciencia—, sois un guerrero. ¿Qué hacéis con un soldado que pierde una pierna?

—Le enseño otro oficio.

—¿Y si no quiere aprenderlo?

—Lo dejo que se dedique a mendigar.

—Éste es un mundo duro. ¿Qué opináis de un hombre que tiene todos los privilegios de una familia amorosa, una casa con suficiente comida, pero se ve obligado a cuidar de sí mismo? ¿Qué opináis de un hombre que se niega a aliviar la carga de trabajo de los hombros de su padre, de un hombre que abandona a su hijo?

—¡Basta! —Su exclamación sonó primero al nivel de la cara de ella y luego subió hasta encima de su cabeza, ya que se levantó, airado—. Santo Dios, ¿quién sois? ¿Sois, por ventura, santa Genoveva, la que por la gracia de Dios le devolvió la vista a su madre? Tal vez para vos la ceguera es algo insignificante, pues no la habéis experimentado.

—Es tan grande como la hacéis.

—Pero es que todo lo que soy está ligado a mi vista. Habéis dicho que soy un guerrero. ¡Un caballero! Tenía que luchar para proteger mi casa, a mi familia, a mi gente. ¡Ahora no soy de ninguna utilidad para ellos!

Saura se relajó, estaba en terreno firme.

—¿Ah, no? ¿No mediabais en sus riñas, no emitíais juicios en sus delitos? —Ante el silencio de William, volvió a formársele la sonrisa—. Tenéis fama de ser justo en vuestros arbitrajes. ¿Habéis dejado a otros la educación de vuestro hijo? Suspira por vos, ansía vuestro apoyo y ayuda mientras crece hasta madurar. Vuestro padre necesita a un hombre con quien hablar, a quien pedirle consejo, que le haga compañía.

Vuestros aparceros necesitan orientación. Son un grupo de ovejas balando extraviadas sin vuestra firme mano. Habéis cosechado lo que sembrasteis, milord, unas tierras llenas de personas que os veneran. Pero todas vuestras buenas obras pasarán al olvido pronto si no os movéis para añadir más obras a vuestra leyenda.

Escuchando esas advertencias, William deseó no ser tan escrupuloso. La parte de él que insistía en ser justo con los demás también le insistía en que fuera justo consigo mismo. Deseaba rechazar el punto de vista de la mujer, proclamando que estaba justificado en su ensimismamiento y su tristeza. Descontrolado por la irritación, olvidó la cortesía y le preguntó:

—¿Alguna vez os habéis sentido desesperada y necesitada de contacto humano? ¿Habéis sentido en alguna ocasión que vuestros seres queridos tienen tanto miedo a vuestra discapacidad que no se atreven a tocaros? ¿Como si los fuerais a contagiar? ¿No habéis estado sola en la cama por la noche sintiendo que se cierran las paredes sobre vos, ni os habéis sentido prisionera de vuestro propio cuerpo?

A Saura se le oprimió la garganta por las inminentes lágrimas ante ese dolor tan conocido, pero él continuó:

—Cacareáis como una mujer vieja y seca por dentro que no entiende la debilidad de la carne. Una mujer que nunca ha amado a un hombre, que nunca ha abrazado a un hijo. Habláis como si nunca hubierais pecado.

Saura sintió el ruido de las patas del sillón en el suelo cuando él volvió a sentarse, y enfrentó la marejada de afinidad que le retorcía el corazón. Intentó hablar, pero no pudo; las palabras de consuelo salieron en apenas un susurro, fragmentadas en su mente y oprimidas en su pecho.

—¿Qué hacéis? ¿Estáis rezando por mí? —le preguntó entonces él, y su voz le llegó como un latigazo. Pasado un momento de silencio, pensando, continuó en voz más suave—: Rezando por mí. —Tamborileó impaciente con los dedos sobre el brazo del sillón—. ¿Estáis rezando por mí?

Ella siguió callada y fue recompensada por una acusación:

—Sois monja, ¿verdad?

—Oh, Dios mío.

Él chasqueó los dedos.

—Claro. Debería haberlo comprendido. Es lógico, sólo una monja podría traer este tipo de disciplina a una casa.

Saura tragó saliva y se dio unas palmaditas en las mejillas ruborizadas.

—Vuestro padre…

—¿Os hizo jurar que guardaríais el secreto? Vamos, señora, ¿estáis aquí para enseñarme?

Ella suspiró y sonrió, divertida ante esa demostración de una mente aguda, y por la fe de él en sus propias conclusiones.

—Estoy aquí para enseñaros —reconoció—. Soy profesora de ciegos.

—Y tenéis todos los motivos para hablar con tanta mojigatería. Nunca habéis pecado, ¿verdad? Nunca habéis abrazado a un hombre con amor, nunca habéis tenido un hijo.

—Y nunca lo tendré. —Se tocó el vientre estéril con la intensa pena de una mujer que desea algo más—. Soy una solterona vieja sin ninguna esperanza para el mañana.

William se mordió el labio, arrepentido. Había deseado atormentarla un poco, pero no fue su intención hurgar en una herida abierta.

—¿No fue por elección vuestra que entrasteis en un convento?

—Si hubiera podido elegir, tendría mi marido y mis hijos.

Conmovido por la llamada de un frustrado espíritu afín, él le ofreció el mejor consuelo que se le ocurrió:

—No os puedo ayudar con el marido, señora, pero ahora somos vuestra familia.

—Gracias, William —dijo ella, conmovida por esa amabilidad.

—¿William? —dijo él, sonriendo—. ¿Me vais a llamar por mi nombre sólo cuando estéis complacida conmigo?

—Milord —enmendó ella, avergonzada por ese revelador desliz de la lengua.

—Me gusta eso. Me recuerda a mi madre.

Sorprendida, ella trató de dominar la sensación de insatisfacción. Tenía diecinueve años, y era la más pobre de las criaturas, una mujer soltera, pero ¿su «madre»?

—¿Vuestra madre?

—Cuando la fastidiaba me llamaba «milord». En un tono bastante sarcástico. Veo vuestro parentesco con ella.

Ella tosió.

Él se desentendió de su emoción, reconociendo el enigma de la mente de una mujer. Fuera cual fuera la interpretación que diera a su reacción, seguro que se equivocaría.

—Os he hecho llamar por un motivo —dijo—. Como me señalasteis con tan poco tacto, apesto. No me he bañado desde el pasado otoño, y durante el largo proceso de aprender a comer, he derramado comida en mis ropas y en mi barba. ¿Creéis que…?

Esa mujer actuaba con rapidez y seguridad, pensó William amargamente mientras se echaba agua en el pecho. Un contingente de criadas lo había acompañado a la habitación soleada y luego desvestido mientras los hombres instalaban la enorme bañera delante del hogar encendido. Después habían subido baldes y más baldes de agua caliente por la escalera, y sobre el fuego del hogar colgaban ollas con agua para hervir más. En un santiamén había metido el dedo gordo del pie en el agua y después el cuerpo entero, suspirando. Echando a todos con un gesto de su enorme mano, dejó entrar el calor en los huesos y moverse por su sangre. Había soportado demasiado tiempo el frío, el frío de dentro y el frío de fuera.

En ese momento reinaba la paz en la habitación, la puerta bien cerrada para impedir que entraran corrientes de aire.

Lady Saura y su criada estaban conferenciando sobre su arcón con ropa, y hasta él llegaba el murmullo de sus voces.

—Esta túnica tiene el tacto de lana fina.

—Sí, y está teñida de un práctico color marrón, con trencillas en las mangas y la orilla.

Las otras criadas trabajaban en silencio bajo la dirección de Saura o estaban instaladas cosiendo. La conversación en voz baja le recordó un baño que se dio en primavera cuatro años atrás, y en su imaginación vio la inmensa habitación como se veía entonces.

Construida a un lado de la sala grande, estaba dominada por la cama del señor, de reluciente madera, sobre una tarima, provista de dosel y rodeada por cortinas para protegerla de las brisas de invierno. Los arcones con ropa estaban adosados a la pared opuesta, lo bastante cerca del hogar para mantener seco el contenido, pero no tanto que les llegara alguna chispa.

Agraciada con más luz natural que todas las otras habitaciones del castillo, ésta tenía grupos de banquetas y bancos junto a las ventanas, donde trabajaban las mujeres. Las ventanas daban al jardín cercado del patio. Las rejillas de hierro que las protegían arrojaban sombras cuadradas en la habitación, y las contraventanas de madera estaban talladas con un complicado y bello acabado.

Se rió, recordando cómo su difunta mujer insistió primero en las contraventanas y luego en el fino tallado. Su padre le gritó que los pondría a mendigar con esas ridículas ideas. Y entonces Anne le contestó, también a gritos, diciéndole que se preparara sus comidas, se remendara su ropa y pariera a sus nietos. El altercado fue bastante violento, y al final lord Peter ordenó alegremente que tallaran las contraventanas y Anne continuó pariéndole nietos.

Hasta que murió, con el último. Él la puso a reposar junto a las pequeñas tumbas de sus cuatro hijos que habían muerto antes.

Esperó sentir la conocida oleada de aflicción, pero sólo sintió una dulce melancolía. La echaba de menos: sus escandalosas risas, el aroma a lavanda de su ropa, el rellenito cojín de su cuerpo apretado al de él por las noches. Pero ya no la lloraba, y si no se le hubiera presentado esa monstruosa ceguera, habría mirado alrededor en busca de una mujer con la cual casarse y convivir.

No le gustaba el proceso de perseguir a una mujer hasta que capitulara y luego abandonarla para perseguir a otra. Conocía a hombres que hacían eso: Arthur y, en menor medida, Charles iban tras el mito de la mujer perfecta pasando por todas las camas. Durante los años que vivieron en el castillo

Burke educándose con su padre, ninguna criada que ya hubiera pasado por su primera floración yacía sola en su jergón.

Pero esa particular forma de comportamiento masculino le era ajena. Sus energías estaban mejor empleadas como guerrero, sus deseos mejor atendidos por una mujer que lo amara. Había usado a las criadas del castillo para satisfacer sus necesidades corporales, pero ansiaba a la dama única que le sanaría el alma. Suspirando, buscó el paño para lavarse en el fondo de la bañera.

Un frufrú de ropa captó su atención, y entonces sintió la presencia de una de las criadas junto a la bañera para comprobar la temperatura del agua. Percibió el movimiento de su dedo cerca del muslo y olió el fuerte aroma a claveles. Sonrió. Le cogió la mano y le frotó la suave piel con el pulgar, diciendo:

—¡Muchacha! ¿Tanto te interesa mi pierna que deseas tocarla?

La chica no dijo nada, sólo se rió, sorprendida, y algo resollante, tironeando para soltarse la mano.

Envalentonado por su risa, estaba claro que no le tenía miedo, ni a él ni a su ceguera, le retuvo la mano.

—No te vayas, tengo más para enseñarte que una simple pierna.

Con un fuerte tirón la metió en la bañera haciéndola caer sobre sus muslos.

Subió el agua, con un gran chapoteo, y al instante quedaron empapados hasta las cabezas. La chica ahogó una exclamación y trató de liberarse de una manera torpe, desmañada, como si no estuviera acostumbrada a que un hombre la abrazara. Un rápido deslizamiento de la mano por su cuerpo empapado le confirmó que eso no podía ser. Cualquier muchacha agraciada con pechos y caderas generosos y una cinturita estrecha había sido receptora de muchos abrazos.

Los esfuerzos de la chica por salir de la bañera se tornaron más violentos y menos eficaces, por lo que una sonrisa de placer le curvó los labios en medio de la barba. Los débiles chillidos que emitía eran encantadores, demostraban brío, pero no resistencia. La muchacha conocía todos los trucos.

Se le levantó el miembro, en reacción inmediata a ese descarado aliento. Ella se lo frotaba con la cadera mientras pataleaba y hacía débiles intentos por levantarse. Le golpeó los hombros con los puños cuando él la atrajo hacia sí, la giró hasta dejarla de costado con el trasero apoyado en sus muslos, con el cuello metido en la curva de su codo, sintiendo deslizarse la trenza por su brazo. Riendo, le cogió la mano y aumentó la presión del brazo que le sujetaba el cuello. Teniéndola ya bien abrazada, y relativamente quieta, pudo buscarle la boca con la de él.

Le bastó un momento para cambiar de opinión respecto a su experiencia. Su boca se rindió, y la abrió sin dificultad a su insistente lengua, pero una vez que la tuvo dentro, no supo qué hacer con ella. No le correspondió los movimientos de su lengua, no respondió a sus señuelos, aunque sí notó reacción. Esa boca era dulce y ávida, sorprendida y bien dispuesta. Moderó sus intenciones y las convirtió en enseñanza.

Aflojó la presión de su brazo sobre el cuello y le apoyó la espalda en su enorme mano. Le friccionó el costado, acariciándola, ablandándola. Le liberó la mano y se la colocó sobre su pecho, sobre la enrojecida piel, sobre el corazón. Ella la retiró; pacientemente él volvió a cogérsela y a ponérsela sobre el pecho, atizando los fuegos de su inocencia con los labios. Esta vez ella dejó ahí la mano; introdujo los dedos por entre el vello que le cubría la piel, los flexionó, temblorosos y volvió a flexionarlos.

Él puso fin al beso, emitiendo un gemido.

—Dulzura —le susurró al oído, lamiéndole el borde de la oreja, y sintió el soplo de un gemido en la mejilla.

Con la otra mano continuó explorando. Ahuecándola en su pecho, la movió en círculo sobre el pezón, duro por el frío y los nervios. Con la base de la palma le friccionó el pecho, tierna y concienzudamente, hasta que ella se estiró sobre sus muslos, derretida, complaciente, fláccida. Gratificado por esa respuesta a su trabajo, le hizo una última caricia en el pecho y continuó la exploración. La curva de su cintura le confirmó su primer precipitado diagnóstico, y sintió el estremecimiento de su firme abdomen cuando deslizó los dedos por ahí. La tela empapada de su falda se había hinchado y subido hasta las rodillas, así que buscó con la mano la piel desnuda de su pantorrilla; cuando se la palpó, se le quedó atrapado el aire en la garganta y ella suspiró; entonces se movió, saliendo bruscamente del letargo. Con el instinto de un mago, él volvió a capturarle la boca, deleitándola con el regreso de sus labios, y subió la mano por el largo y sedoso sendero de su pierna; el sendero al cielo.

Y el cielo estaba cerrado, muy cerrado.

Un chorro de agua fría le cayó en la espalda y lo hizo estrellarse en la tierra. Dos potentes manos lo empujaron hacia atrás, cogieron a la chica por las axilas, la apartaron de él y la pusieron fuera de su alcance.

Furioso, se puso de pie, impedido de atacar sólo por su ceguera.

Su indignado rugido habría asustado a una mujer inferior, pero Maud no era una mujer inferior.

—¿Estás loco, lord William? ¿Atacarías a una damisela a plena vista de las criadas?

Él volvió a rugir, sin poder hablar, y cuando recuperó el habla, gritó:

—¿Atacar? ¿Atacar? Sólo tenía que decir «no» y yo la habría soltado. Por nuestro dulce Salvador, lady Saura, ¿vos me arrojasteis ese chorro de agua fría?

Saura, empapada y tiritando junto al fuego del hogar, contestó:

—Por así decirlo.

Liberada de la restricción del silencio, su voz sonó temblorosa, y a él se le enfrió la furia.

—Devolvedme a la muchacha y lo olvidaré. —Oyó las risitas colectivas de las mujeres que estaban trabajando junto a la ventana y se sumergió en el agua—: Devolvedme a la muchacha y haced salir a esas criadas.

Escurriendo el agua de la manga larga con las dos manos temblorosas, Saura se quitó el pelo de la frente con el brazo, diciendo:

—No puedo hacer eso, milord. La chica está apalabrada.

—¡Apalabrada! Yo soy su señor.

Saura se alisó la gramalla* de tosca lanilla, maldiciendo su

---

* Gramalla: vestidura talar, a modo de bata, que se usó mucho antiguamente. Decidí éste nombre para esta prenda porque es una especie de delantal o bata de trabajo, no es túnica ni sobretúnica. Según la descripción que se da más adelante, se asemeja a la prenda más externa del hábito de ciertas órdenes religiosas, femeninas y masculinas, llamada «escapulario», con la diferencia de que ésta tiene mangas largas y las partes delantera y de la espalda se cierran con lazos a los costados. (N. de la T.)

laboriosidad. Su sentido de la responsabilidad le había exigido hacer las tareas asignadas por lord Peter antes de proveerse de las telas que éste le había ofrecido. Era llegado el momento de hacerse ropas nuevas, vestidos que la señalaran como dama, no como criada.

—La chica se marchó.

—¡Se marchó! ¡No ha salido nadie de esta habitación! —La furia lo impulsó a ponerse de pie otra vez—. ¡Y la quiero «ahora»!

—¡Hablaré con vuestro padre! —gritó ella, tan exasperada que no pudo dominarse—. Veremos qué hacemos.

Agitando las faldas empapadas, se giró a apoyarse en el brazo de Maud y se dirigieron a la puerta, abierta por una de las criadas costureras que se estaba mordiendo la mano para sofocar la risa nerviosa.

—¿Quieres que te caliente el baño, lord William? —preguntó Linne, una de las criadas mayores de su difunta esposa—. Tengo más agua al fuego.

—No —contestó él, pasado un momento—. No, creo que mi baño ya está lo bastante caliente. El frío ha desaparecido.


En el pequeño despacho de un rincón de la sala grande, separado del resto por columnas en arco y biombos altos, lord Peter se pasó la manga por la frente, intentando concentrarse en las cuentas que le estaba detallando el clérigo contable. Preferiría estar en el patio de armas entrenando en esgrima a Kimball y Clare, o haciendo cualquier cosa que no fuera ese horrendo aburrimiento. Ése había sido el trabajo de su hijo William, estar al corriente y llevar las cuentas del rendimiento de las cosechas del año, de los pagos de alquileres de sus aparceros y de si sus administradores los habían estafado. Él no tenía cabeza para eso, por mucho que se lo explicara el joven e inteligente clérigo con santa paciencia.

—Debido a los asaltos en Fairford, han bajado los alquileres otra vez —estaba diciendo el hermano Cedric.

Interrumpió su informe, atraída su atención por el alboroto que venía del otro lado de la sala.

Lord Peter también miró, interesado en lo que fuera que lo distrajera de esas cuentas.

—Hace muchísimo tiempo que no oíamos risas en el castillo —comentó—. La llegada de lady Saura lo ha enderezado todo. Los criados se portan bien y se ven contentos, las comidas están bien preparadas y creo que William está reaccionando por fin.

Las últimas palabras le salieron apenas en un susurro, porque vio aparecer a Saura en la puerta en arco, empapada, con una mano sobre el cuello del mastín y la otra en el brazo de Maud.

—¡Lord Peter! —exclamó ella—. Perdonad la pregunta, pero ¿cuánto tiempo hace que William no ha fornicado con una mujer?

—¿Fornicado? —preguntó lord Peter, estupefacto—. ¿Con una mujer?

—Está claro que sus gustos van por el lado de las mujeres —ladró Saura, cogiéndose una manga y escurriéndola.

Lord Peter miró a la Virgen empapada que tenía delante y el charco que se había formado en los tablones a su alrededor.

—Estáis mojada. ¿Os caísteis en un charco?

—No, me caí en una bañera con vuestro hijo. ¡Y lujurioso que es! ¿Cuándo fue la última vez que se acostó con una mujer?

Al hermano Cedric se le escapó un suave sonido; lord Peter lo miró y vio que estaba intentando contener la risa y mirando a Saura. La práctica gramalla de lanilla estaba empapada y a través de los lazos en las aberturas de los costados se veía su túnica dorada pegada al cuerpo. Le brillaban los ojos violeta, tenía las mejillas teñidas por un bonito color rosa, le vibraban los labios llenos, rojos y deliciosamente hinchados, síntoma de haber sido bien besados.

Maud hizo una delicada carraspera. Al instante lord Peter la miró. El mensaje que pasó de la mente de ella a la de él era explícito y vehemente, así que se apresuró a contestar:

—Ah, creo que fue antes que quedara ciego.

—Ah, maravilloso. Hace meses. Bueno, eso debe cambiar. Ahora hay que llevarle una mujer. Tiene que tener mi forma —se midió la cintura con las manos—, y tener todos los dientes. Él ha tenido una experiencia íntima con mis dientes. Le enviaré mis ropas para que se las ponga. Además, ¿lord Peter?

Aturdido, el hombre estaba tratando de asimilar la serie de incidentes que habían llevado a esa extraordinaria petición.

—¿Sí?

—Me prometisteis telas traídas de Francia. Pondré de inmediato a las costureras a trabajar en mi guardarropa nuevo. —Asintió majestuosamente y se cogió del brazo de Maud. Dando un golpecito al perro en el cuello, ordenó—: A mi habitación.

Lord Peter se las quedó mirando, y comentó con afable asombro:

—¡Condenación! ¿Qué te dije? Lady Saura lo está enderezando todo.


—¡Fuera, perro grande! Sigue tu camino, no puedes entrar en el dormitorio de milady.

—Déjalo entrar, Maud. Si no, no va a parar de rascar la puerta.

Entró el perro, creando un ritmo similar a los tictacs de un reloj al golpetear con sus uñas el suelo de madera.

—Todos los perros del mundo te adoran —refunfuñó Maud tan pronto como cerró la puerta de la habitación—. Ve a ponerte junto al fuego y quítate esa ropa. Esta fría primavera no es tiempo para darse un baño.

—¡No pensaba dármelo! —protestó Saura, tratando de soltarse los lazos—. Ah, vamos, ayúdame, este nudo no se suelta.

Maud dejó caer la ropa que estaba sacando de un arcón y corrió a asistirla.

—Sí, esto está mojado, y parecería que los activos dedos de lord William apretaron los nudos. Si no tuviera motivo para saber que no, milady, diría que tu actuación en la bañera olía a la de una mujer experimentada.

—Soy una mujer experimentada —dijo Saura, esbozando una sonrisa sesgada, encantada—. Ahora.

—No había visto tanta pasión desde la primera vez que tu madre ayudó a tu padre a bañarse. Era doncella también, aunque no siguió siéndolo mucho tiempo.

Saura levantó los brazos para que Maud le quitara la ropa.

—Tenía curiosidad.

—¿Eso era curiosidad? —musitó la mujer—. No, he visto curiosidad y eso no lo era.

Incitada por un interés que no entendía, Saura preguntó:

—¿Cómo es, Maud?

—«Eso» sí es curiosidad. —Retrocediendo, la criada miró atentamente el cuerpo desnudo de su señora—. Uy, lady Saura, qué hermosa eres. Deberían haberte casado y llevado a la cama a los trece, como a las demás mujeres.

—Y tal vez habría muerto en la cama de parto a los quince.

—Como quiera Dios, pero ansío tener a tus bebés en mis brazos. No es demasiado tarde, ¿sabes? Sólo tienes diecinueve años.

Saura la abrazó.

—¿Sólo diecinueve? ¡Ja! Bien pasada la edad de matrimonio. No me abras la mente a la esperanza, Maud. Puedo vivir con resignación, pero si comienzo a soñar con un hombre mío… —Se estremeció—. Tengo frío.

La criada fue a buscar una áspera toalla y luego de secarle todo el cuerpo le pasó la toalla, ordenando:

—Sécate el pelo. Es alto.

—¿Quién?

—¡Quién! —bufó Maud.

—¿William? ¡Sé que es alto! —Se puso la mano más arriba de la cabeza—. Su voz suena aquí. —Se quitó el velo y escurrió el agua de la larga trenza que le colgaba por encima del hombro—. Es un semental magnífico, alto y bien musculoso. Tiene una voz agradable, muy agradable. Todo eso lo sé. Pero ¿cómo es?

Maud le pasó una túnica interior seca por la cabeza y se la bajó.

—Tiene la cara ancha y severa, y sonríe rara vez. Pero cuando sonríe, milady, se le ven los hoyuelos por entre esa revuelta barba. Es rubio, tan rubio que parece de oro en la bañera.

Le observó la cara.

Saura estaba embelesada, atenta a cada palabra, con los labios ligeramente entreabiertos, enseñando los dientes blancos. Había dejado detenidas las manos, a la mitad de soltarse la trenza. El pecho le subía y le bajaba con hondas inspiraciones, y le brillaban los ojos.

Su expresión y su repentino interés hicieron concebir a Maud esperanzas para el futuro de su señora. Amplió su descripción, con astuta intención:

—Es el tipo de hombre al que las mujeres miran boquiabiertas. Sea cual sea la chica que le envíen ahí, irá bien dispuesta, te lo aseguro.

—Eso me alivia la mente —dijo Saura, sarcástica, reanundando la tarea de deshacerse la trenza.

—Sí, seguro que te la alivia —rió Maud—. Esto me alivia la mente a mí también.


Cuando se abrió la puerta de la habitación del amo y salió William apoyado en el brazo de Linne, lord Peter tuvo que hacer un esfuerzo para no echarse a llorar. Su hijo había vuelto.

Llevaba la barba bien recortada, por lo que se veía la forma de su fuerte mentón, el que llevaba levantado en un ángulo que indicaba resolución. El pelo, cortado dejándole un flequillo sobre la frente, le llegaba al cuello y se mecía al ritmo de su paso. Caminaba erguido, con el paso firme y los hombros derechos, no hundidos.

Estaba de vuelta: William había vuelto.

—¡Padre! —exclamó Kimball. Se levantó de su banco en la mesa principal, bajó de un salto al suelo y corrió hacia él y le cogió la mano—. Padre.

—¿Sí, hijo? —Bajó la cabeza con la cara hacia él, como si lo estuviera mirando—. ¿Todos están sentados a las mesas? ¿Llego tarde?

—Te estábamos esperando. Lady Saura dijo que habías tenido mucha actividad y que podrías estar echando una siesta, pero el abuelo dijo que darse un baño es trabajo duro, y que debíamos esperarte. Así que lady Saura ordenó que prepararan una sopa y hemos tenido música. Toca el arpa de una manera que me recuerda a los ángeles. Pero ahora estamos muertos de hambre.

—No podemos permitir eso. ¿Me haces el favor de llevarme? —Soltó la mano que tenía apoyada en el brazo de Linne y se agachó a susurrarle—. ¿Y te encargarás de que no me golpee las espinillas?

—Sí, señor. —Contento por tener de vuelta a su padre, y muy niño aún para ser sentimental, sonrió de oreja a oreja—. No dejaré que te tropieces. Pon la mano en mi codo. ¿Quieres que me siente a tu lado y te corte la carne? Hoy el estafermo sólo me arrojó del caballo una vez, y a Clare cuatro veces, pero el abuelo dice que va a ser excelente en los torneos, aquí está el banco, padre, pasa la pierna por arriba, si sigue practicando. Tiene siete años y yo le dije que no lo hacía tan bien a los siete, y no es tan grande como era yo entonces, pero el abuelo dice que monta bien. Aquí está tu tajadero —le cogió la mano y se la puso sobre el plato de madera—, ¿lo sientes?

Una sonrisa curvó los labios de William.

—Sí, gracias, Kimball. ¿Me has echado de menos?

El niño, de ocho años, lo pensó.

—Bueno, no te habías marchado, estabas aquí, pero no te gustaba oírme hablar.

—Lo sé. Lo siento, eso no volverá a ocurrir. —A tientas le buscó la cara y se la palpó, y después le pasó la mano por la cabeza, echándole hacia atrás el pelo revuelto—. Pero, dime, ¿quién es Clare?

—Ah, es el hermano de lady Saura —contestó Kimball, asombrado por la pregunta—. Está sentado al final de la mesa principal. Normalmente comparte mi tajadero.

—¿Su hermano?

—El abuelo lo trajo para entrenarlo, si no no habría podido traerla a ella. Ha estado aquí toda la primavera con lady Saura. Ella es buena. Nos cuida, habla con nosotros, nos da las buenas noches con un beso y nos pone ungüento de consuelda en los moretones. Aunque eso sí, nos obligó a darnos un baño de primavera. ¿Le ordenó a las criadas que te desvistieran y te metieran en la bañera también?

Se hizo un silencio sepulcral en las mesas, todos los oídos aguzados para oír su respuesta.

—No, hijo —dijo William con su voz sonora—. Hay incentivos para que los adultos acepten bañarse sin resistirse.

Un murmullo de risas suaves recorrió las mesas de caballete, y los criados y admiradores hicieron silenciosos gestos de asentimiento entre ellos.

El señor había regresado, estaba de vuelta.

—¿Te gustó tu incentivo? —le preguntó lord Peter, sentado a su izquierda.

William sonrió amablemente.

—Era una muchacha muy experta, bien dispuesta y deseosa de complacer a su señor. De cuerpo hermoso y aliento agradable. Igualaba casi a la perfección a la chica que besé en la bañera.

Al paje que estaba sirviendo la sopa se le cayó la cuchara de palo y se alejó saltando de la sopa caliente que cayó al suelo. Los sonidos de la cuchara al rebotar en las losas, de las pisadas del paje y de su murmullo disculpándose reverberaron en la sala grande mientras todos giraban las cabezas mirando maliciosos de Saura a William y de éste a Saura.

William, lógicamente, no sabía a qué otra persona miraban, pero sabía que tenía la atención de todos cuando continuó:

—Sí, padre, estoy ciego, pero no soy tonto. La chica de la bañera tenía un fuego inocente que ninguna otra mujer podría imitar. Su dulce boca me marcó. No sé quién ni qué es, ni por qué no puedo tenerla, pero mi compañera de baño es inolvidable. Y mientras no pueda ponerle las manos encima, no me acostaré con una sustituta.

# Capítulo 3

—William, tienes que dejar de besar a las criadas —dijo Saura, golpeándose la palma con sus guantes de piel.

La chica se bajó del regazo de William riendo y él le dio una palmada en el trasero.

—Gracias, preciosa, pero no eres ella.

Su voz resonó en el pequeño despacho cerrado donde estaba trabajando con el hermano Cedric.

El único defecto de William, en opinión de Saura, era su predilección por besar a las criadas. El roce de una falda en su mano, producía en él una reacción inmediata. Cogía a la mujer y la besaba, sin discriminar: viejas y jóvenes, solteras y casadas, dulces y agrias. Las mujeres se reían y le correspondían el beso, o se reían y se escabullían alejándose, pero al soltarlas él siempre declaraba: «No eres ella».

A saura se le alegraba el corazón cuando lo oía repudiarlas, tanto como le abrasaba las entrañas oír los besos.

El copero pasó junto a ella, que estaba en la puerta, y William se le quejó:

—Tienes que traerme algunas otras chicas. ¿Cómo voy a encontrar a mi mujer misteriosa si beso a las mismas día tras día?

—¡No las beses! —repitió Saura, exasperada.

—Pero es que me gusta.

Saura levantó las manos, agitándolas.

—Eres incorregible.

—¿Vestida para salir, lady Saura? —preguntó el hermano Cedric, dándole a posta a William la información que necesitaba.

—¿Vas a salir a cabalgar esta hermosa tarde? —preguntó entonces William.

Por instinto, Saura se alisó el vestido nuevo de lino, de talle ceñido y mangas largas flotantes.

—Si logro encontrar a los chicos para que me acompañen. Hay problemas en la casa del molinero, y Linne ha preparado una cesta. ¿Querrías...?

—Sí —dijo William, levantándose.

Ella se rió, ruborizada, y se giró para alejarse.

—Me halagaría tu entusiasmo, milord, pero sospecho que la verdadera atracción es el caballo.

Se detuvo en seco. Acababa de detectar algo nuevo en su voz; una nota traviesa, un matiz de risita: el sonido de la coquetería.

William chocó con su espalda y casi la tiró al suelo. La sujetó cogiéndola por los codos, desde atrás.

—¿Saura?

—Perdona, milord. —Tironeó para soltarse, y él la soltó, aunque antes le apretó más los codos—. Me detuve delante de ti sin pensar.

—Sí —dijo él, y ella percibió tensión en su voz—. Eres más delgada de lo que creía.

Ella avanzó unos pasos, cautelosa, indecisa; no sabía bien dónde estaba.

—¿Me imaginabas rellena como un jergón?

—No —contestó él secamente, siguiéndola—. Te imaginaba… He deseado saber…

—Eso es natural —le dijo ella, recurriendo a su papel de profesora—. Muchas veces a los ciegos les gustaría saber cómo son las personas que los rodean.

—Las caras de todos los demás las recuerdo bien. Tú eres nueva en el castillo Burke. ¿Me permitirías tocarte la cara?

Saura hizo una inspiración temblorosa. Le encantaría que le tocara la cara y, sospechaba, que también cualquier otra parte que él deseara. Pero era demasiado pronto. En esas dos semanas se había convertido en el verdadero señor, el señor reconocible. Cuando descubriera la broma que le habían gastado se enfurecería, y con razón. Maldijo a lord Peter y a su imaginativo engaño.

—Creo que eso no estaría bien —le dijo, añadiendo un deje de superioridad a su voz; lo detestó, pero le pareció necesario para desalentar el interés de él.

—¿No?

—La relación entre nosotros se basa en el respeto mutuo, y la curiosidad por tu parte no debe permitirse.

—Interesante teoría.

Ella sintió avanzar hacia ella su voz y dio un brusco paso atrás.

—¿Lord William?

—¿Mmm?

Estaba sonriendo, captó ella, siguiéndola por la sala grande, y las siervas que estaban trabajando junto al hogar se reían divertidas.

—¿Qué pretendes hacer? —dijo y volvió a retroceder al sentirlo abalanzarse—. Ojalá no…

Él volvió a abalanzarse, le cogió la muñeca y la acercó suavemente a él. Ella se resistió con la timidez de una doncella renuente, y se quedó inmóvil al oír un estridente silbido que resonó en las paredes.

—Tan vigoroso como siempre, ¿eh, William?

La voz del desconocido parecía divertida, y William la soltó, sorprendido.

—¿Charles?

—¿Quién si no? —El desconocido entró en la sala—. Al verte perseguir a esa muchacha pensé que habías recuperado la vista.

—Tengo ojos en los dedos —contestó William, flexionándolos—. Raymond, ¿eres tú? —preguntó al oír otros pasos.

—Me alegra verte, William —dijo Raymond—. Hemos estado todo el día cazando y decidimos pasar a cenar contigo. Dejamos a Arthur en el patio con la mano debajo de la falda de una muchacha.

—Como siempre —rió William—. Bienvenidos. ¿Y dónde está Nicholas?

—Aquí.

William pegó un salto al oír la voz tan cerca.

—Dientes de Dios, debería haber sabido que todavía te me acercarías sigiloso. —Alargó el brazo y Nicholas se lo cogió por el codo—. Un placer, Nicholas. ¿Lady Saura?

—Inmediatamente, milord. —Se alejó a tientas y la rescató la mano de Maud en el brazo.

La criada le indicó en voz baja el lugar donde estaba. Ya orientada, Saura dio las órdenes:

—Armad las mesas de caballete. Traed cerveza, vino, queso y pan. Apresurad los preparativos para la comida. Decidle al cocinero que prepare sopa de col y refuerce el estofado con cebada. Maud —añadió en voz baja—, llévame a un lugar más privado.

La mujer la llevó hasta un lugar oscurecido detrás de una columna de soporte.

—¿Nos van a causar problemas estos tres, milady?

—No lo sé —susurró Saura—. Es posible.

Oyó los sonidos de sandalias en el suelo al correr los criados a cumplir sus órdenes, y luego los ruidos que hicieron los tres visitantes llevando sus bancos a la mesa recién montada. Entonces oyó el ruido que hizo el viejo Bartley arrastrando el sillón de William hasta el centro de la mesa, y luego el murmullo:

—Aquí, milord.

William se sentó con sumo cuidado en el lugar de honor, y ella se tensó; oyó el tintineo de un jarro de peltre y luego el sonido de líquido cayendo en una copa. El sonido se fue debilitando al irse llenando la copa, y se detuvo.

—Muy bien, William —exclamó Raymond, y Saura exhaló un silencioso suspiro de alivio.

—Cogedla —dijo William, deslizando la copa por la mesa—, y servíos queso y pan. Mi padre está en el bosque enseñándole a los muchachos a cabalgar sin manos. Lo enviaremos a buscar. Querrá exhibir a sus expertos caballeros ante los niños.

Nicholas cogió la copa de cerveza.

—¿Para demostrar que ha llevado a muchos niños a rastras hacia la virilidad?

—Cogidos por el pelo —bromeó Raymond, y los tres hombres se rieron.

William sirvió otra copa para Charles.

—Juró que nunca más cogería a cuatro chicos para formarlos a todos al mismo tiempo. Vosotros lo agotasteis.

—¿Que nosotros lo agotamos a él? —rió Charles—. Yo me quedaba dormido sobre mi tajadero cuando él acababa el entrenamiento del día. Arthur fingía estar enfermo cuando llovía, y lord Peter lo sacaba de debajo de su manta tirándolo por los pies. Raymond nunca se quejaba, simplemente cumplía las órdenes y comía tanto que los perros de debajo de la mesa se morían de hambre. Y recuerdo cuando Nicholas se quebró el brazo y tuvo que aprender a manejar una espada con la mano izquierda.

—Lord Peter nunca aflojaba —gimió Nicholas—. Decía que todo caballero debe saber manejar la espada con cualquiera de las dos manos.

—Sí, y a todos nos hacía practicar con los dos brazos —evocó Raymond—. Tienes suerte, Nicholas, no te quebramos el otro brazo.

—¿Ahora tiene otros pajes para atormentar? —preguntó Charles.

—Uno es mi hijo —dijo William.

—Eso es interesante —dijo Nicholas, tamborileando los dedos en la mesa—. ¿Lord Peter va a hacer trabajar más a su nieto, o va a ser blando con él?

William sonrió, enseñando todos los dientes.

—¿Qué crees tú?

—Pobre chico —suspiró Raymond, cogiendo la copa servida para él—. Pobre, pobre chico.

Los tres se rieron mezclando la compasión y el humor.

—¿Qué cazas, Charles? —preguntó William.

—Jabalí. Pero hemos tenido muy mala suerte. Te trajimos, ciervo. Puesto que ya no puedes cazar, pensamos que iría bien la carne para tu mesa.

—Los cazadores de William no van a agradecer eso como un cumplido —lo regañó Raymond, con voz ronca y clara.

—No pasamos hambre —concedió William, en tono afable.

Sintió el contacto de la mano de Raymond en la de él, en breve comunicación. De todos los hombres que había entrenado su padre, sólo Raymond era su íntimo amigo, aunque por qué, no lo sabía. Era menor que él, más rico, más noble, y tan inteligente que le producía dentera. Dado a estados de ánimo sombríos, Raymond tenía profundidades que él no entendía, sin embargo congeniaban inexplicablemente bien. Agradecido por su apoyo, el dicho y el tácito, llenó otra copa y preguntó:

—¿Qué noticias hay de nuestro rey Esteban y nuestra reina Matilda?

—Esteban está en marcha otra vez, y Matilda sigue lamiéndose las heridas al otro lado del Canal —dijo Charles—. Esteban debería haberla matado cuando la tuvo en sus manos —añadió, disgustado.

—Es demasiado caballeroso —concedió Raymond—. Y demasiado tonto. Además, ¿qué bien haría la muerte de Matilda? Es su hijo el que ahora hace girar las cabezas.

—¿Son ciertos los rumores, entonces? —preguntó William—. ¿Ha vuelto a Inglaterra el niño?

—El «niño» ya tiene por lo menos veinte años —dijo Raymond, divertido—, y está preparado para arrancar el trono de las temblorosas manos de Esteban.

—¿Has visto al duque Enrique? —preguntó William, con vehemente interés.

—No todavía —repuso Raymond—, pero desembarcó en enero, y me han dicho que combate como un hombre y piensa con la asombrosa capacidad de estadista de Matilda, aunque no con su temperamento indeciso. También debemos tomar en cuenta las ventajas de su matrimonio con Leonor el año pasado. Ella es la duquesa de Poitou y Aquitania y…

—La reina de Francia —terminó William, sonriendo.

—Ya no es la reina —rió Charles, con la alegría de un chismoso innato—. Dicen que volvió loco al santo rey Luis de Francia. Lo acompañó en una cruzada, ¿sabéis?, y armó un escándalo. La primavera pasada se divorciaron por motivos de consanguinidad.

—¿Son primos? —interrumpió William.

—Algo así —convino Charles—. La mitad de los matrimonios entre miembros de la realeza están teñidos de consanguinidad. Sólo se le da importancia cuando es necesario un divorcio.

Raymond cogió el cuchillo y con vigorosos movimientos cortó tajadas de queso para todos.

—Tanta alharaca que hizo Leonor con su consanguinidad con el rey de Francia, y ella y Enrique son del mismo linaje también —comentó.

Charles cortó trozos de pan de la barra y los ofreció, diciendo:

—Y claro, sus tierras de Poitou y Aquitania la hacen vasalla del rey francés.

—Exactamente —rió Raymond—. Necesitaba recibir la aprobación de Luis para casarse con quien fuera, y ella se burló de su autoridad. Enrique también debería haber recibido el permiso. Acababa de prestar juramento de lealtad como vasallo del rey por sus tierras en Francia. Enrique le había dado el beso de paz, y de todos modos la boda se celebró antes que Luis se enterara. Las bellas tierras de Leonor han ido a financiar al principal rival de Luis.

Nicholas estaba deshaciendo pan entre los dedos, escuchando, pero no pudo continuar callado:

—Que mis vasallos se burlen de mi autoridad para casarse y se unan en mi contra también se me atravesaría en la garganta.

—Personalmente yo creo que lo que molestó a Luis fue que se casaran cuando aún no pasaban dos meses del divorcio —dijo Charles—. Por muy santo que sea Luis, no podía desear creer que la diabla a la que no pudo domar saltó alegremente a la cama de otro hombre. La cama de un hombre más joven.

—Da la impresión de que el matrimonio fuera político, pero la cama de matrimonio fue por preferencia —observó William—. Cuando Leonor era reina de Francia, se quejaba de que pensó que se casaba con un rey y descubrió que se había casado con un monje.

—La terca mujer sólo le dio hijas a Luis —les recordó Charles.

—El pobre Luis ni siquiera consiguió ganar cuando entró en Normandía a aplastar a su ex mujer y su flamante esposo —añadió Raymond—. Enrique atacó desde el oeste y dejó destrozado al ejército de Luis.

Pero ya todos se estaban riendo. Era un día feliz para los ingleses cuando el rey de Francia estaba molesto, y lo estaban disfrutando.

—¿Qué dice Luis sobre esto ahora? —preguntó William.

—¿Qué va a decir? —contestó Raymond con presumido placer—. Leonor va a dar a luz un bebé este verano, y los astros predicen un varón.

William se echó atrás en el sillón, sonriendo.

—Entonces el joven semental va a producir lo que el viejo santo no pudo. ¿Y Enrique tiene fondos para continuar sus batallas hasta que cambie la marea a su favor?

—Tiene fondos para comprar toda Inglaterra si quisiera —dijo Raymond—. Leonor es once años mayor que él, claro, pero es una mujer atractiva.

—La edad no influye en una boda real mientras la mujer sea fecunda —dijo William—. La reina Matilde era quince años mayor que el padre de Enrique, y él la precedió en la muerte.

—Éste ha sido un matrimonio sabio para Enrique —aportó Nicholas—. Le da muchísimo poder.

—¿Esteban lo rechaza?

—Esteban se deja llevar por la brisa —dijo Raymond amargamente—, tan vacilante e indeciso como siempre.

—Es tu primo —observó Charles.

—También lo es Matilda —concedió Raymond—. Apoyaría a cualquiera de nuestros soberanos, o a sus hijos, si pusieran orden en el país.

—Se pueden obtener beneficios con el caos —dijo Charles, pensativo.

—¡Beneficios! —exclamó William—. ¿Qué tipo de hombre arruina su honor para sacar beneficios del desastre de su país? —preguntó, con la voz cargada de desprecio, sirviendo otra copa y arrastrándola hacia Nicholas—. Un hombre sin honor se arrastra sobre su vientre como los gusanos de la tierra.

—Es una manera de adquirir tierras.

—¡Con robo!

—O triquiñuelas —terció Nicholas tranquilamente.

William sirvió una última copa.

—Esteban ha hundido al país en el desastre con su irresolución. Si lo aplastaran contra una pared, ¿creéis que declararía a Enrique su heredero legítimo?

—Ésa es la pregunta, ¿verdad? —rió Raymond—. ¿Y qué dirán los hijos de Esteban al verse descartados?

—Una nueva generación de guerra —suspiró Nicholas—. Que quemará la tierra y producirá pestilencia.

—Deberíamos haber cumplido nuestro juramento a…

—¿A quién? —preguntó William—. Mi único juramento de lealtad es al soberano de Inglaterra, y no sé cuál es.

—Tal vez Dios nos ha abandonado —dijo Raymond, en tono de sardónico abatimiento.

Se hizo el silencio, cada uno pensando, y de pronto lo rompió Nicholas:

—Por eso me gusta luchar.

—¿A ti, Nicholas? —preguntó William—. ¿A ti te gusta pelear?

Nicholas era un hombre corpulento, callado, gracioso cuando convenía a sus fines. No era un caballero experto, pero como administrador no lo superaba nadie. Lo que otros hacían por la fuerza y poder él lo hacía con su inteligente cerebro y su capacidad para calar a las personas. Si él sentía un poco de desprecio por la cobardía de Nicholas, lo tenía firmemente controlado. Le había visto cuando, recién armado caballero, volvió a la casa de su hermano mayor a servirlo; y cuando el hermano murió de una sangrienta disentería casi inmediatemente, había visto a su amigo tomar las riendas de las propiedades con una mano firme que jamás vacilaba.

—Vamos, William, que no soy tan torpe —protestó Nicholas. Al ver que William se refugiaba en un trago de cerveza, añadió en voz más suave y débil—: Tal vez lo soy, pero me gusta observar. Luchar me distrae la mente de estos asuntos de peso sobre los que no tengo ningún control. Voy a organizar una justa para el domingo de Pentecostés, y me gustaría que pudieras participar, William. Ningún caballero de Inglaterra se considera en todo su buen honor a no ser que te derrote a ti.

—¿Una contienda? —preguntó William, con la voz toda entusiasmo.

—Sí. ¿Recuerdas esa vez en Chichester cuando se quebró tu lanza en la primera embestida y tu caballo quedó herido? ¿Luchaste a pie y ganaste a cinco caballeros distintos?

—Sólo apliqué la primera regla del combate —dijo William tranquilamente, y los demás se rieron como si hubiera explicado un chiste fabuloso. Sonrió ante sus risas—. Ese día me equipé bien y equipé bien a mi séquito.

—Pero tienes los hombros tan anchos y musculosos que no te entraba ninguna de las cotas de malla que ganaste —rió Charles, siguiendo con los recuerdos.

—¿Recuerdas aquella vez cuando tomaste prisionero a ese bárbaro escocés de Kirkoswald? —dijo una voz desde la puerta.

—Arthur, típico de ti evitar la conversación sobre la guerra en Inglaterra y aparecer sólo para los recuerdos.

El tono de William denotaba un cierto desdén por el hombre frívolo que no había crecido.

Las pisadas de Arthur golpetearon el suelo como los de un niño juguetón, o un cachorrito saltando a saludar a su amo.

—Te ves bien.

—Gracias.

Por encima de la cabeza de William, Arthur preguntó a sus compañeros de caza:

—¿Sigue ciego?

—Sigue —contestó William—, pero no está sordo.

Inmune a la frustración de William, Arthur se sirvió cerveza en una copa.

—El más fabuloso caballero de toda Inglaterra caído de su gloria por un solo golpe. Qué vergüenza.

—Mayor vergüenza hablar de eso —sugirió Charles—. Cierra la boca, Arthur.

—La cerraré, pero antes me gustaría saber si se le ha vuelto blanco el hígado.

William dejó su copa en la mesa con un golpe y se levantó, pero Raymond le cogió el brazo y lo volvió a sentar, diciendo:

—No le hagas daño al niño cobarde. Es su hígado el que está blanco, y su boca dice tonterías sobre cosas que es mejor dejar a hombres más grandes. Pide disculpas, Arthur.

—¡Mi hígado no está blanco! —protestó Arthur.

—Pide disculpas, Arthur —dijo Nicholas.

Bastó esa orden, tranquila, suave. Arthur masculló una disculpa.

Pasó un momento cargado de tensiones tácitas. William aceptó la disculpa y Charles rompió el silencio con fingida alegría:

—¿Te acuerdas cómo chilló el bárbaro cuando le exigiste que te entregara su caballo?

Continuó el sonido de sus voces, recordando glorias pasadas, y Saura apretó las mandíbulas e hizo un gesto. Bartley se puso al instante a su lado.

—¿*Maledi?*

—Ocúpate de que hagan venir inmediatamente a Kimball y Clare. Desearán ver a estos buenos caballeros, sin duda, y necesitamos pajes para que sirvan a la mesa principal. Ordena al despensero que suba aquí a partir el pan. Vuelve a llamar a lord Peter. Y di en la cocina que se den prisa con la comida.

—Sí, *maledi.*

Nuevamente ladeó la cabeza con el oído aguzado para escuchar la conversación; no le gustaba su sabor, contenía la posibilidad de poner fin al progreso de William. Databa los acontecimientos que ocurrían en el castillo Burke con dos calificativos: antes del baño y después del baño. Antes del baño, William luchaba contra su ceguera como si su negativa a aceptarla fuera a cambiar sus circunstancias. Pero ese día del baño, volvió de verdad. El credo por el que regía su vida lo motivaba nuevamente y había derrotado a su tristeza.

Ya entendía por qué sus vasallos y sirvientes lo veneraban. El sillón junto al hogar estaba desocupado, ya no era el refugio de un hombre furioso. Lo que era necesario hacer se hacía, rápido y sin quejas, y lo que él necesitaba era la orientación para dominar su discapacidad. En pocas semanas había aprendido todo lo que ella podía enseñarle, asimilando los conocimientos como un prisionero liberado absorbe la luz del sol. Comía con cuchillo y cuchara, daba las órdenes para el trabajo en el establo, disciplinaba a los niños. Deseoso de libertad, había ordenado que tendieran cuerdas desde el castillo al bosque, con la que podía guiarse por el sendero que prefería para caminar.

Ése había sido un tiempo de triunfo para ella. Su alumno había demostrado ser una persona única, sin par, y ella se había puesto a prueba a sí misma de una manera que la aturdía y halagaba. Ya no era una intrusa, ya no era una castellana temporal o sustituta a la que había que aguantar. Los criados la trataban bien, porque ella había demostrado que tenía la capacidad para captar la atención del señor con su feminidad. Ésa era una habilidad que ellos respetaban y cuyo poder entendían.

De todos modos, no era el pensamiento de su aumentado prestigio el que le llevaba una sonrisa a la cara cuando yacía en la cama en la oscuridad de la noche, sino el recuerdo de los fuertes brazos de un hombre rodeándola, y luego su voz dorada diciendo: «No sé quién es, pero es inolvidable».

—Qué tragedia es tu ceguera, William —oyó, y esas palabras la sacaron bruscamente de su ensoñación y la hicieron apretar los puños, porque la voz de Arthur rezumaba lástima—. ¿Qué haces contigo mismo todo el día?

William se rió, un sonido agradable que los engañó a todos, pero no al oído entrenado de ella.

—Me levanto y me visto con la ayuda de mis pajes.

—¿Tu escudero te dispone la ropa, supongo? —preguntó Charles—. Pero, no —añadió, recordando—, sir Guilliame retiró a su hijo de tu cuidado.

—El chico Guilliame se quejó muy amargamente, porque nos teníamos afecto. Llevaba seis años conmigo. Pero yo lo animé a retirarse, no podía terminar su entrenamiento para ser armado caballero sin los ojos para dirigir su progreso. —Su pena ya era audible para todos, pero controló la voz para que le saliera tranquila—: Desayuno con pan remojado en vino y después voy al establo.

—¿No te tropiezas y caes? —preguntó Raymond, con verdadero interés en la voz.

William volvió a reírse, una larga carcajada, y sacó una pierna de debajo de la mesa.

—Debajo de esta media, caballeros, la espinilla está llena de moretones negros y azules, de golpes en maderos y piedras que no perdonan. —Se encogió de hombros—. Mis años de escudero me significaron castigos peores por menos recompensa.

—¿Qué recompensa? —preguntó Charles, deslizando su copa hacia William—. Más cerveza.

—Soy libre para caminar por el patio. Mientras cuente mis pasos y siga mis señalizadores, no me pierdo nunca. —A tientas encontró la copa, la llenó y se volvió a llenar la de él—. Camino con un bastón en la mano, practicando hasta que arrastrar la punta por el suelo se asemeja a pasar mi propia mano. Con la ayuda de nuestro sacerdote, llevo las cuentas de la propiedad. Y dicto sentencia en el tribunal de la propiedad.

—Has encontrado ocupaciones útiles, entonces, William —dijo Raymond, aprobador.

—Pero no agradables, ¿eh? —bromeó Charles—. Recuerdo cómo detestabas esos aburridos días de escuchar las mentiras de dos villanos reñidos para decidir cuál decía la verdad.

—Es un trabajo adecuado para mí —contestó él.

—Y gracias, hijo, por aliviarme de él —dijo lord Peter, entrando, haciendo sonar sus espuelas en el suelo de piedra, y seguido por el perro y dos niños, saltando tras sus talones.

—Cabalgas, padre —gritó Kimball.

—Pues sí —dijo William, afectuoso, rodeando con un brazo a los dos niños que corrieron a apoyarse en él—. Con la ayuda de estos pajes y de lady Saura.

—¿Montas tu caballo destrero? —preguntó Raymond, sorprendido.

—Noo, no soy tan tonto como para intentar montar a ese combativo semental. Me han encontrado un colosal caballo de granja, lo bastante grande para llevarme y lo bastante joven para conservar su fogosidad.

—Y se entienden —alardeó Kimball—. Mi padre y el caballo piensan como si fueran uno, y casi no necesitamos tocar la cuerda de tiro que va atada a su brida.

—¿Cuerda de tiro? —dijo Arthur—. ¿Como una mujer? Cómo te habrás quejado de eso.

—No, en absoluto; es necesario —contestó William secamente.

Lord Peter intervino, avanzando.

—Bienvenidos a nuestra casa. Milord Raymond. —Se abrazaron y rozaron levemente las mejillas—. Nicholas. Charles. Arthur. Creo que los cuatro habéis crecido.

—Eso es lo que siempre me dice a mí cuando no me ha visto durante un tiempo —exclamó Kimball, riendo.

Los hombres se rieron y manifestaron su acuerdo.

—Siempre lo dice, a todos los muchachos que ha entrenado.

—Un hombre tiene opciones. Si no crece, se encoge. Espero que siempre crezcas a mis ojos, Kimball.

Saura pidió una banqueta en voz baja y se sentó relajada en su rincón. Lord Peter dirigiría la conversación y seguro que no era tan tonto como para hablar sin parar de la contienda con armas que William deseaba.

Se le acercó Bartley a anunciarle:

—La cena *e'tá li'ta, maledi,* ¿no *va' ir* a comer en la mesa?

—No, Bartley. —Le sonrió al nervioso criado y le acarició la cabeza a *Bula*, que la había descubierto en su primera vuelta por la sala y tenía la cabeza apoyada en su hombro—. Estos amables caballeros informarían sin intención a lord William de mi ceguera. Deja que dirija el servicio de la comida desde mi rincón.

—Te traeré *pa'tel* de salmón y una copa de vino —dijo Bartley firmemente—. El vino te calentará y ese *pa'tel de pescao* está sabroso hoy.

—Venid, caballeros —invitó lord Peter—. Mi herrador dice que las yeguas del establo crían sin ningún problema en esta estación. Vamos a ver los potrillos.

Al instante la conversación se desvió a caballos, cabestros y sillas de montar. Los hombres salieron, William con ellos, y los criados corrieron a ponerse en actividad.

Los siervos despejaron y limpiaron la mesa, y pusieron el mantel blanco y el sobremantel. La sal se colocó en el centro de la mesa, y el despensero corrió a preguntarle a Saura:

—Milady, ¿deberíamos disponer los asientos? Milord Raymond es conde y lord Nicholas es barón, desde la muerte de su hermano. A lord Raymond le correspondería sentarse delante de la sal, pero lord Peter insiste en que él es el señor en su castillo, a no ser que esté el rey de visita.

—Correcto —dijo Saura, asintiendo—. Entonces lord Peter y lord Raymond se sentarán delante de la sal. Lord William compartirá un tajadero con Nicholas, lord Peter compartirá otro con Raymond y Charles compartirá otro con Arthur. Disponlo de esa manera.

Se mantuvo con el oído alerta a los preparativos, preparada para hacer una sugerencia o dar una orden. Preguntó si la sala necesitaba luz, y al instante las llamas de largas velas comenzaron a parpadear en candelabros de hierro y las antorchas de madera resinosa empezaron a echar humo en candeleros de pared. Preguntó por la comida y le aseguraron que las mesas de caballete estaban colocadas verticales a la mesa principal, con los cuchillos y cucharas puestos. Dos tajaderos se hallaban equidistantes del centro y otros dos en los extremos. Oyó el ruido de las pisadas cuando entraron los soldados, vigilantes del castillo y subarrendatarios, empujándose entre ellos. Para ellos ordenó que les dieran a beber cerveza mientras esperaban al grupo de nobles. La ley de la hospitalidad les daba una inesperada bonificación: su comida habitual de la noche era un trozo de pan y un plato de avena con leche espesa. El ruido de las voces resonaba en toda la sala, hasta que el sonido de espuelas anunció el regreso de los señores.

El hermano Cedric hizo una breve acción de gracias y entonces los trabajadores volvieron su hambrienta atención a la comida. Reinó la paz mientras se llenaban los vientres vacíos.

El escudero de lord Peter trinchó el cordero para la mesa principal, Kimball y Clare llevaron el pastel de salmón y empanadas en grandes fuentes. Los servidores corrían para satisfacer las peticiones de los sentados en las mesas inferiores.

—¿Has descubierto una olla milagrosa en tu cocina, lord Peter? —bromeó Raymond—. Por primera vez, en años, la comida de tu mesa es apta para el consumo.

Lord Peter se rió, cogiendo otra lonja de carne de la fuente con la punta de su cuchillo.

—Esto es obra de lady Saura. Nos obliga a mantener la limpieza. El cocinero vive temiendo sus visitas.

—¿Quieres decir que no nos vamos a ir a la cama sufriendo de disentería? —se mofó Arthur, y de pronto detuvo su cuchillo a la mitad del movimiento—. ¿Lady Saura?

Ya arrepentido de haber revelado su tesoro, lord Peter masticó y tragó antes de contestar:

—Sí, es una de las parientas de mi esposa, que ha venido a ser nuestra ama de llaves.

Tuvo buen cuidado de no mirar hacia el rincón donde estaba sentada Saura, temeroso de atraer la atención hacia ella.

—Lady Saura —musitó Arthur—. La única lady Saura que conozco es Saura de Roget. Bueno, ésa sí es un tesoro. Una doncella virtuosa, y heredera, pero su padrastro la tiene escondida, por temor a que la rapten y se case y él pierda el control de todas esas gloriosas tierras.

William levantó la cabeza, y Nicholas observó atentamente su cara alerta y sus ojos brillantes de interés.

—¿Qué edad tiene? —preguntó William.

—Edad… —dijo Arthur—. Debe de tener… ¿veintidós? Y no se ha casado. Pero es…

Clare tropezó y le derramó estofado de ciervo en el regazo. Arthur se levantó de un salto, chillando, y con un golpe de revés arrojó al niño contra la pared.

—¡Zoquete, estúpido!

Limpiándose la espesa salsa de vino, lamentó el estropicio de su mejor túnica, mientras las criadas corrían a asistirlo. Cuando se acalló el bullicio, se giró para castigar al paje que le causó tanta aflicción, pero Clare había desaparecido.

Cuando llegó a su dormitorio con Clare, Saura lo hizo acostarse en su cama y le puso un paño mojado en la cara hinchada.

—Gracias —le dijo, abrazándolo fuertemente—. Eres un chico valiente. Nuestra madre estaría orgullosa de ti, por defenderme así.

—Todos los hermanos tenemos que defenderte —contestó el joven guerrero y al instante hizo una mueca, por el vigor de su discurso—. Rollo lo dijo.

—Todos mis hermanastros son muy leales —elogió ella.

Él se metió la lengua en la mejilla y se examinó la lesión.

—Creo que ese hombre no me soltó ningún diente.

—No, pero mañana tendrás moretones. —Le alisó un mechón que se agitaba en su flequillo corto—. Puedes dormir aquí, en mi cama. Sería mejor que no volvieras a la sala grande esta noche.

—¡Sí, por favor! —Dio unos cuantos botes en la cama—. Esto es mejor que el jergón que comparto con Kimball.

—Clare —dijo Saura, aprovechando la oportunidad para interrogar a su hermano—. ¿Te gusta vivir aquí, en el castillo Burke?

—No nos vamos a marchar, ¿verdad? —preguntó él al instante.

—No, claro que no. —Sonriendo le puso la palma en la mejilla—. Eras demasiado pequeño para venir aquí a que te entrenaran, y he pensado si no echarías de menos a lord Theobald. Si echabas de menos a tu padre.

Él lo pensó.

—Bueno, a veces lo echo de menos. Me gustaba cuando me enseñaba cosas y hablaba conmigo. Pero la mayor parte del tiempo sólo bebía, gritaba y vomitaba. Lord Peter me enseña cosas y habla conmigo también, pero sólo me pega cuando me lo merezco. Echo de menos a Blaise —le tembló la voz.

—¿Y a los bebés y a lady Blanche?

—Bueno, a los bebés.

Saura le pasó las yemas de los dedos por su expresión de disgusto y se rió.

—Mientras seas feliz… Entra, Kimball.

El niño asomó la cabeza por la puerta.

—¿No puedo acercarme sigiloso sin que me sientas? —se quejó.

—Algunas personas pueden —contestó ella amablemente—, pero no un niño de ocho años de pies grandes.

Kimball asomó un pie con sandalia y se lo miró.

—¿Cómo sabes que tengo los pies grandes?

—Todos los niños tienen los pies grandes. Clare va a dormir en mi cama esta noche. ¿Quieres dormir aquí tú también?

Kimball lanzó un grito y entró de un salto, Saura se hizo a un lado.

—¿Terminó la comida?

—Sí —contestó él—. Ah, ¿cómo está tu cara? —Se subió a la cama y declaró despiadadamente—. No la tienes tan mal como cuando te caíste de la viga en el granero.

—¿Del granero? —preguntó Saura.

—Ay —exclamó Kimball, retorciéndose, pues Clare lo golpeó.

—¿Sabe de esto tu abuelo?

—Fue idea de él decirte que a Clare lo arrojó al suelo el caballo —contestó Kimball, contento de poner la culpa en hombros más anchos.

Saura gimió, pero no pudo evitar reírse. Los niños exhalaron un suspiro con un sonoro resoplido y continuaron peleando mientras ella se dirigía a la puerta.

Entonces le vino un ataque de conciencia a Clare.

—¿Dónde vas a dormir esta noche?

—No sé si dormiré —contestó Saura, deteniéndose en la puerta—. Me parece que ésta va a ser una larga velada.

Al pasar por la galería se detuvo junto a la baranda, escuchó la conversación en la mesa de abajo y exhaló un suspiro. Su fe en lord Peter había sido inmerecida. La guerra era el asunto del día y la guerra dominaba la conversación. Él no pudo evitar el tema y ella dudaba de que lo hubiera intentado. Batallas, guerreros, caballeros, soldados de infantería. Maniobras, caballos destreros, armaduras, defensa. Lord Peter, Raymond, Nicholas, Arthur y Charles discutían y estaban de acuerdo, sugerían y refutaban, con la vehemencia de hombres entrenados cuya vida y honor dependían de su capacidad para luchar, lo cual era cierto.

William no decía ni una sola palabra. Sólo los choques del jarro contra su copa indicaban su presencia.

Bajó sigilosa la escalera y fue a sentarse en el rincón donde *Bula* estaba durmiendo. El ominoso silencio de su alumno le pesaba en el ánimo. Maud le llevó su telar manual y se inclinó a escuchar sus órdenes susurradas. Bartley también se le acercó, escuchó y asintió expresando que entendía. Cuando los caballeros se levantaron y desperezaron, al instante aparecieron criadas junto a ellos para acompañarlos a sus habitaciones. A esto siguió una gran cantidad de gruñidos y quejidos, cordiales gemidos de cansancio y saciedad, y entonces Raymond, Nicholas, Charles y Arthur siguieron a las mujeres en dirección a sus camas.

Lord Peter los siguió y de pronto se detuvo.

—¿Vienes, William?

—Todavía no.

La voz dorada no expresaba ninguna emoción.

—No has dicho mucho esta noche.

Saura rechinó los dientes por el olvido del padre de la pena de su hijo y por su torpe intento de reparar un error que no sabía que había cometido.

—No te molestó, ¿verdad?, que habláramos de cosas que tú… —se le cortó la voz.

—No, padre, estoy bien.

La voz de William sonó cansada y las palabras le salieron algo enredadas, con la lengua estropajosa.

—No fue nuestra intención.

Maud acudió a rescatarlo.

—Ven, viejo tonto —le dijo—. Te llevaré a la cama.

—Pero… —comenzó él, en tono sorprendido.

—¡Vamos! —Le cogió el codo, le dio un tirón y él fue con ella, a trompicones.

Oyó su explicación en susurros y dejó de protestar.

Saura esperó, escuchando. Tal como había ordenado, los siervos despejaron las mesas y salieron de la sala, y sus lentos pasos indicaban su curiosidad. Ella se levantó de la banqueta, les hizo un gesto y los lentos pasos se convirtieron en estampida.

Satisfecha porque todos los hombres y mujeres dormirían en otra parte esa noche, le acarició las orejas a *Bula* para armarse de valor, y caminó hacia la mesa. Poniendo su banqueta al lado del asiento del señor, le preguntó afablemente:

—¿Qué haces?

—¡Lady Saura, qué sorpresa! —exclamó él, burlón—. Que extraordinario que tú seas la única que viene a hacerme compañía en mi sufrimiento.

Ella guardó silencio. Cómo detestaba esa modulación culta del francés, ese acento refinado que él adoptaba para transmitirle el mensaje de que ella era de categoría inferior.

—¿Qué hago? Vamos, querida señora, querida monja, estoy bebiendo.

—¿Y apestando?

Entonces él guardó silencio, soltando por fin una risita, muy corta.

—Qué inteligente eres —dijo al fin—, casi tan inteligente como para ser hombre.

Ella apretó las manos en el borde de la mesa hasta que le crujieron los nudillos.

—Más inteligente que este hombre. Lo bastante inteligente para saber que emborracharse hasta apestar no va a producir un cambio para mejor.

—Ah, pues, sí. Por esta noche, soy feliz.

—¿Sí?

—Desde luego —dijo él, demasiado pronto.

—¿Y por la mañana?

—Tengo buena cabeza. Nunca vomito la comida. Estaré muy bien por la mañana.

—Pero ¿vas a seguir siendo ciego?

Él golpeó la copa en la mesa y a ella le cayó cerveza en la mano.

—¡Guantes de Dios! Borracho ciego esta noche, ciego por la mañana, ¿qué más da? Sólo soy medio hombre, en todo caso.

—¿Qué quieres decir?

—No puedo luchar, no puedo defender mis tierras, no puedo organizar la educación de mi hijo en las artes caballerescas, no puedo tener escudero, no puedo cabalgar un verdadero caballo de hombre.

—Lo hecho hecho está, y un huevo roto no se puede reparar. Como les dijiste antes, puedes llevar las cuentas, puedes juzgar y dictar sentencia.

—No soy un hombre, sólo soy un monje.

La lástima, esa paralizante lástima, la impulsó a ponerse de pie haciendo caer hacia atrás la banqueta. Con un golpe de la mano arrojó lejos la copa de cerveza. Su serenidad normal desapareció tras la oleada de furia y decepción, y rugió, con una voz que rivalizaba con la de él:

—¿Estás ciego? ¿Y qué? ¿Quieres saber qué es un problema? Yo te diré qué es un problema. Athele es viuda y el último hijo que le quedaba vivo ha muerto, y tiene sesenta años. No tiene dientes, no tiene forma de mantenerse, y el dolor le retuerce las articulaciones, y la mitad de la gente del pueblo cree que es una bruja porque está sola, le vaga la mente y habla sola. Eso es un problema. —Guardó silencio, respirando fuerte. En algún recoveco de su mente la sorprendía su temeridad, su falta de dominio, su furia. Pero no quería parar. La rabia de todos sus años le agitaba las entrañas y le exigía una salida, así que gritó—: ¿Quieres hablar de problemas? Tal vez Geoffrey el molinero tiene una disculpa para tenerse lástima. Unos ladrones le robaron el trigo, lo ataron al costado de la rueda del molino y la hicieron girar en el agua. Dios mío, han tenido que amputarle las piernas. Va a vivir y está feliz. Está agradecido, pero vivirá con dolor el resto de su vida, día tras día. —Apoyando las manos en los brazos del sillón, se inclinó y puso la cara cerca de la de él—. Pero el gran William está ciego. Es muy triste pensar que a un hombre que tiene salud, dientes, piernas e intelecto le falta un pequeño componente.

Entonces él se levantó, lentamente, como una ola gigantesca reuniendo fuerza para caer sobre la indignación de ella y mojarla con su resentimiento.

—Eres monja. Crees que la resignación y la laboriosidad van a curar todas las enfermedades, pero nada puede devolverme la vista. Nada puede darme la visión de los buenos soldados ingleses entrando en la batalla. Nada puede devolverme la satisfacción de sitiar a un enemigo y despojarlo de su castillo. Nada me puede devolver el placer de una espada bien templada en la mano y tener una contienda delante. —Alargó la mano y le cogió la muñeca, y su voz adquirió fuerza, elevándose desde un volumen normal—: Soy un señor. Hago las cosas por las que me elogias porque es necesario que las haga. Pero también es necesario que combata, que defienda a mis villanos y sus cosechas, que extermine a los ladrones y mantenga la justicia. Y ése es mi placer, mi recompensa. —Le sacudió el brazo—. ¿Entiendes, monjita?

*Bula* gimió en el rincón, sin saber cómo reaccionar ante ese altercado entre su amo y su ama.

—Sí.

—Eres monja, ¿verdad? —dijo él, desdeñoso—. En el convento deberían haberte quitado a palos esos accesos de impía cólera. ¿De qué orden eres?

—Esto… no tiene importancia.

—¿Te avergüenzas de ellas? ¿A qué edad te consagraron a Nuestro Salvador?

—A edad temprana.

—¿Tu padre era incapaz de darte la dote para un marido?

—No. Es decir, sí.

Él ladeó la cabeza.

—Me parece que no estás muy segura respecto a esto. No sabes a qué orden perteneces, a qué edad te consagraron ni si eres monja por virtud o por necesidades materiales. Y de tu voz gotea la inseguridad. —Volvió a sacudirle el brazo—. ¿Estás segura, segura, de que eres una esposa de Cristo?

—Sí.

—Júralo.

—¡Milord!

—Jura por el alma inmortal de tu madre que eres monja.

Ella se soltó el brazo, diciendo:

—No soy monja.

—¿No?

Ella no supo interpretar su tono.

—¿No? —repitió él.

Ella habría jurado que su tono fue de alivio.

—Júralo. —Alargó la mano para cogerle el brazo, pero ella se apartó—. Jura por el alma inmortal de tu madre que no eres monja.

—Por el amor de Dios, William…

—¡Jura! —insistió él, y su tono contenía una nota de pánico.

—Lo juro —dijo ella—, por todo lo que considero sagrado.

—No eres monja. Bueeeno.

Se dejó caer en su sillón y éste se fue hacia atrás quedando peligrosamente apoyado en dos patas, y luego se enderezó con un fuerte golpe en el suelo.

Saura esperó su reacción, con los codos firmemente cogidos. La risa de él comenzó como un rumor ronco en el fondo de su pecho y fue aumentando paulatinamente de volumen hasta convertirse en una fuerte carcajada que parecía estremecer las vigas del techo.

La preocupación de ella pasó a indignación y luego a animosidad.

—¿Qué es tan divertido?

—¿Eres culpable de otros engañitos más a mi costa?

Ella se puso las manos en la cintura y soltó:

—De cientos.

Eso le produjo a él otro ataque de risa.

—Vete a acostar, Saura.

—¿Vas a beber más?

—Noo, no más bebida para mí. Simplemente he recordado lo otro que me hace hombre. Ahora vete a la cama, antes que sea demasiado tarde.

Rígidamente ella echó a andar hacia la escalera de caracol y se detuvo.

—¿Qué pasa? —preguntó él.

—Los niños están durmiendo en mi cama. Voy a dormir en uno de los bancos.

—Ah. —Lo pensó un momento—. Ocupa mi cama en la habitación soleada. Yo dormiré aquí con los criados. ¿Dónde están todos?

—Les ordené que durmieran en el granero.

Él volvió a reírse.

—Vete a la cama.


El silencioso fisgón que observaba escondido en un rincón de la galería vio a William coger su bastón y dirigirse a la escalera que bajaba al patio. Se fijó en la fuerza que había adquirido William por conversar con Saura, había notado el afecto y respeto mutuo entre ellos, y en su mente retorcida Saura se unió a William como una enemiga a la que era necesario eliminar también.

# Capítulo 4

Junio es el mes del amor. El mes en que hasta el aire actúa como filtro amoroso, llenando mis pulmones y calentándome los lomos.

Exultante a la brisa de la tarde que le agitaba el flequillo rubio sobre la frente, William movió las riendas poniendo al trote a su caballo.

—¡Padre! —protestó Kimball, que iba conectado con él por la cuerda de tiro y tuvo que afirmarse cuando su caballo saltó hacia un lado por el sendero del bosque—. Vas a chocar conmigo.

—Mueve a esa poni, entonces —contestó William, secamente, dando un suave golpe a la yegua de su hijo con su bastón de roble. Sin inmutarse por la ahogada protesta de Kimball, volvió a sus reflexiones con voz melosa—: En junio maman los corderitos y estalla la vida con nuevo vigor. ¡Oled las flores! ¡Oled los brotes nuevos! Hasta la hierba se transforma en alfombra para los amantes, ofreciéndose alegremente a ser aplastada por un abrazo.

—Hurra, hurra, pronto, al final de junio, todos salen a copular afuera —citó Clare.

—¡Clare! —exclamó Saura, horrorizada y molesta—. ¿Dónde aprendiste ese verso?

—Lord Peter me lo enseñó —contestó el niño tranquilamente, sosteniendo la cuerda de tiro del caballo de ella.

—¿Sabes lo que significa?

—Sí. Significa que los criados van a ir al granero en lugar de tenerme despierto toda la noche.

—Hurra, hurra —repitió William riendo a carcajadas.

Saura exhaló un suspiro.

—Venga —la animó él—. Las uniones plebeyas no tienen efecto en nosotros hoy. Goza de las nuevas percepciones de la tarde del verano inglés. Aspira los aromas de las flores y la hierba. Siente el movimiento del caballo entre tus muslos. Escucha a los pájaros apareándose en los árboles.

—¡William!

—Haz cuenta de que los niños no están con nosotros.

—Mi imaginación no es tan buena —contestó Saura, severa.

Él guardó silencio un momento, pensativo, y al fin preguntó:

—¿Dónde estamos, Kimball?

El niño miró alrededor con ojo experimentado.

—En la esquina sur de la propiedad. Cerca del arroyo Fyngre.

—Eso fue lo que pensé —dijo William, satisfecho—. ¿Qué os parece, muchachos, si nos dejáis instalados a Saura y a mí a la orilla del agua y vosotros hacéis correr vuestros caballos por la pradera del este de aquí?

—¡Sí, señor! —gritaron los niños a coro, e hicieron avanzar más rápido a los caballos por el sendero.

—Hemos hecho una larga cabalgada hoy, señora —explicó William a Saura—. Quiero estirar las piernas en esta tierra agreste. Hace mucho tiempo que no he estado en la quietud del bosque.

Saura no dijo nada. En realidad, no supo qué decir. La tonta idea la atraía, tironeándola con un fuerte anhelo. Esos días de primavera, cabalgando con William y los niños, le habían encendido el deseo de llevar una vida normal. La mujer práctica que era antes de llegar al castillo Burke había sido derrotada por la oleada de deseos. Ya no podía resignarse a una vida estéril, sin marido ni hijos. En su mente flotaban sueños: sueños con William y su sanadora pasión, sueños con los bebés de ambos pegados a sus faldas, sueños con una larga vida, encendiendo velas en la oscuridad que los rodeaba hasta que la luz del amor mutuo diera un atractivo brillo a todo.

—Buena y dulce amiga, ¿qué dices? —preguntó William, en tono suave.

Desechando los restos de sus fantasías imposibles, Saura contestó:

—Yo también deseo mojarme los pies en el agua fresca de un arroyo inglés. Guiadnos, chicos.

—Tendréis que dejar aquí los caballos —explicó Kimball—. El sendero es demasiado enmarañado y estrecho para ellos.

Ayudados por los niños, William y Saura se instalaron sobre unos grandes cantos rodados junto al arroyo, y quedaron solos.

Él se tendió de espaldas en la roca calentada por el sol.

—Apacible, ¿verdad? Éste es uno de mis lugares favoritos. En mi mente todavía veo los inmensos robles con sus ramas extendidas. El arroyo golpea los guijarros con su corriente.

Los sauces hunden sus ramas para beber. Y todo está verde, verde, como sólo Inglaterra puede ser en primavera. —Incorporándose apoyado en el codo, preguntó—: ¿Tengo razón? ¿Así se ve todo hoy?

—Sí —contestó ella, suspirando de placer—. Así se ve hoy. Qué suerte tienes por tener un lugar como éste para ver en tu mente.

Él pensó seriamente ese comentario.

—Sí, supongo que tengo suerte.

—Y yo tengo la suerte de tenerte a ti para cantarme la canción de su belleza.

—Señora, tengo fama de componer los mejores versos después de un banquete. Las damas se desmayan al oír mi elocuente estilo.

—Y al oír tu modestia —convino ella, riendo.

—Eso también. —Volvió a tumbarse—. Quítate los zapatos, si quieres, y vadea por el agua.

Ella se soltó los cordones de las sandalias, dudosa; ¿debía hacer eso?

Como si le hubiera leído el pensamiento, él le estimuló el deseo.

—El agua de este arroyo corre limpia y las rocas del fondo son redondas y tiernas con las plantas desprotegidas.

—¡Como tú digas, milord!

Se deslizó por la roca y entró en el agua. Tocó el limpio fondo y el agua sólo le llegaba a los tobillos, y le deleitó los pies.

—Uy, William —suspiró—. Esto es todo lo que has dicho, y más.

—Fíate de mí, Saura, nunca te guiaré mal.

La nota de misteriosa intención que detectó en su voz la preocupó. Fuera cual fuera el demonio que lo arrojó a la depresión aquella noche, una semana atrás, había sido expulsado, y ella se halagaba diciéndose que ella, con su sentido común, cambió la marea. De todos modos, en su mente se enroscaba y retorcía una vaga insinuación de duda. Casi daba la impresión de que el renovado ánimo de él tenía relación con que ella reconoció su engaño; era como si a él lo hubiera regocijado sacarla de la farsa de que era monja y estuviera esperando expectante su desenmascaramiento final. Tenía la vaga impresión de que durante la conversación de esa noche ella perdió el mando en la relación entre ellos, y de que ahora él era el profesor y ella la alumna.

Comenzó a explorar, avanzando con cautela por el agua, poniendo un pie delante del otro, poco a poco. De pronto se le deslizó un pie, cayó en un hoyo y se golpeó los dedos con una piedra. Se le escapó un gritito.

—¿Qué pasa? —preguntó él—. ¿Has visto una serpiente?

Ella se paralizó.

—¿Una serpiente?

—Abundan las serpientes en esta agradable tierra. Muchas veces he venido a pescar aquí y encontrado enganchada a mi sedal una serpiente enorme, tan grande como...

Ella chilló y dio un salto, desorientada por el horror, pero segura de que de alguna manera llegaría a la orilla.

—¿En el agua?

—Bueno, sí, pero hay montones de serpientes en la tierra también.

Ella volvió a chillar, más fuerte, tratando de mantener el equilibrio sobre los resbaladizos guijarros. William no pudo continuar serio. Rugió de risa, meciéndose de un lado a otro.

—No hay serpientes —resolló—. No hay ninguna serpiente, pero daría las pezuñas del diablo por verte la cara.

—¿Me estás tomando el pelo otra vez?

—No hay serpientes —cacareó él, frotándose la cara en la capa.

—¿Lo prometes?

—Lo prometo.

—Burro. —Vadeó acercándose al sonido de su risa—. ¿Te atreves a reírte de mí? Cretino.

William se sentó.

—¡Basta, milady! No he hecho nada diferente a lo que tú me has hecho a mí.

—¿Qué quieres decir?

—¿Monja? Me dijiste que eras monja. Y… —movió la mano en gesto de barrido— ¿cientos de otros engaños, dijiste?

Ella no contestó, porque no sabía qué respuesta dar.

—¿Han sido tantos como sospecho? —preguntó él amablemente.

—Ah, muchos más.

Sintiéndose fatal, pensó si debía confesar la verdad o continuar con la mentira. Además, ¿cuánto decirle? Una cobarde hasta el final, pensó, haciendo una mueca. Cuando le explicara la mentira, deseaba estar en un lugar seguro, no sola en el bosque donde podía quedar abandonada fácilmente. Y de preferencia en compañía de alguien que pudiera impedírselo si él decidía darle una saludable paliza. Con lord Peter, tal vez, que reconocería su parte en la farsa. Tomada esa decisión, Saura masculló, en un tono que, esperaba, sonara normal:

—Oh, me he mojado las orillas de las mangas.

William titubeó un momento y luego aceptó el cambio de tema diciendo en un tono que rezumaba decepción:

—Sí que tienes dificultad para mantener seca tu ropa, ¿eh?

Atándose la falda alrededor de la cintura, Saura contestó:

—Sí, parece… —se interrumpió, desconcertada por el comentario—. ¿Qué quieres decir?

—Chss —interrumpió él.

—¿Por qué?

—¡Calla! —susurró él, firmemente.

Aguzando los oídos a los sonidos del bosque, ella oyó lo que él sospechaba.

—William —susurró—, estamos rodeados por caballos y hombres.

—Sí, ven aquí. —Buscando a tientas encontró su fuerte bastón, bajó de la roca hasta el agua, con un chapoteo, no lejos de ella. La oyó avanzar hasta tenerla a su lado. Entonces hizo un gesto hacia arriba con la cabeza—. Sube a las rocas y escóndete para que no te vean. —Esperó hasta que ella hubo subido y preguntó—: ¿Qué ves?

—¿Qué veo? —preguntó ella, asombrada.

—¿Cuántos hombres? ¿A qué distancia están?

—Oh, William…

La interrumpió el ruido de ramas rotas bajo el peso de muchos pies.

—Los tenemos, Bronnie —dijo un hombre en la inculta lengua inglesa—. Tal como ordenó su señoría.

—¿E'tá' seguro de que son e'to', Mort? —preguntó otro.

—Sí, un par de patos en el agua esperando que los metan en el morral —contestó el llamado Mort.

—¿El grande *e'* ciego, *dice'*? —preguntó el otro—. No me gu'taría nada enfrentame a él.

—Pero a la muchacha yo la enfrentaría en cualquier momento —dijo Mort, en tono lascivo.

—¿Qué han dicho? —preguntó Saura, desesperada; no entendía el inglés tan rápido con el acento tan marcado, y no le gustó el tono.

William se acercó, apoyó la espalda en la sólida roca y flexionó las manos en torno a su bastón.

—Han dicho que desean mojarse.

Encogida de miedo encima de la roca, Saura deseó que los niños estuvieran ahí para auxiliarlos, y al mismo tiempo deseó que estuvieran lejos y a salvo.

—Basta de parloteo, miserables —dijo otra voz en inglés, y enseguida continuó en francés normando—: ¿Lord William? Estás rodeado por doce hombres. Sal del agua y entrégate.

—Yo he contado a no más de siete —contestó William tranquilamente.

Nadie dijo una palabra, y entonces Bronnie protestó:

—*No' diji'te* que era ciego.

—Somos ocho —ladró el jefe.

—O sea que no sabe *contá* —gimoteó Bronnie.

—¡El diablo te queme! Es ciego, por el amor de Dios, ¿no lo ves? Escucha, no ve. Ahora cogedlos, con suavidad. El señor desea que los entreguemos vivos a su tierno cuidado.

—Agáchate, muchachita —dijo William con su voz ronca, preparándose para el ataque.

Se oyeron chapoteos de pies en el agua.

—¡Momento! —gimió Bronnie—. Aún no me *he quitao lo' zapato'*. —Se oyó ruido de pasos, luego un golpe, y Bronnie cayó en el agua, gimiendo—: De acuerdo, de acuerdo, pero me he estropeao *lo' zapato' nuevo'*.

El bastón de William comenzó a silbar al moverlo rítmicamente formando ochos.

—Lo tengo —graznó uno de los hombres, saltando hacia el señor ciego.

Sonaron un golpe y un aullido de dolor y luego la voz de Bronnie:

—Tiene rota la mandíbula.

William se rió, en un jubiloso trueno de alegría.

Otro se abalanzó hacia William, y Saura oyó salir en un resoplido el aliento del hombre golpeado cuando se le enterró la punta del bastón en el estómago.

—Venid, bellacos; venid, bellacos —llamó William, como si fueran gatos a los que quería atraer hacia él.

Paró el avance de otro hombre con el largo de su bastón de roble.

Refunfuñando consternados, los criados retrocedieron hasta que el jefe rugió:

—¡Cogedlo!

—Menudo jefe eres —dijo William, despectivo—. ¿Tienes miedo de cogerme tú?

Se oían las respiraciones de los hombres, fuertes, resollantes.

—¡De acuerdo! —exclamó el jefe, entrando en el arroyo, chapoteando—. Yo cogeré el palo y vosotros, entre todos, lo cogéis.

Plan destinado al fracaso o al éxito. Los hombres se agruparon en el arroyo, debajo de la letal arma de William, golpeándolo hasta que cayó en el arroyo salpicando una gran cantidad de agua. Aterrada, Saura oyó los entusiastas gritos de los atacantes cuando sus golpes debilitaron al valiente y osado guerrero. Se agarró a la roca que la sostenía y sus dedos palparon una piedra lisa y redonda. Era de buen tamaño y bastante pesada, tanto que necesitó las dos manos para cogerla, pero no era muy grande y le cabía bien entre las palmas. Oyó gritar a Bronnie «¡Yo traeré a la mujer!», y, antes de que se le formara bien la intención en la mente, se giró y le golpeó la cabeza con la piedra.

El afortunado golpe hizo caer a Bronnie en medio de la refriega, poniéndole fin, pues sus contrariados compatriotas se volvieron contra él. Arrebolada por la sensación de triunfo, Saura se asomó fuera de la roca y alcanzó a golpear unas cuantas cabezas más antes que alguien le arrebatara la piedra y la arrojara lejos.

—¡Maldita sea! —gritó el jefe y de un tirón la hizo caer en el agua.

—*E'to* tenía que se un *traajo* fácil —protestó uno de los hombres.

—¿*Po qué cree'* que su señoría ordenó que ocho *hombre' fonido'* capturaran a un hombre ciego y a su *mujé*? —gimoteó Bronnie.

Ese lógico argumento en un criado tan despistado silenció las quejas. A William y Saura los hicieron salir del arroyo a empujones y los obligaron a montar, uno después del otro, en un caballo de lomo ancho.

—Ponedle los brazos rodeándole la cintura a la mujer y atadle las muñecas —ordenó el jefe, con la voz vibrante de furia—. No va a saltar haciéndola caer a ella también. Y daos prisa, ya nos hemos entretenido demasiado rato en tierra Burke.

—¿*Tenemo' que atala* a ella también?

—No —contestó el jefe, despectivo—. ¿No ves de qué sufre? Es inofensiva.

—Ja —bufó Bronnie—. Mi cabeza no *e'tá de acuedo*.

Sin saber el papel de ella en la lucha, William le preguntó:

—¿Qué le hiciste a nuestro amigo Bronnie?

—Lo golpeé con una piedra.

William se rió en voz baja.

—Ésta es mi reina guerrera. Algún día te enseñaré a defenderte como si fueras un caballero.

Gruñó cuando ellos le apretaron la cuerda en las muñecas, luego la pasaron alrededor de la cintura de ella y ataron los extremos por delante.

—¿Estás herido?

—Unos pocos magullones —contestó él, desdeñoso—. Mi orgullo sufrió el principal daño.

—No muchos caballeros podrían evitar a ocho hombres —señaló ella.

—Antes yo podía.

Su voz sonó seca, inflexible, y ella le creyó.

El caballo, al que llevaban con una cuerda de tiro, echó a andar con una sacudida y luego continuó al trote.

—¿No podéis llevar más rápido a ese rocín? —gruñó el jefe.

—No con lord William encima —contestó uno de los hombres—. No con él y la mujer.

El jefe acercó su caballo al de ellos y le advirtió:

—Escucha bien. Somos una tropa de mercenarios.

—¿Tropa? Poderoso nombre para un mercenario al mando de un rebaño de siervos no entrenados.

—De ocho hombres de primera.

—¿Ocho? —se mofó William.

—Por lo menos seis —dijo el jefe, agriamente—. No mataste a nadie ahí, sólo rompiste un par de huesos. Eres un hombre ciego, estás mojado, pero en otro tiempo fuiste un guerrero, así que te recomiendo prudencia. Su señoría te quiere vivo, pero se me está acabando la paciencia. A no ser que desees cabalgar atado de manos y pies y atravesado sobre el caballo como un animal cazado, no intentes escapar.

—Prudencia que procuraré tener —contestó William, irónico.

El jefe se alejó para ir a situarse a la cabeza de la columna. Los hombres se colocaron en fila de a uno, pasando por entre ramas y arbustos en su prisa por poner distancia entre ellos y el vengador lord Peter de Burke. Gruñían y escupían, comparaban magulladuras y lesiones entre ellos y discutían.

William y Saura se adaptaron a las sacudidas del trote del caballo, y él movió las manos.

—¿Puedes soltártelas? —preguntó Saura en voz baja.

—Puedo soltarlas de tu cintura. Los nudos están tan apretados que me hormiguean los dedos. —Moviendo y flexionando los dedos fue soltándose las cuerdas y los nudos hasta que suspiró de placer—. Ya está. —Le pasó las manos por el vientre plano—. Mucho mejor.

Saura pegó un salto y se estremeció.

—¿Y si ven que tienes las manos libres?

—No les importará. Él tiene razón, sólo un tonto intentaría escapar ahora, y no soy tonto. Noo, en ningún momento hubo duda acerca del resultado de la batalla, pero nuestros pequeños escuderos tienen que haber oído los gritos y deben de estar en camino hacia el castillo. Disfrutemos de la cabalgada hasta que lleguemos a nuestro destino, sea donde sea. —Volvió a flexionar los dedos y le rodeó la cintura—. Eres diminuta —Su aliento le rozó el cuello y ella volvió a pegar un salto—. Y excitable. Nunca habría sospechado que una mujer de tu «avanzada» edad sería tan sensible al contacto de una mano. ¿Nunca has estado casada?

—No —dijo ella con voz tranquila, y enseguida chilló—: ¡William!

Él le acarició el cuello y los hombros con los labios, raspándole la piel con la barba del mentón.

—Me encanta el olor a claveles. Qué piel tan suave —sonrió—, para una mujer de tu «avanzada» edad.

—William…

—Y estos pechos altos, turgentes. —Pasó la mano por sus pechos, explorándoselos y apretándoselos—. Para una mujer de tu…

—«Avanzada» edad —terminó ella. Le cogió las manos y se las puso sobre la silla—. ¿Desde cuándo lo sabes?

—Como he dicho, no soy tonto. Clare tiene siete años. Grandísima diferencia de edad entre una mujer «vieja» de cuarenta y su hermano.

—No es imposible —protestó ella.

—Pero es inverosímil. Una vez que hice esa conexión, no me costó nada equiparar a la misteriosa doncella de mi baño con la intocable monja de noble cuna; la desconocida parienta de mi madre con nuestra ama de llaves. Te di todas las oportunidades para decírmelo.

Así silenciada, ella sólo pudo asentir. El movimiento de su cabeza lo estimuló a preguntar:

—¿Lady Saura de Roget?

—Sí —musitó ella.

Él le apoyó la espalda en su pecho para amortiguarle los saltos y sacudidas, y la rodeó tiernamente con sus poderosos brazos, pero su mente hervía de rebelión. ¿Había descubierto a esta mujer, su mujer, sólo para que lo asesinara un bellaco anónimo que tenía miedo de dar la cara? Eso no habría ocurrido antes, antes de quedar privado de la vista por ardides y engaños. En esos tiempos él habría luchado por su dama, la habría protegido con espada y escudo. Ahora estaba limitado a cabalgar con el enemigo hacia un destino desconocido, imprevisto. Maldijo la inacción que le deprimió el ánimo y deseó encontrar otro cráneo para aplastar.

Cabalgaron hasta el anochecer y al caballo se le hundía el lomo con su peso. Cuando los pájaros trinaban un cansino «buenas noches» y la brisa se enfrió y cobró fuerza, pararon para que los animales bebieran. Saura desmontó con cautela, porque sus zapatos habían quedado abandonados a la orilla del arroyo Fyngre. Se le doblaron las piernas, en protesta por todas las horas en la silla. William alargó la mano hacia ella, pero Mort alargó una pierna y lo hizo tropezar en ella.

—¡Ja! Yo me ocuparé de la bonita dama —dijo, riendo alegremente y cogiéndola por la cintura.

Los demás se rieron, renovado su resentimiento con el señor ciego. Así alentado, Mort acercó más a Saura a su cuerpo y emitió sonidos de besos junto a su oreja.

—Ven conmigo, milady. Necesitarás ayuda para encontrar tu camino. Déjame que te enseñe los enormes troncos de los árboles que crecen en este bosque.

—Tocones, más bien —siseó ella, arañándole los ojos.

114

Saltó sangre en los lugares donde le enterró las uñas, y Mort aulló de furia. Soltándose de él, la joven se alejó a trompicones por el claro; oía las risas de los hombres, y los gruñidos de Mort siguiéndola le daban impulso.

Tenía miedo, Dios santo, tenía miedo.

Pero se unió otro a la persecución: William los siguió, guiándose por las amenazas que resonaban en el bosque. Saura oyó cuando él cogió al desprevenido Mort y lo hizo girarse bruscamente; oyó los gorgoteos del hombre cuando William le rodeó el cuello con un brazo y lo levantó en vilo. Oyó el crujido de carne blanda cuando un potente puño le hizo bajar a Mort las maldiciones por la garganta; oyó a William arrojar al hombre hacia el revuelto grupo de mercenarios.

Lo que no pudo fue ver a Bronnie, al fornido Bronnie, cuando blandió su arco y con un extremo golpeó a William en la parte de atrás de la cabeza.

Oyó el golpe y oyó el ruido que hizo William al caer al suelo.

Todo quedó en silencio, un horrorizado silencio, sólo interrumpido por los gimoteos de Bronnie.

El jefe llegó hasta William y lo giró empujándolo con el pie.

—¿Lo has matado, Bronnie?

—¿Hay una cama?

Sentía frío el suelo de piedra en las plantas, pero la subida de la escalera de caracol la había calentado, como también la furia que corría por sus venas. El grupo de hombres que los había capturado se dispersó cuando llegaron a esa extraña casa, pero dejaron a Bronnie para que los guiara, y sus zapatos nuevos chirriaban por el remojón. Un hombre gigantesco llevaba a William en los hombros como a un saco de grano.

¿Quiénes eran? ¿Quién era su misterioso señor? ¿Cómo se atrevieron a sacar de sus tierras al amo de Burke y a su ama de llaves? La distintiva combinación de olores que identificaba a cada castillo le dijo que nunca había visitado ése. ¿Dónde estaban, pues? Llegaron al rellano de la escalera y se detuvieron hasta que Bronnie abrió la puerta haciendo chirriar los goznes y los hizo entrar.

—¿Dónde estamos? ¿Hay una cama para William? —preguntó, con la voz mordaz como una bofetada.

—Sí, *maledi*.

Su francés irritaba los oídos con su dura pronunciación de las consonantes, pero ella captó el servil gimoteo de su voz. Le había enseñado a respetarla con el latigazo de su lengua.

—O sea, no, *maledi*. —Gimió por el fuerte codazo que le dio ella—. En el suelo hay un jegón. En *e'ta* habitación que te *preparamo'*.

—¿Llamas habitación a esta prisión? —Alargó la mano hasta tocar una pared y sin mover los pies, simplemente inclinándose hacia el lado, tocó la otra con los dedos—. Pero un jergón es mejor que nada. Acostad ahí a milord William. ¡Con suavidad, idiotas! —Se arrodilló junto al inconsciente William y entonces oyó los chirridos de los zapatos saliendo por la puerta—. No te puedes marchar mientras no me hayas traído agua y tela para vendas —dijo, pronunciando claramente, y se detuvieron los pasos.

—*E'to*, bueno, tendré que *preguntalo* al señor.

Ella se puso de pie en toda su majestuosa furia.

—¡Pregúntale! Sí, pregúntale si quiere que tu estupidez mate a lord William también. Pregúntale qué piensa de un criado que desobedece las órdenes de la hija de un barón. Pregúntale...

—Traeré el agua —se apresuró a contestar Bronnie.

—Y las vendas. Y algo para que comamos, tengo hambre. Y más mantas.

El hombre grande salió, escapando de su autoridad, mientras Bronnie le hacía una venia, diciendo:

—Sí, *maledi*, como *quiera'*, *maledi*.

Entonces él también salió, cerrando la puerta con un fuerte golpe, y dejándola sola ahí de pie. En el instante en que él desapareció, desapareció también la rabia que la sostenía. Dejó caer la cabeza y se le doblaron las piernas. Se acuclilló junto a William y, desesperada, pasó los dedos por entre su pelo, palpándole la cabeza, buscando la causa de su largo estado de inconsciencia. Ahí se elevaba un chichón, cerca de la nuca; lo notó caliente, duro, lleno de sangre. Huevo de oca, lo llamaba su madre, doloroso; pero no grave. Seguro que tenía otras heridas o lesiones, pero no logró descubrir nada más palpando. Bajó las manos todo lo que pudo por debajo de su ropa, y no encontró nada. Le palpó la coronilla, la cara. Nada.

Gimiendo hundió la cabeza junto a la de él; cruzó los brazos por la cintura, con las rodillas flexionadas, cerca del pecho, y se quedó así, inmóvil, inmersa en la desesperación, sin siquiera poder llorar. Por su mente no pasaba ningún pensamiento, ninguna idea iluminaba su oscuridad.

Era ciega. Una ciega inútil y repulsiva, como le decía su padrastro. No pudo ver a los asaltantes de William, no podía ver el entorno, no podía buscar armas útiles. Ni siquiera podía inspirar respeto en ese criado de humilde cuna, no podía obligarlo a traer agua, vendas, comida y mantas, las cosas que necesitarían para sobrevivir a esa noche con cierta comodidad. No era otra cosa que un gusano.

La vida le había parecido más luminosa que nunca justo antes que los raptaran. Esos sueños nebulosos de ella los habían llevado al arroyo, la habían distraído cuando debería haber estado atenta por si oía pisadas sigilosas en el bosque. Cuando vivía en la casa de su padrastro, siempre estaba con los oídos atentos. Nunca dormía a no ser que estuviera Maud vigilando; nunca trabajaba sola, nunca caminaba por el jardín ni por el patio sin aguzar el oído, para oír los sonidos de los pasos escurridizos de Theobald con zapatos de suela blanda. Él deseaba manosearle el cuerpo, echarle su fétido aliento en la cara, introducirse en ella. Se estremeció y se friccionó el vientre, donde estaba la serpiente que le retorcía las entrañas. ¿Cómo puede un hombre despreciar tanto a alguien, como la despreciaba Theobald a ella, y desear de todos modos fornicar con ella?

¿Podía atreverse a pensar que amaba a William? Se retorció al oír pasar por su cabeza los insultos y burlas de Theobald. No le costaba nada, nada, recordar todas sus palabras. No era digna de amor, le decía. No podía trabajar en un tapiz, no podía cabalgar sola un caballo: no valía nada. Su cara podía convertir en sal a un hombre, se burlaba; su figura lo hacía pensar en dos bolas de masa ensartadas en un palo corto. ¿Qué hombre desearía a una mujer estúpida en su cama, una que ni siquiera veía el orinal si metía el pie dentro?

Y no podía auxiliar a William. Su huevo de oca se consideraba de poca importancia, pero ella sabía la verdad, aunque no deseaba reconocerla. Era posible que no despertara nunca; las heridas en la cabeza son engañosas, le decía su madre; sobre todo el tipo de lesión que es consecuencia de un golpe sobre una lesión anterior. Cual sea el cerebro que se oculta dentro de la cabeza se conforma a sus propias reglas. Una lesión o herida en el cuerpo duele y puede ser mortal, pero una en la cabeza puede convertir a un niño pequeño en un idiota baboso. Un golpe en un determinado lugar de la cabeza puede convertir a un hombre adulto en un zoquete silencioso que vive y respira, pero duerme como los muertos hasta que muere por inanición.

A veces le parecía que Dios tenía que odiarla más que a cualquier otro ser. Le había dado lo suficiente para vivir en los márgenes de la vida, pero no para ser una participante; para ser capaz, pero nunca hermosa; para ser hermana, pero nunca esposa; para ser tía, pero nunca madre.

Sacó una mano de debajo de ella y la pasó por el áspero brazo de él. Era una amiga, una profesora, una mujer: nunca una amante.

¿Qué haría sin William?

Cerró firmemente la mano en sus dedos. Cada músculo, cada hueso, cada tendón indicaba fuerza, sin embargo yacía ahí inmóvil en esa fría habitación, con la piel antinaturalmente fresca.

Como una palmada en la cara, su madre surgió ante ella. «¿Echada ahí revolcándote en lástima por ti, Saura, cuando tienes suficiente para comer, techo, y el sol te calienta en verano y un fuego en invierno? Presta atención a lo que ocurre a tu alrededor. Si hay hambruna, ¿quién se muere de hambre? Tú no. Si hay guerra, ¿quién se quema? Tú no. Si hay enfermedad, no eres tú la que yace en el barro a un lado del camino y muere. ¿Y qué si tus ojos no funcionan? Tienes un cerebro. Levántate y úsalo.»

Con un poder invisible, el eco de la voz de su madre la sacudió y se irguió.

—Quejarte de tu suerte no lo va a cubrir con una manta —dijo en voz alta, y se rió.

La voz que oyó salir de su boca sonó como la de su madre cuando le ordenaba a la niña Saura que atendiera y tratara a los enfermos porque ése era el trabajo que debía hacer la castellana.

Con los dedos torpes palpó el duro jergón por debajo del cuerpo de William y encontró una tosca manta doblada a los pies. Lo cubrió y luego cambió de opinión y se la quitó. Metiendo las manos por debajo de él, lo empujó, con el fin de girarlo para ponerlo de espaldas. Volvió a empujar.

El cuerpo no se movió lo más mínimo; era un enorme bloque de carne inerte, y ella sólo era un mosquito picándole la piel. Continuó empujándolo, hablándole entre esfuerzo y esfuerzo:

—Te resultará más fácil… respirar…, milord…, si te das la vuelta… y te pones de espalda.

—¡No, *maledi*!

Saura pegó un salto y se giró hacia la voz.

—Deja que yo haga eso —dijo Bronnie, entrando en la habitación, dejando caer cosas al suelo—. *Ere'* una dama muy delgada *pa* hacer ese trabajo tan pesao. Yo puedo *mové* al señor.

—Bueno, ten cuidado con él. Fue un golpe tremendo el que le diste —lo regañó.

—Lo siento, lo siento, de verdad. Pero *verá'*, *e'taba* golpeando a Mort.

—Es ciego. ¿Cuánto daño creíste que le haría?

—Bueeeno —dijo Bronnie, arrastrando la palabra con la inmensa duda de los bobos—. A mí me pareció que *e'taba* a punto de matalo. Venga, *¿quiere'* que lo ponga de *e'palda'*?

Ella asintió y se retorció las manos escuchando los sonidos que hacía el hombre para mover a William. A saber qué hacía el tonto de manos de jamón, pero no tenía otra opción. Era necesario darle la vuelta a William y ella no podía hacerlo.

—*Ya e'tá, maledi, ya e'tá de e'palda'.* Y *¿sabe' qué?* Me parece que tiene mejor color.

Cogiendo la manta, Saura se la remetió debajo del mentón, la extendió sobre su cuerpo y se la remetió alrededor de los tobillos.

—¿Sí?

—Sí, míralo. Le ha *desaparecío* esa *palide'* de enfemo *alreedó* de la boca y… —se interrumpió porque ella volvió sus ojos violetas hacia él—. Perdona, *maledi*, no sé qué *e'taba* pensando. Lo que pasa *e'* que no *parece'* ciega. Me llevó la *mayó* parte del día *dame* cuenta de que ni siquiera *sabía'* dónde ponía las *pata'* el caballo. *Camina'* tan bien y *trabaja'* como una persona real. —Asintió, complacido por haber aclarado eso—. Sí, *ere'* como una persona real.

—¿Has traído más mantas? —preguntó ella, y su tono frío penetró en su grueso cráneo, aunque no el motivo.

—Sí, sí. Te traje *manta'*, como *diji'te, maledi. Mucha'*, porque aquí no hay *hogá* y hace frío *po* la noche. Incluso en verano. *La'* pondré aquí, en *e'ta* mesa. —Los crujientes zapatos se movieron por la habitación, deteniéndose ante cada pila que había caído al suelo y llevándola a la mesa de que hablaba—. Traje tela *pa venda'*, cortada en *tira'*. Y un balde lleno de agua. Aquí, un momento, lo dejé fuera de la puerta. Lo pondré aquí, junto a la cama. Un momento, deja que traiga una banqueta y lo ponga encima, para que esté *má'* alto, pa ti. Será *má'* fácil *alcanzalo*. —Las patas de la banqueta rasparon el suelo hasta el jergón, y se oyó el ruido cuando puso el balde encima—. Hay una banqueta *pa* que te *siente'*, al lado de la mesa. La comida vendrá pronto. No *e'* buena comida, esa cocinera *e'* una marrana, pero te la traeré yo *mi'mo*.

Continuó parloteando, afligido por el silencio de ella, y de pronto Saura se sintió incómoda. Bronnie, comprendió, era un cachorrito. Un cachorrito idiota, bien intencionado, que nunca pretendería hacerle daño a nadie, y, lógicamente, no a un señor ni a una dama. En ese momento estaba de pie delante de ella, percibió, esperando nervioso para ver si ella lo golpeaba o lo elogiaba, y no pudo resistirse a la potente súplica que percibía en su voz.

—Lo has hecho muy bien, Bronnie. Gracias.

Los zapatos nuevos estuvieron brincando un momento y entonces él le preguntó:

—¿Si *necesita'* alguna otra cosa me *llamará'*, *maledi*?

—A nadie sino a ti —prometió ella—. En realidad, puedes ayudarme ahora. Es necesario quitarle la ropa al señor.

—¿*Quitásela*? —exclamó él—. ¿Por qué? No se le ha *encogío*.

Saura cerró los ojos, exasperada.

—No, pero está mojada y podría coger un enfriamiento. Y necesito examinarlo para ver si tiene alguna herida que podría hacerle daño.

—*¿Examinalo? ¿Quiere' ecir palpalo?* Me *confunde'*. Dijeron que no *e'tá' casaa* con el señor.

—Tienen razón.

—*¿No está' casaa y quiere' tocalo?* —preguntó Bronnie, en voz más elevada, por la incredulidad—. *¿Ere' una de esa' mujere' mala' de la' que hablan lo' cura'?*

Las primeras flechas de diversión perforaron la aflicción de Saura.

—Por eso deseo que me ayudes. Para que tú lo mires y veas si hay magullones.

—Aaah. —Lo pensó—. *Quiere' ecir que desea'* que te diga si *e'tá* herido.

—Exactamente.

—Pero *¿y si e'tá* herido y *tiene'* que *tocalo?*

A ella le aumentó la diversión y casi podría haber sonreído.

—Lo tocaré con sólo pensamientos puros en mi mente.

—A lor William no le va *gu'tá.*

—Le gustará menos morir de una herida no tratada. Venga, pongámonos al trabajo.

Se arremangó, preparándose para un trabajo arduo.

—No, yo lo haré —dijo él.

—Yo te puedo ayudar.

—Lo haré yo —insistió él—. No *debe' tocalo má'* de lo necesario. Siendo una dama noble y *too* eso.

Saura asintió, confundida por ese código ético que permitía asesinar y raptar, pero ponía objeciones a que una dama tocara a un caballero si no estaba casada con él. ¿Sería sólo Bronnie, o todos los sajones tendrían esas extrañas creencias?

—*E'* un hombre grande, ¿no? —gruñó Bronnie—. Pero sano *ha'ta* donde yo puedo ver. Sólo *uno' poco' moretone'*. *¿Va' a querelo ve'tío otra ve'?*

—Si tú quieres. Si no deseas dejarlo desnudo aquí conmigo.

—No, no, no pasa nada. No pasa nada. —Se puso de pie, jadeante—. *Ere'* una dama hermosa, no *debe'* jugar con él cuando yo vuelva la espalda.

Saura desvió la cara, porque no pudo impedir que se le formara la sonrisa.

—Procuraré refrenarme.

—Y te traeré la comida pronto. Y… —Saura lo oyó moverse inquieto—. Te traje un peine.

—¿Un peine?

Se tocó el pelo. El velo había desaparecido de su cabeza ya hacía rato, y se habían soltado los lazos de las trenzas. Parecía una bruja, supuso.

—Sí, pensé que podría *gu'tarte*, bueno, peinate el pelo. *E'tá* en la mesa. Con un trozo de cinta de mi novia. Si te *gu'ta*. *E'* de un bonito color azul.

—Seguro que es bonita. Gracias, Bronnie. Muchísimas gracias.

Giró la cabeza y le sonrió, su sonrisa de dama gentil, y nuevamente oyó los brincos, un momento. Después los zapatos chirriaron en dirección a la puerta.

—Traeré la comida —prometió.

—Lo sé. Gracias.

—Y buen vino. Y *cualquié* otra cosa que *necesite'*.

—Gracias.

La puerta hizo un clic después que él salió, y Saura se rió.

—Bueno, supongo que puedo convencer a alguien de mi autoridad —le dijo al inconsciente William—. Aun cuando no sea a ti.

Pero ni la autoridad que ejercía sobre Bronnie logró convencerlo de decirle quién era el señor de ese castillo. Él le llevó la cena, como prometiera, y vino, y pan para la mañana. Recordando su molestia cuando tuvo que pasar descalza por el embarrado patio, le llevó otro balde con agua para que se lavara y una tosca toalla. Pero cuando ella lo interrogó, él dio unas cuantas vueltas por el cuarto, vacilante, enderezó la mesa y colocó un candelabro apoyado en la pared. Ella le pidió que se llevara la vela, y eso lo afligió. Finalmente retiró la vela del candelabro, se dirigió a la puerta y salió, dejándola en el silencio.

Y sí que estaba todo silencioso. Ése no era el castillo principal del señor. El bullicio de una gran cantidad de personas, de caballeros y sirvientes, estaba notablemente ausente. Ella sola era responsable de su William.

Se sirvió la comida, que sabía tan mal como le aseguró Bronnie. Después examinó la puerta probando la manilla y exploró la habitación; era una celda estrecha no amueblada; sólo había dos banquetas, una mesa destartalada, el jergón y nada de lo cual hacer un arma. Le palpó el vendaje a William, lo tapó con otra manta y se paseó por el reducido espacio. Finalmente se sentó en la pequeña banqueta junto a la mesa y cogió el peine de Bronnie. Con los dedos temblorosos se deshizo la trenza y comenzó a pasarse el peine. El pelo le llegaba hasta los muslos, y el enredo le ofreció una buena distracción.

La distrajo del silencio, de la preocupación y de la soledad. Deshacer los nudos la distrajo de pensar en William, tan inmóvil sobre el jergón, y a medida que iba desenredándose el pelo para dejarlo pulcro, el ritmo de sus movimientos la fue calmando.

Finalmente dio por terminada la tarea, bajó los cansados brazos y juntó las manos en la falda. Pronto se acostaría en el jergón junto a William y dormiría, pero por el momento sólo deseaba continuar sentada y rezar, y rezó con un fervor del que nunca se había imaginado capaz.

Un suspiro proveniente del jergón le captó la atención. Un suspiro, un gemido y el sonido del movimiento que hizo él al ponerse de costado. Casi voló de la banqueta al jergón, y lo palpó impaciente hasta quedar satisfecha.

Estaba durmiendo. ¡Durmiendo! Se le agitaron los párpados cuando ella se los rozó, gimió cuando ella le presionó la cabeza y luego comenzó a roncar con el sano ritmo de un hombre cansado.

¡Estaba durmiendo! ¡Oh, Santa Virgen bendita! Con el corazón a rebosar de gratitud intentó expresar, a Dios y a sí misma, lo que sentía por ese milagro de la vida. No pensó en ella, no pensó en cómo William la llenaba y completaba. Sólo pensaba en él. Estaba durmiendo; eso significaba que despertaría y eso significaba que había esperanza. Por primera vez, sintió esperanza y lloró. Los desgarradores sollozos y las copiosas lágrimas la desahogaron, limpiándola, y entonces pudo levantar la cabeza y sonreír una vez más.

# Capítulo 5

Saura le había mentido a Bronnie.

Nunca antes lo había sospechado, pero era el tipo de mujer de la que prevenían los sacerdotes. Mala, inmoral, una verdadera hija de Eva.

Con el avance de la noche fue bajando la temperatura, y el jergón, las mantas y William le parecían más y más invitadores. Era lo único lógico, se dijo. El verano no penetraba esas piedras, ningún fuego mitigaba la cruel indiferencia del frío. Sufriría sentada ahí toda la noche envuelta en una endeble manta. No sería pecado acostarse al lado de él. No como una esposa o una puta, sino simplemente para compartir el calor corporal. ¿No era lógico eso?

Pues, sí.

No fuera cosa que cambiara de opinión, se soltó los lazos de la gramalla, maldiciendo la torpeza de sus dedos. Debería haber permitido que Bronnie dejara la vela y la encendiera, porque así podría calentarse las manos con su llama. Si no supiera que no, pensaría que la torpeza de sus dedos se debía a nerviosismo.

No estaba nerviosa. ¿Cómo podría estarlo? Lady Saura era famosa por su eterna serenidad, su tranquilidad para enfrentar los problemas, su sentido común. Nadie que tuviera un mínimo de juicio sospecharía que estaba temblando, con los dientes apretados para que no le castañetearan, a menos que tuviera frío. «No» estaba nerviosa.

La gramalla cayó al suelo por el peso del bajo mojado, y se cogió los codos. Un insistente pudor la obligó a dejarse puesta la túnica interior; porque era de lino, se dijo, y porque siempre dormía con ella. En realidad, no podría decidirse a quitarse esa prenda con sus mangas largas y el cordón en el cuello para cerrarla bien; por el calor, lógicamente.

Buscando a tientas el lugar al lado de William, se sentó en el duro jergón y se pasó hacia delante la mata de pelo. La dividió en tres partes y, con la eficiencia que le daba la práctica, hizo la trenza rápidamente y ató la punta con la cinta bonita. Hecho eso, ya no podía esperar más. Se metió debajo de las mantas y se cubrió con ellas, rápido, para que no saliera el calor corporal hacia la habitación. Dobló un brazo debajo de la cabeza y movió el cuerpo, al comenzar a sentir el deshielo.

William estaba sano. Había recibido un golpe en la cabeza y estaba hibernando como un campesino después de un festival de tres días. Nuevamente estaba de espaldas, con la cabeza girada hacia un lado, roncando con energía, vigor y entusiasmo. La alegraban esos sonidos; qué más daba que los ronquidos le impidieran dormir en toda la noche, que estremecieran el jergón, las mantas y a ella; estaba ahí, vivo, y si cuando despertara no tenía ningún recuerdo del pasado o tuviera una contractura en el brazo izquierdo, bueno, de eso se ocuparían por la mañana.

Se calentaría más si lo tocara. Hizo una inspiración profunda, soltó el aire en un soplido y sonrió ante su cobardía.

Entonces, haciendo acopio de valor, levantó un pie y le tocó la pierna con el dedo gordo.

Un dedo no será pecado, se dijo. Tenía los pies fríos. Siempre los tenía fríos, incluso delante del crepitante fuego del hogar de la sala grande. Aunque ya la escarcha no mordía el suelo fuera, las paredes de piedra del castillo proyectaban frío. Ahí en esa pequeña habitación, la noche hacía entrar un frío que se metía en los huesos. Sería ridículo sufrirlo.

¿Qué mal haría? Comenzó a deslizar lentamente ese único dedo hacia arriba y hacia abajo por la pantorrilla, abriéndose paso por el rizado vello que le cubría la pierna desde el tobillo a la rodilla. Su rodilla, descubrió, justificaba una exploración más meticulosa, primero con el dedo y luego con toda la planta del pie. Tenía sensible la planta y la puso a trabajar junto con los dedos para explorar la piel más rugosa y flexible que le cubría esa articulación. Ya tenía todo el pie sobre él. No era nada difícil. El otro pie se unió al primero, metiéndose entre la pierna de él y el jergón, y su maravilloso calor le produjo un hormigueo en él.

No sería pecado, se dijo, discutiendo consigo misma, trepar otro poco más para deshelar algo más que sólo los pies. Tenía toda la piel con carne de gallina, y le pareció que cuanto más se acercaba al calor de él más insistente se volvía el frío fuera de las mantas. Su túnica de lino la protegía del contacto piel con piel. La verdad, sólo era un poquito mala. Él era inmenso, y estaba tan calentito; ella se estaba tostando como un trozo de pan de un día ante su fuego. Primero pasó la pierna de arriba por encima de los muslos de él y luego apretó la otra a su pierna, desde el muslo a la pantorrilla. Se movió apretando el pecho a su brazo y la sensación le dio el valor para apretar todo el cuerpo.

Entonces se quedó inmóvil. Los ronquidos habían bajado de volumen, aunque no en regularidad. Su aliento ya le movía el pelo, caliente en el aire gélido de la habitación. Encontró agradable estar tan cerca de él. En realidad, era delicioso. La deleitó el contraste entre frío y calor, el agrado puramente animal y el duro jergón debajo con las ásperas mantas arriba. De pronto le pareció injusto en cierto modo que la tela de su túnica los separara tan completamente. No lo sentía en realidad, faltaba la sensación de contacto piel con piel; pero cuando acercó la mano al lazo del cordón que se la cerraba en el cuello, se le evaporó la temeridad. Tenía que arrimarse, se dijo, porque él era tan grande que acaparaba las mantas. Pero no logró justificar su desnudez, ni siquiera ante su mente lógica, y retiró la mano.

Pasó tímidamente las manos por encima del cuerpo de él. Esa noche era un tiempo de alegría, de celebración, de exploración.

Nunca había podido tocarlo. Nunca le habían dado la libertad para leerle la cara y el cuerpo, y en ese momento… ah, ahora.

Apoyó las palmas abiertas en su pecho. Ahí le latía el corazón, su pecho subía y bajaba en un maravilloso ejemplo de vigorosa respiración. Cogió su trenza y la levantó para que no le hiciera cosquillas, y apoyó la cabeza, de lado. Bajo su piel oyó el paso del aire al entrar y salir, oyó los latidos. El roce de su vello le estimuló la mejilla de forma tan irresistible que hundió la nariz en el vello. Olía como ninguna otra persona; su remojón en el arroyo le había limpiado el sudor de la pelea, y olía a… dorado.

¿No fue así como lo describió Maud? Dorado. Para ella, dorado era el olor de un día de otoño, el del heno seco cortado y de las hojas crujientes; era la satisfacción de arrancar una flor de un arbusto plantado por ella, la estimulación del terciopelo en las yemas de sus dedos y del aumento del volumen del ovillo de hilo a medida que lo iba hilando en la rueca. Dorado era el sol que le acariciaba la cara durante una siesta en su jardín.

William latía debajo de ella, y su aroma dorado emanaba de él en embriagadoras oleadas. Frotó la cara en su pecho buscando la fuente de esa fragancia, pero le pareció que el aroma era a la vez definido y elusivo.

Apoyándose en él le exploró la cara meticulosamente. Su cuello subía desde los hombros en una decidida columna, tan musculoso como sus brazos. La mandíbula cuadrada denotaba obstinada resistencia, que quedaba disimulada por la barba recortada. No pudo interpretar la nariz; se la había roto tantas veces que la intención de su creador era indescifrable. Encontró placer en sus orejas: pequeñas, bien situadas y apretadas a la cabeza; pasó las yemas de los dedos por el interior de la curva de una, bajando hasta el lóbulo, sorprendida de la existencia de un rasgo tan refinado en un hombre tan viril.

Le pareció que su exploración lo perturbó, porque él masculló algo y tosió, soltando el aliento en un soplido, y ella se apartó al instante, sintiéndose culpable. Al sentarse le bajaron las mantas, y se quedó quieta, atenta a los sonidos del castillo. Todo era profundo silencio en la habitación; sólo entonces cayó en la cuenta de que él ya no estaba roncando su entusiasta rapsodia; los ronquidos se habían convertido en espiraciones normales mientras ella lo tocaba. Pensándolo bien, le pareció que no había oído esos ronquidos de agotamiento desde el momento en que ella le exploró el pecho.

Exhalando un suspiro, él se quedó quieto y ella continuó sentada sin moverse hasta que estuvo segura de que él volvía a dormir con sueño profundo. Finalmente el aire frío la hizo tiritar y su necesidad de calor derrotó a su cautela. Con infinito cuidado se subió las mantas y volvió a inclinarse sobre él. Debería dormir, debería olvidar ese deseo de descubrir su cara, pero no hizo caso de esos reparos y con las manos temblorosas reanudó la exploración. Tenía los ojos muy profundos bajo el hueso de la frente, y sus tupidas cejas acentuaban el contraste. Su ancha frente aclaraba su fuerza, y sus cabellos le pasaron por entre los dedos como finísima arena.

Ya sabía cómo era. Ya lograba verlo, habiendo definido los contornos de su cara en su mente. Formado por el cincel del trabajador, el todo era la suma de sus partes: fuerte, compasivo, refinado, resuelto.

Satisfecha la curiosidad por el momento, volvió a apoyar la cabeza en su hombro y con una mano comenzó a friccionarle el pecho en movimientos circulares. ¿Gozaría él de esa estimulación táctil tanto como gozaba ella? Le rozó la piel con los labios, impulsada por un deseo primitivo, y con la lengua siguió los tendones de su cuello. Disfrutando de su seductor sabor, bajó la boca hasta su pecho y la hundió en el agradable nido de vello.

Las puntas rizadas del vello le excitaron las palmas al deslizar delicadamente las yemas de los dedos por el borde, en un amplio ángulo hacia los hombros. Sus clavículas se extendían hasta un largo que no se habría imaginado nunca; se sentó para compararlas con las de ella. Se abarcaba fácilmente una clavícula con los dedos, con la mano abierta; para medir la de él necesitaba cuatro dedos más. Impaciente, volvió a palparle las clavículas, y descubrió la marca de una fractura, bien soldada, pero aun así evidente a sus entrenadas manos. Al deslizar la mano por el ancho de su hombro, desde el cuello al brazo, se maravilló; tenía muchísimos músculos; le ondulaban en la piel lisos como la textura de una viga de roble bien pulida. Su piel era suave como la de un bebé, hasta que sus dedos pasaron por encima de una cicatriz con rebordes, que celebraban su vida. Sus brazos eran potentes, sus manos grandes, unos cuadrados de autoridad; sus dedos la sorprendieron: largos, de punta plana, pero sensibles.

Consideraba importantes las manos, el espejo del alma, y las de él hablaban de su bondad y autodominio, de su carácter y su majestad. Continuó explorándole las manos, complacida por sus descubrimientos, pero finalmente no pudo resistirse más tiempo.

Siguiendo el camino que ya había tomado, verificó sus hallazgos. William era una enorme masa de músculos y coordinación, digno del título de «caballero».

Pero más que eso, era un hombre, y sus exploradoras manos bajaron por su pecho, pasaron por su ondulante abdomen y siguieron hasta el límite del vello púbico. Se apoderó de ella la curiosidad de doncella; le fue imposible resistirse a la tentación irresistible.

Pegó un salto cuando su mano chocó con su órgano. No había esperado tanto calor y firmeza. Pensó en todo lo que le habían dicho sobre el apareamiento entre seres humanos, y negó con la cabeza.

—Esto no es posible —dijo en voz alta.

—Te aseguro que lo es —dijo él bajo su oído.

Su voz la sobresaltó tanto que se olvidó de sentir vergüenza; pegó un salto, emitió un gritito y le soltó el miembro.

Él le puso la inmensa mano en la cabeza.

—Más que posible, yo diría que es obligatorio.

—¿Qué quieres decir? —preguntó ella, consiguiendo que la voz le saliera normal.

Él le quitó suavemente unas guedejas de pelo de la cara.

—Lo que acabo de decir.

—¿Cuánto tiempo llevas despierto? —preguntó ella, apartándose cautelosa.

—No te muevas. Esto justifica mi utilidad como calentador.

Ella se quedó inmóvil, tan azorada que se ruborizó hasta las puntas de los dedos de los pies.

—Esperaba que no lo notaras.

Tenía apoyado el brazo en el abdomen de él, así que sintió las contracciones de sus músculos cuando él intentó contener la risa; y se le estremeció la mano que le tenía apoyada en la frente y bajó el brazo.

—¿Que no lo notara? ¿Que me usaras como calentador o que me manosearas?

—Mis manos… —Volvió a ruborizarse, por la increíble tontería que estuvo a punto de decir.

Él tardó un buen rato en hablar, y cuando lo hizo, le tembló la voz; pero pasó amablemente por alto su tontería.

—Estoy despierto desde el primer contacto de tu dedo helado con mi pierna. Cualquier hombre despertaría si le ponen un trozo de hielo en la pierna. Es inmenso el placer que me has dado, aunque no —se rió— con tus pies.

—¿Por qué no hablabas?

—Tú lo estabas disfrutando.

Ella se sentó bruscamente, bien derecha.

—¿Y tú no?

Él le cogió el hombro y la obligó a volver a su posición en el jergón.

—Muchísimo, Saura. Muchísimo.

Ella se quedó quieta, rígida, avergonzada por su osadía, y él se acomodó a su lado. Le pasó un musculoso brazo por debajo del cuello y con el otro le rodeó la cintura, acunándola, tan cerca de él que su respiración regulaba la de ella. La tenía abrazada con la cabeza bajo su mentón, abrigándola.

Le desapareció la tensión, dejándole una enorme satisfacción. Cuando se acurrucó, apoyando la cabeza en su pecho, él comenzó a deshacerle lentamente la trenza.

—¿Qué haces?

—Me gusta el olor de tu pelo. Me gusta lo sedoso que es, y lo quiero suelto cuando te ame.

Ella intentó ponerse rígida otra vez, pero el calor de él se había filtrado en ella como un narcótico, y sus músculos ya no respondían a su conmoción.

—No puedes amarme —dijo, pero la protesta le salió lánguida.

—Ése es el motivo de que vinieras a acostarte conmigo.

—Tenía frío.

—Y el motivo de que me despertaras con los pies helados.

—Quería calentármelos.

—Y el motivo de que me frotaras cuando tu hielo no me despertó, y de que me besaras cuando tus fricciones no me des-

pertaron. Me deseabas despierto y funcionando. ¿No te intere-
saron mis labios?

—¿Tus labios?

—Me palpaste todas las demás partes.

—Las piernas no —objetó ella, indignada.

—Yo te detuve antes que continuaras hasta ahí —señaló él.

Abatida, ella comprendió que no podía justificar la curiosidad por su cuerpo con la explicación obvia de que era ciega
y no lo había visto nunca. Él seguía sin saberlo; si llegaba a
pensarlo, él creía que ella caminaba, trabajaba y se movía con
la seguridad y soltura de una persona vidente. Halagador, pero
difícil de explicar.

—Mis labios —le recordó él.

—Los labios son para besar, ese tipo de besos profundos
que les gustan a los hombres y yo no quería… —se le cortó la
voz, hecha un lío con la explicación.

—¿Quién te ha hecho tener tan mala opinión del beso de
un hombre?

—A veces hombres de buena familia que iban de visita
me besaban, en broma, por supuesto, y a veces mi padrastro
intentaba besarme.

—Cerdos —dijo él, escupiendo la palabra—. Pero ésos no
son besos. Una vez nos dimos uno, ¿te acuerdas? ¿Nadie más
te ha besado correctamente? —Le acarició la cara, siguiendo
un camino similar al que siguiera ella, acariciándole las cejas,
deslizando los dedos por la delicada nariz y luego por sus dos
temblorosos labios—. ¿Nadie te ha enseñado el placer que
produce la unión de lo masculino y lo femenino en el néctar
de un beso? —Le acarició la mejilla con un dedo—. ¿Nadie ha

llevado la rosa del paraíso a tus mejillas con el encendido sello de un beso? ¿Nadie te ha producido el sabor de deliciosas fresas?

—A mí eso me parece una actividad para el aire libre —dijo ella, en tono agrio.

Él se rió y la estrechó más fuerte.

—¡Qué boba eres! Resueltamente no romántica, realmente el carácter de lady Saura, agriada por la falta de amor. Pero yo estaba echado aquí cuando un hada hechicera me hacía arrumacos, y recordé a la inocente doncella que luchó conmigo en la bañera, y me besó, y le dio a probar el sabor de fresas y rosas a un hombre muerto a las alegrías de la vida.

—Ese beso fue diferente. Me sorprendiste.

—Ah, ¿nunca debo darte placer a no ser que te sorprenda? Entonces me acercaré sigiloso. —Le rozó la oreja con los labios y luego los deslizó por su mejilla hasta besarle la boca—. O descenderé en picado. —Le dio sonoros besos en el mentón—. O te besaré como un niño sin experiencia—. Puso la boca sobre la de ella y se la presionó, resoplando en una parodia de pasión hasta que ella se rió—. Y después te besaré la sonrisa —susurró con los labios sobre los de ella—, hasta que te abras para mí bien dispuesta.

El cambio en el movimiento de sus labios fue tan sutil que ella obedeció: abrió los labios bien dispuesta, y él le deslizó la lengua por los dientes y después por la lengua. Eso no tenía nada que ver con las atenciones de otros hombres, y se le ocurrió, por primera vez, que lo que le habían hecho era menos un beso y más una violación. Tal vez William tenía razón, tal vez un beso entre un hombre y una mujer necesitaba los ingredientes correctos para hacer completo el plato.

Volvió a saborearlo, como la otra vez, pero por la lengua le pasó un sabor diferente. Más fuerte, más masculino, clarificado por su aliento y acentuado por su lengua. Él ya estaba apretado a ella, cuerpo con cuerpo; eso la hizo tomar conciencia de su miembro masculino e interrumpió el beso.

—Sigo pensando —inspiró aire— que esto no es posible.

—Lo haremos posible.

Comenzó a incorporarse para ponerse encima de ella, pero ella lo apartó de un empujón.

—Pero es que no debes. Hoy te hirieron.

—Sí, me duele la cabeza, pero no tanto como mi… —se interrumpió—. Perdona. Esa palabra no es apropiada para los oídos de una dama.

—No tienes por qué ser delicado. Sé lo que quieres decir, y te prometo que he oído todas las palabras groseras del idioma normando.

—Tanto mayor razón para ser delicado. Te juro que nunca me vas a confundir con los demás hombres de tu vida. —Su aliento se acercó, rozándole la cara—. Lo que ocurrió hoy no puede afectarme esto. El peligro de nuestras circunstancias, pasadas y presentes, sólo va a añadir llama a nuestro acto de amor.

—El mañana podría no llegar —dijo ella, completando su pensamiento.

Nuevamente él se incoporó, poniéndose encima de ella, y mientras le desataba el lazo del cordón que le cerraba el cuello de la túnica, le dijo, como una promesa:

—El mañana llegará. Sólo esperanza nos saludará mañana.

El cordón se deslizó por su guía, el cuello de la túnica se ensanchó más y más hasta que él se la bajó por los hombros, y entonces se los besó, primero uno, después el otro.

—Qué cuerpo tan frágil para una guerrera tan fiera. —Le cogió las manos y se las puso en su cara, frotándoselas con la barba y guiándoselas para que le acariciaran el cuello y los hombros—. Me gusta eso, me gusta cuando me acaricias.

Ella presionó las manos, aferrándose a él, pero se sentía asustada y rara, en cierto modo importuna, por lo que la «fiera guerrera» no encontró en su alma la fuerza para complacerlo como él deseaba. Él se rió, muy suave, y hábilmente le bajó la túnica hasta la cintura.

—¡Qué deleite eres! Adornada por la madura dulzura de una mujer, pero tan inocente e indocta como una niña.

Él la hacía parecer, comprendió ella, confundida, tan encantadora y complaciente con su cobardía como cualquier cortesana con sus ardides.

Él le cogió un buen mechón de pelo y se lo llevó a la nariz.

—Ah —suspiró—, todo vino debe tener un buen buqué.

Pasó sus grandes dedos por entre su pelo, peinándolo, y comenzó un maravilloso masaje profundo por la parte posterior de la cabeza y nuca. Ella echó atrás la cabeza, dejándole libre la garganta para su suave beso. Jamás se había imaginado algo tan exquisito. Después él le dio un placentero masaje en el cuero cabelludo con las yemas de los dedos, hasta que al llegar a la frente el masaje se convirtió en un roce de curiosidad. Ella reconoció ese suave roce siguiendo el contorno de sus cejas, palpándole la nariz, acariciándole los labios. Le estaba leyendo la cara.

Tal vez ella era tímida como una niña inocente, pero se daba cuenta de que él disimulaba su necesidad de verla en la mente con las caricias de un amante, y su leve reserva le resultaba atractiva, entrañable, como ninguna otra cosa.

—¿Crees que soy bonita? —le preguntó, con aliento y placer en el tono.

Él detuvo los dedos, temblorosos, y siguió los contornos de sus mejillas.

—Hermosa estructura ósea —musitó y le golpeteó suavemente la mandíbula—. Y un mentón terco.

Riendo, ella se estiró cuando él le acarició los hombros, los brazos, el cuello. Se preparó para manos callosas que le iban a manosear la parte inferior del cuerpo, por lo que su inesperada suavidad le quitó el aliento y la llenó de placer y de deseo de una caricia más íntima, aunque ¿dónde?

—Me gusta cuando me acaricias —repitió él—. ¿No me vas a demostrar dónde deseas que te acaricie?

Nuevamente le levantó las manos, pero las dejó así, levantadas entre ellos. Ella flexionó los dedos, hasta que el deseo venció a su timidez y pudo moverlas para tocarle los músculos del pecho y, con asombrosa falta de coordinación, las puso sobre sus hombros. Al instante él puso las manos sobre los hombros de ella y esperó, hasta que ella le acarició la articulación con las palmas. Entonces él le acarició las articulaciones de los hombros con las palmas. Ella bajó las manos hasta sus costillas, y él las bajó hasta las costillas de ella. Saura giró las manos, frotó, volvió a girarlas y las pasó rápidamente a su pecho. Las manos de él no hicieron ninguno de los giros ni se precipitaron, sino que parecieron volar hasta los pechos de ella con tanta precisión que ella supuso que sabía dónde buscar.

El pensamiento consciente abandonó su cabeza cuando él le envolvió los pechos con sus manos. Sensación tan pura no había experimentado jamás, la presión de sus manos, piel con piel, los unía en un momento de comunión claro como el cristal. Cerró los ojos y el aliento le salió en un gritito de éxtasis. Un momento perfecto, completo en sí mismo y prometedor tesoro.

—¿Más? —le susurró él al oído.

Ella asintió, relajada, y susurró:

—Por favor.

—¿Cómo?

Pasando las manos por su pecho, ella buscó sus tetillas hundidas en la mata de vello rizado y se las frotó con los pulgares en movimientos circulares.

—Qué franca eres —dijo él, maravillado—. Muchas mujeres preferirían esto.

Como las hojas del otoño cayendo al suelo, él pasó las yemas de los dedos danzando suavemente sobre su piel, acariciándole la sensible parte inferior de un pecho, cumplimentándola con tácita admiración. La sensación aumentó dentro de ella, la reacción de una alumna no experimentada al trabajo de un maestro. Deseó, deseó desesperadamente, sentir sus manos en los pezones, pero había salido volando su coherencia, había salido volando su coordinación.

Entonces él le dio lo que deseaba, cerrando la mano sobre el pecho y apretándoselo en un ritmo suave y parejo, y la parte pensante de ella escapó y en su lugar quedó su ser sensual retorciéndose sobre el jergón.

—¿Más? —preguntó él.

Ella tuvo que hacer tres respiraciones para poder tartamudear:

—¿Qué más puede haber?

Él le cogió el pezón con la boca, y todos los músculos se le tensaron, atentos. Él se lo chupó mientras ella movía la pierna debajo de él. Después le lamió todo el pecho, trocito a trocito, hasta que ella le rodeó la cintura con las piernas, en franca súplica, y él repitió el tratamiento en el otro pecho. Cuando finalmente él se apartó, el frío de la habitación le golpeó el pecho, mojado con sus caricias. El frío le devolvió algo de racionalidad a su mente, algo de organización a sus pensamientos, y deseó hablarle, suplicarle.

—¿Tienes frío, pequeña? —musitó él—. Déjame cubrirte.

Con mucha, mucha lentitud, descendió sobre su cuerpo, cubriéndole primero la sensible piel del vientre y luego el esternón. Los pezones le quedaron anidados en su mata de vello y descendió sobre ella el peso de su pecho, aplanándole los pechos, abriéndola al milagro de estar piel con piel por primera vez.

Normalmente su vida transcurría aburrida o rutinaria, horrorosa y aterradora, interrumpida ocasionalmente por momentos dorados. Ese momento que estaba viviendo era el que más le gustaba. Su hombre dorado. Sus labios se cernían sobre sus párpados, su aroma le atormentaba la nariz; levantó la cabeza y lo besó en la boca, tan descarada y ardiente como cualquier alumna.

Entonces él abrió los labios a su exploración, la dejó llevarlos por el camino al paraíso y, cuando interrumpieron el beso para respirar, ella se sintió gratificada al oír su resoplido y sentir los fuertes latidos de su corazón tan cerca de los de ella.

—Placer —dijo él, con la voz descontrolada y amplificada por la desnuda habitación; moderando el tono, continuó—: El placer es algo maravilloso. Puede ser lento y abrasador, incendiándolo todo a su paso. —Levantando un lado del cuerpo encima de ella, bajó la mano que tenía sobre sus costillas hasta la cadera—. Nuestro fuego lo ha encendido todo, Saura, estoy ardiendo. —Casi inaudible, su elocuencia significó menos para ella que el temblor de su brazo, en el que se apoyaba para no aplastarla—. Saura, indícame lo que deseas.

Ella descubrió que le temblaba la mano también, al cogerle la de él y ponérsela sobre el hueso púbico, pero él no pidió más aliento. Fue un dulcísimo placer cuando él la abrió a sus exploraciones. Uno a uno descubrió y exploró los órganos de reacción de ella, le demostró que todo lo ocurrido antes era una preparación para eso. Cuando él le insertó primero un dedo y luego otro, su alma comenzó el lento deslizamiento hacia el placer. Ni su aviso de que le dolería, ni su cuidadoso tanteo ni la lenta penetración de su miembro en su cuerpo detuvo la corriente ascendente que la elevaba.

Sus tejidos cedieron muy lentamente; ni toda su fuerza de voluntad podía obligar a su cuerpo a abrirse para él. Pero el malestar no fue nada comparado con el exquisito placer que él le producía con sus manos. Su letanía «No me aguanto, no me aguanto» sólo significó que la fue penetrando poquito a poco, retirando el miembro y volviendo a penetrarla otro poco, hasta que ella le enterró las uñas, frustrada. Entonces él embistió fuerte, rompiéndole el himen, y se rió, sorprendido y divertido, cuando ella gimió:

—¡Por fin!

Su impaciencia llegó a su apogeo; le pasaba las manos por la cintura, con fuerza, le cogía las nalgas, apretándolo contra ella, jadeaba su nombre. Eso lo encendió más.

Las suaves y pacientes penetraciones pasaron a enérgicas y tumultuosas embestidas. Un placer insoportable gratificaba el primer dolor; ella jamás había experimentado algo igual. William la llevó al centro de la turbulencia, propulsándola de un extremo a otro hasta que su cuerpo ya no podía pedir más, no podía recibir más. Lo abrazó con los brazos y las piernas, siguiendo su ritmo, y encontró ese lugar de color y luz.

En ese lugar maravilloso tocaba oro con las manos, había oro en el aire perfumado. Había sonidos dorados para sus oídos y platos dorados para saborear. El oro iba y venía con las embestidas de William, pasó a ser más que oro con los estímulos de él, y en una gloriosa revelación se fusionaron en una sola entidad. William y Saura, Saura y William. Juntos, los tesoros de sus cuerpos se transformaron en los tesoros de sus almas, y se alojaron ahí más allá del tiempo de la pasión.

Tal vez, soñó Saura, esos tesoros no desaparecerían nunca.

Volvió a un cierto estado de conciencia cuando él se desplomó encima de ella con todo su peso.

—Perdona —gimió, afirmándose y separando el cuerpo del de ella.

El pesar la impulsó a abrazarlo, reteniéndolo apretado contra ella un último momento, y luego lo soltó. Comprendiéndola con una afinidad que la deslumbró, él se acomodó a su lado y le apartó suavemente el pelo de la cara.

—Habrá más para nosotros —le prometió.

—Sí —dijo ella, no porque estuviera de acuerdo, sino porque tenía la esperanza de que así fuera. Le volvió la fuerza a las extremidades y, en un arrebato de actividad, echó atrás las mantas, hasta los pies, alegando—: Tengo mucho calor.

Por la noche ella puso los pies encima de él y él despertó sobresaltado.

—Condenación, mujer, estás helada otra vez.

—Sí.

—Si te cubrieras con las mantas…

—Tú puedes calentarme —sugirió ella, apretándose contra él, acurrucada bajo su brazo.

—Sí, picaruela lujuriosa, podría, pero no lo haré. —La abrazó, besándole la cabeza—. Eres demasiado nueva en esto y yo… ¡para! ¿Dónde aprendiste eso?

Ella apartó la boca de su tetilla.

—De ti. ¿No te gusta?

—No lo sé. Es… diferente. Supongo que me gusta. ¡Para! —Le cogió el mentón y se lo mantuvo levantado mientras él cambiaba de posición hasta quedar los dos cara a cara—. Espera otra noche, cariño, y volveré a darte satisfacción. Es demasiado grande la diferencia entre nosotros para que te resulten agradables más uniones esta noche.

—¿No me deseas? —preguntó ella, y le tembló la voz por el rechazo.

—¿Que no te deseo? Buen Dios, mujer —le cogió la mano y se la colocó alrededor de su órgano—. Esto es el deseo más grande que he tenido en toda mi vida. Pero, más que eso, te amo. Eres la mujer más sincera del mundo. Además de generosa e inteligente.

—Parezco una monja otra vez —suspiró ella.

—Ah, noo. —Se rió y movió la cabeza en una enérgica negativa—. También eres tozuda, resuelta y pendenciera, y nunca pondré una piedra a tu alcance —le levantó las manos y se las besó— cuando mi cabeza esté cerca y te haya hecho enfadar.

—Nunca había golpeado a nadie —protestó ella—. Al menos no con piedras.

—Me siento halagado.—Ella detectó la sonrisa en su voz—. Sólo en mi defensa te conviertes en verdadera guerrera. Yo te enseñaré a defenderte. Ninguna mujer mía será violada o asesinada sin dar la batalla.

«Mujer mía.»

Esas palabras se destacaron, fascinándola, pero bajo la fascinación quedó un frío miedo, y confusión. ¿De verdad él creía que cualquier mujer era capaz de defenderse? Sus defensas eran la astucia y la vigilancia, afiladas, perfeccionadas, por años de peligro. ¿Lo engañaba innecesariamente? ¿Debería decirle lo de su ceguera, antes que se lo dijera otra persona? La fastidiaba muchísimo cuando alguno de los idiotas se burlaba de ella, y temía que él pensara que ella se había burlado de él.

Sería fácil decirle «William, yo también soy ciega», pero esas pocas palabras romperían el capullo de confianza y pasión que los rodeaba, por lo tanto su sinceridad innata combatió con su deseo de dejarlo para después, una noche más, sólo unas horas más.

—Te has apartado mucho —musitó él, tironeándole un mechón de pelo—. Vuelve aquí y duerme en mis brazos hasta la mañana. Entonces descubriremos quién nos ha puesto en este tormento, y una vez que lo cure de sus pretensiones, nos pondremos en camino.

Analizar las emociones que captaba en las voces la había salvado de peligros más veces de las que podía contar, y en la voz de él captó una falsa seguridad, la afirmación de una seguridad que él no sentía.

Pero ¿qué podía hacer? Poniendo seguridad en su voz, simplemente dijo:

—Por supuesto, William.

Y se quedó dormida.


Por las dos saeteras entraba la luz rosada del sol de la aurora, iluminando el lastimoso mobiliario de la habitación, y William miraba y reflexionaba. Se veía muy real. Desde su accidente había tenido sueños muy claros, en los que veía, pero ése lo encontraba muy real. Desde que era niño, cuando despertaba con expectación, nunca rechazaba su irracional seguridad de que cada nuevo día era especial, que ése sería un día hito. Esa mañana no era diferente. El placer se lo habían agudizado tal vez los acontecimientos de esa noche, pero de todos modos se había desperezado, saludando a la mañana, y abierto los ojos: y veía eso.

Cerró los ojos y la visión desapareció. Sus demás sentidos, los sentidos de los que se fiaba, le dieron información. Traído por el viento, el aire del amanecer le acariciaba la cara con su beso húmedo por el rocío. Fuera oía a los pájaros practicando su saludo al sol con cada vez más vigor. A su lado, Saura seguía durmiendo. Oía su respiración pareja y sentía su calor en el brazo. Sí, era la mañana.

Abrió los ojos. Esas malditas saeteras se veían más luminosas, la mayor luz favorecía a las piedras grises. Paseó la mirada por el mobiliario de la estrecha habitación. Mesa, banquetas, un alto candelabro sin vela. Qué extraño. Baldes de madera. Levantó la cabeza y miró el jergón.

Eso, ahí. Dos bultos debajo de la manta marrón donde debían estar sus pies, y se movieron cuando él los movió. Eso parecía muy real.

Ahí, la mujer que dormía a su lado. Dientes de Dios, ya sabía que era un sueño. Esa mujer, su Saura del sueño, era una preciosidad. Saltaron versos a sus labios por la influencia de su sensual cara. Hermosa estructura ósea, sí, y un mentón que indicaba terquedad. Labios rojos y largas pestañas negras que le rozaban las mejillas. Largos y brillantes cabellos negros colocados ingeniosamente le atravesaban el pecho, ocultando y revelando los soberbios montículos de sus pechos. Su piel, toda toda blanca y limpia, no estropeada por manchas ni pecas. Qué sueño. Qué sueño.

Movió la cabeza ante su credulidad y la escena imaginaria se movió también. Riendo apoyó la cabeza y levantó las manos para frotarse los ojos. Pero antes de tocárselos las detuvo. Se parecían muchísimo a sus manos. Ahí estaba la cicatriz en la base del pulgar, de cuando se rompió la piel abrillantando un yelmo en sus tiempos de escudero. Y ahí, el dedo medio algo torcido, de cuando se lo rompió en una batalla cinco años atrás. Y fíjate, sus manos no se veían tan musculosas como antes, tal como deberían verse después de meses de inactividad. Y mira, flexionó la mano. Mira.

Mira.

El corazón comenzó a retumbarle, fuerte.

Se sentó apoyado en los codos.

Mira esta habitación. Mira este lugar.

Mira la luz.

# Capítulo 6

«Sólo esperanza nos saludará mañana.»

¿Sería ése, su propio ensalmo, el que lo había curado? ¿O sería el amor de una buena mujer, una virgen, esa antigua panacea para todas las enfermedades?

William se asomó a la saetera y miró fuera. Sabía dónde estaban. Había estado en ese castillo una vez, durante una cacería. Abajo veía, santo Dios, el milagro contenido en esa simple palabra, veía el camino de la muralla por el interior de las almenas y eso le dijo que la habitación estaba situada en lo alto de una torre. Más abajo la muralla seguía la curva de un río, y vio una barca de poco fondo acercándose al embarcadero, un siervo preparándose para amarrarla, para que desembarcara su único y descarado pasajero.

No podía creerlo o, mejor dicho, no deseaba creerlo. La villanía de ese plan lo asombraba. Su estupidez lo asombraba también. Ya se había vestido y explorado esa prisión. No había ninguna restricción para un hombre vidente. Si quería, podía echar abajo la puerta; si quería, podía despertar a Saura, salir con ella, derrotar a esos lastimosos centinelas, robar dos caballos y volver cabalgando a Burke. Eso no sería terriblemente difícil sin el uso de sus ojos, y habiendo recuperado la vista sería ridículamente fácil.

Pero no lo haría. No. Ese hombre que los tenía prisioneros, ese gusano, ese bellaco malparido, las pagaría. Y hablaría. No se le ocurría nada, nada, que pudiera dar a esa alma condenada la valentía suficiente para hacerle frente a él. Siendo un hombre modesto, sabía que en un arranque de furia era una fuerza que nadie podía resistir, y mucho menos ese asqueroso hijoputa que los aprisionó.

Girándose dio un paso hacia el jergón y contempló a Saura. Su belleza lo impresionaba. Era un hombre pragmático, un hombre que no esperaba de la vida más de lo que ésta quería darle. Pero esa mujer era un premio.

Doncella a los diecinueve años. Su sorprendida reacción al placer le había dicho que era doncella, pero la confirmación de eso le hacía difícil dominarse.

¡Qué recompensa! La chica se hizo mujer en un estallido de llamas, sumergiéndolo en la pasión, succionándolo con exquisitas contracciones. Lo incendió con su erótica llama, pero le atribuyó a él el mérito de la excitación que generaron, y tal vez tenía razón. Separados funcionaban como dos seres humanos normales; juntos, su fogosa luz iluminó la noche.

Doncella a los diecinueve. Desasosegado, puso la banqueta desocupada junto a la mesa, se sentó y partió un trozo de pan. Seco y correoso, sabía a cielo para un hombre al que se le negó la comida y la cena el día anterior. Pero su atención volvió a Saura, cuyos párpados se veían algo azulados por las venillas que los atravesaban bajo la delicada piel. Una heredera tan bella como ella debería haberse casado a los trece. ¿Por qué no se casó? Esa pregunta lo atormentaba. Era perfecta: hermosa, compasiva, hábil, rica. ¿Cómo pudo su padrastro impedirle el matrimonio? Claro, no había existido en el mundo un cabrón peor que su padrastro. La aversión que le inspiró Theobald a besar cayó derrotada pronto, y ella demostró tener una extraordinaria capacidad para improvisar en el asunto. Le había besado todas las partes del cuerpo, hasta que le dolían los músculos por tenerlos rígidos para refrenarse. El recuerdo de esos besos lo impulsó a levantarse; le era imposible continuar sentado con cierta serenidad así empujado por la nostalgia. Si no fuera tan novata, si no fuera tan menuda, si estuviera despierta y le sonriera. Se maldijo. Con una pizca de aliento, le saltaría encima al instante. ¿Cómo logró controlarse esa noche cuando ella le pidió que la amara de nuevo?

Volvió a la saetera. Algo lo atormentaba, algo que dijo un día una de las criadas, pero no lograba recordarlo. Volvió a mirar fuera, hacia el río. ¿Dónde estaba el imbécil que los tenía prisioneros? Si no venía pronto a abrir la puerta, él tendría que echarla abajo. No soportaba estar en la misma habitación con ella sin quitarle las mantas. Con la mano en un puño, se golpeó la frente y gimió. Qué tonto era por atormentarse así.

Un suave suspiro le indicó que ella estaba despertando. Girando sobre un talón, la observó con ojos impacientes mientras ella se desperezaba como una gata, primero un brazo, luego el otro, primero una pierna, luego la otra, todo en un voluptuoso movimiento. Le resplandecía de salud la piel, luminosa por el contraste con la manta marrón. Sus largos cabellos ocultaban y revelaban al moverse por encima de las cimas y valles de su cuerpo. Era lo más hermoso que había visto… Se rió de sí mismo, la mujer más hermosa que había visto en toda su vida.

Un repentino deseo de drama lo cogió desprevenido. Deseaba sorprenderla, complacerla con la vuelta de su vista. Rápidamente se giró hacia la saetera, sin caer en la cuenta de que eso en sí mismo alertaría a una persona vidente, porque ¿qué ciego se asoma a una ventana a mirar?

—¿William? —Su voz sonó con el encanto musical de una flauta. Al no contestar él, repitió en tono angustiado—: ¿William?

—Aquí, cariño. —Descubriendo que aún no podía mirarla, se pasó las palmas por la cara, ocultando su pueril regocijo.

—¿Estás bien? —preguntó ella, su cristalina voz embargada de preocupación.

En respuesta, él se giró a mirarla. Sus ojos lo asombraron. Las violetas de primavera perdían en la competición de color aterciopelado. O tal vez el contraste de sus pestañas negras con su piel blanca creaban una injusta ventaja. Las comisuras de sus labios, parecidos a pétalos de peonías carmín, caían hacia abajo, con la preocupación ausente durante su sueño. Dormida, su cara convertía en piedra a las beldades envidiosas del mundo, y su delicada piel le daba una animación clásica que él estaría horas contemplando.

Pero no lo estaba mirando, así que le hizo un guiño. Y ella no reaccionó. Le sonrió, su sonrisa de niño diciendo «mírame». Y a ella se le ahondaron los surcos de preocupación en la cara.

Saura echó atrás las mantas y se levantó en un solo y airoso movimiento.

—¿William? ¿Qué te pasa? —echó a andar hacia él—. ¿Te duele la cabeza?

A él se le oprimió la garganta de admiración por su cuerpo, y no pudo decir nada. Alargó la mano hacia ella. Pero ella dio otro paso, al parecer sin ver su gesto, al parecer sin ver el balde, y su pie chocó con una pata de la banqueta y su rodilla con el balde, y todo salió volando, y ella también.

De un salto fue a cogerla, con la mente zumbando de preocupación, y lo alivió oír salir la exclamación muy normal «¡La peste se lo lleve!» de esos labios suaves como pétalos. Rodeando con los brazos a la beldad caída, la levantó con tierna preocupación. La dejó en el suelo, primero un pie, después el otro.

—¿Algún hueso roto? —preguntó.

—Claro que no —contestó ella, desdeñosa—. Lo he tenido peor. Pero tú, William, ¿estás sano?

—Sí —le miró la espinilla, viendo las rojeces que ya comenzaban a aparecer en la piel sobre el hueso—. Será doloroso.

Se dio cuenta de que no la estaba mirando a la cara como debería. Un hombre que desea sorprender a su dama con el retorno de su vista tiene que alertarla de alguna manera para darle la buena noticia. ¿Por qué, entonces, tenía miedo?

Se quedó inmóvil. ¿Miedo? ¿De qué tenía miedo? ¿Qué había visto con sus nuevos ojos que no deseaba reconocer?

—¿Qué te duele? —insistió ella, remeciéndole el hombro—. Estás rígido como si estuvieras paralizado. ¿Es eso? ¿Hay partes de tu cuerpo que no funcionan? Debes decírmelo, intentar ocultármelo sólo lo empeorará.

—Me funcionan todas las partes del cuerpo. Todas.

Entonces levantó la vista, la miró a la cara y vio, vio esa mirada que no lo veía, esa mirada que no lo tocaba. Su primer pensamiento incrédulo fue que ella había perdido la vista para que él pudiera recuperar la suya, pero su actitud y comportamiento tan naturales lo alivió de esa suposición. El latigazo del remordimiento lo convenció. Todos sus insultos de desprecio y rebelión los había dirigido a esa hermosa chica ciega. Lo recorrió un escalofrío.

—Saura.

—Estás enfermo —dijo ella—. Sabía que no debería haberte permitido amarme.

Trató de quitar el brazo de su cuello, pero él se lo impidió cogiéndola en volandas.

—Si estás enfermo, déjame tratarte —insistió ella—. Déjame en el suelo.

—Sí, te dejaré en el suelo.

La llevó hasta el jergón, que estaba en el suelo, y la depositó ahí; la cubrió con la manta suelta y se la remetió, dejándola bien envuelta.

Ella lo dejó hacer, sin resistirse, sin entender.

—¿William? —susurró, tocándole la cara cuando él se arrodilló junto a ella.

Lo engulló un tremendo sentimiento de culpa.

—Oh, Dios mío, Saura, no ves.

Ella se sentó con la espalda bien derecha y las piernas dobladas debajo del cuerpo, sujetando la manta que le envolvía el cuerpo desnudo, hasta que comprendió la importancia de lo que acababa de decir él. Descendió sobre ella la negrura de su existencia, y su mente gritó: «¡No hay forma de escapar! Jamás escaparás».

—Y tú sí ves. —La voz le salió desanimada, pero la euforia por su buena suerte la sacó de sí misma y le fortaleció la voz—: ¡Dios te ha bendecido, William! ¡Ves! —Cogiéndole el mentón con las palmas, le acercó la cara y lo besó en la boca; notó las manos mojadas—. ¿Lágrimas?

Él apoyó la mejilla en la de ella y ella pensó en el cambio en sus situaciones. Cuando tuviera un momento, se entregaría a la desesperación que le lamía la existencia.

Él estaba llorando delante de ella. Su manera de llorar la asombraba. No sollozaba, no se le movían los hombros. Simplemente le caían en el cuello unas lágrimas silenciosas. Tuvo la impresión de que eso le producía dolor, como si cada excepcional lágrima cayera con sangre de su corazón.

Sorprendida, descubrió que sus lágrimas le causaban pena a ella también. ¿Cuándo había llorado alguien por ella? Desde la muerte de su madre, cuidar de los demás había sido un regalo que daba y casi nunca recibía. Y en ese momento ese hombre, ese hombre fuerte, resuelto, un guerrero en todo el sentido de la palabra, estaba llorando por ella. Y eso la afligía más que su primera reacción egoísta. Con las manos temblorosas le acarició la cara y le echó hacia atrás el pelo que le caía en la frente, y se aclaró la garganta.

—¿Por qué lloras?

Él no contestó, simplemente le acarició la rodilla con una mano y con el otro brazo le rodeó la cintura. Era como si él quisiera meterse en su piel para compartir su dolor.

Le pasó con más fuerza la mano por la cara y le tironeó el pelo.

—Te he enseñado que la ceguera nos limita solamente hasta el punto en que se lo permitimos, ¿verdad?

—No... es... eso.

—¿Qué es?

—He sido un bellaco malhablado.

—Bueno, no lo sé.

—Un torpe malhechor.

—Nada tan…

—Un despreciable bobo orgulloso.

Guardó silencio, pero ella no dijo nada.

—¿No vas a objetar?

—Nooo. Es muy alentador encontrar humildad en un hombre.

Con instantánea indignación él se apartó hasta quedar medio acuclillado, y entonces recordó su dureza y volvió a arrodillarse ante ella.

—Tienes una dolorosa manera de enseñarle humildad a un hombre. Cuando pienso en todas las veces que me he mofado de lady Saura, me he burlado de tu edad y dicho que no entendías mi lamentable situación porque «veías», me dan ganas de azotarme.

—En realidad, no te burlabas de mí, me embromabas. Hay un mundo de diferencia. Para una mujer de avanzada edad habría sido halagador. Para mí… —Pensó en todos esos desdichados años en la casa de Theobald, ignorada por todos los hombres cotizables o insultada por su desventaja; o cuando le ofrecían un lugar en la cama de un caballero con la arrogante suposición de que ella lo agradecería—. Para mí tus bromas han sido amabilidad.

Horrorizada notó que la voz le salió temblorosa por la emoción.

Él la estrechó con más fuerza.

—He sido cruel contigo —dijo con la voz ronca—, gritándote, siendo grosero.

Sorprendida, ella se rió.

—¿Y qué? ¿Por qué soy tan especial? Le gritabas a toda la gente de tu casa, y has herido los sentimientos de tu hijo, y los de tu padre también.

A él se le evaporó la aflicción.

—¡Eso no es cierto!

—Y ésas son las personas a las que realmente quieres —continuó ella, como si no lo hubiera oído—. Me he sentido muy halagada.

—¡Halagada!

—Sí, eso me hace sentir una más de la familia. Si no me gritaras, pensaría que te caigo mal.

—¡Mujer! —rugió él, abandonando su postura de penitencia—. Cierra la boca y escúchame. Yo «no» grito «ni» soy grosero, y te aseguro que ya no seré grosero contigo.

—Claro que no —rió ella, y él hundió la cabeza entre sus pechos.

—Eres una mujer malvada.

—¿Una torpe malhechora? —sugirió ella, tragándose el cosquilleo de encantamiento que amenazaba con privarla del sentido común y hacerla soltar torrentes de risa.

—Eso por lo menos —concedió él lúgubremente.

—No lo soy. Pero sí soy lo que temía Bronnie.

La voz le salió algo ronca, en un tono que insinuaba algo carnal, pero él tenía la mente en otra parte.

—Me gustaría que dejaras de intentar contener la risa —dijo, en tono disgustado. La miró—. Noto cómo intenta salir, y esa expresión de inocencia que tienes en la cara no engañaría ni a un fraile.

Ella se apresuró a arreglar los músculos de la cara en una amable sonrisa, y él emitió un bufido.

—Siempre he deseado saber cómo es Saura la monja. Ahora lo sé.

—No soy monja —protestó ella—. Y estoy absolutamente harta de que me compares con una.

—Créeme, cariño, sé que no eres una monja. Nadie sabe eso mejor que yo. Soy el experto en tu falta de carácter monjil. —Acercó la cara a la de ella, y ella lo notó—. No sólo sé que no eres monja, he estropeado tus posibilidades de ser cualquier cosa aparte de una monja penitente con el simple acto de… —Se interrumpió, tan cerca que ella sintió su aliento en la cara, y estiró los labios, expectante—. ¿Qué quieres decir con eso de que eres lo que temía Bronnie?

—Soy el tipo de mujer de la que previenen los sacerdotes.

Él se apartó y ella lo siguió con la boca, hasta que comprendió que hacer eso era rivalizar con una burbuja efervescente persiguiendo al tempestuoso viento del norte.

—¿Cómo supo eso?

A ella no le gustó el tono, y dijo:

—Por mi conducta inmoral, supongo.

—¿Qué has estado haciendo con Bronnie?

Ella sacó una mano de debajo de la manta y movió un dedo bajo su nariz:

—Se preocupó cuando le pedí que te desvistiera. Pensó que no sería capaz de no manosear a un hombre desnudo, pero yo le aseguré que mis intenciones eran puras. ¿Vas a pelear conmigo?

—Ah —suspiró él. Le cogió el dedo que movía tan cerca de su cara y se lo puso junto con sus compañeros—. Nunca podría pelear contigo. —Le cogió la muñeca y le sacó todo el brazo fuera, sin hacer caso de los tirones de ella para soltárselo—. Pero me alegra que te hayas resistido a tus intenciones puras.

Ella detectó la sonrisa en su voz, y eso la enfureció.

—Puede que haya resistido a mis intenciones puras anoche. —Pegó un salto al sentir la boca de él abierta en el hueco del codo—. ¡Para!

—Venga, continúa, regáñame —dijo él, con la boca sobre su sensible piel, y a ella se le erizó el vello del brazo en descarada reacción.

—¡Pero esas intenciones están claras esta mañana! —De un tirón se soltó el brazo, él no intentó impedírselo, y la manta se le fue hacia atrás dejando al descubierto más de la mitad de su cuerpo desnudo—. ¡Granuja! —exclamó porque él la cogió por la cintura desnuda y la tumbó de espaldas en el jergón—. ¿Te crees que puedes insultarme… —retuvo el aliento cuando él siguió el movimiento con su cuerpo— y luego atacarme?

—Atacar es una palabra drástica. —Diestramente le liberó las piernas de la manta enredada—. Te voy a persuadir enérgicamente.

—¿A hacer qué?

Se puso una capa de hielo en la cara y movió las manos liberadas en protesta por ese aprisionamiento.

—Sólo deseo que me beses.

—¿Que te bese? Acabas de insinuar…

Lo empujó e hizo un mal gesto; tan fácil como mover una roca usando una ramita como palanca.

—Lo siento —dijo él, acariciándole la caja torácica con las yemas de los dedos, y se apartó—. Perdona. Soy un tonto celoso.

—Eres hombre.

Su tono rezumaba repugnancia, fulminante desprecio. Era buena para dar matices a su voz. Pero esos matices resbalaron por William, quien con abominable animación reconoció:

—Culpable de lo que se me acusa. Sólo soy un hombre, y debes ser comprensiva y disculpar que en mi estupidez —una osada caricia en su abdomen— asnal —un tierno apretón en el lóbulo de la oreja— me entraran odiosas dudas sobre ti y ese estúpido llorica.

Le hizo cosquillas en las costillas y ella sacó las manos de su pecho para detenerle, pero él la eludió extendiendo los brazos hacia el techo. Se preparó, pero él posó la parte superior del cuerpo sobre ella con suavidad.

—Control muscular —gruñó él.

Ella podía desentenderse de él, rodeada por su sólida masculinidad, pero su mente estaba ocupada pensando cómo sacar las manos aplastadas entre sus cuerpos. Al parecer la dignidad la eludía cuando estaba bajo la influencia de él. Dijo:

—Ese estúpido llorica, como lo llamas, trajo comida, agua y vendas. Deberías estarle agradecido.

—Ah, pues, lo estoy —musitó él, echándole el aliento en el cuello.

—Agradecido de que Bronnie… —La suave tela de la túnica de él se movió, rozándola—. Bronnie…

Él le lamió el contorno de la rosada oreja y la húmeda tentación le detuvo el proceso de pensamiento.

—Perdona mi idiotez —susurró él—. Te conozco muy bien como para suponerte culpable de alguna fechoría. Fue mi amor propio herido el que habló con tanta temeridad.

El aliento caliente le afectó la percepción auditiva, produciéndole pérdida del esencial resentimiento. El movimiento de sus labios sobre su piel era exquisito; ¿qué podría hacer él con un ataque total a sus sentidos?

—Vil bobo orgulloso —masculló.

Él deslizó la boca por su mejilla, sorprendiéndola con un beso suave, tal como le prometiera esa noche. Tenía la cara tan cerca de la de ella que notó cómo su sonrisa le estiraba los músculos, bañándola en luz de sol.

—Por fin estamos de acuerdo —dijo entonces él.

Su contagiosa sonrisa pasó a su boca y comprendió que el rencor había perdido la batalla. Lo besó en la nariz, en la mejilla y en el mentón, y oyó pasar el rumor del peligro dentro de su pecho. Sus labios la tentaron hasta que abrió la boca y dejó entrar su lengua. Tímidamente recibió la entrada de su lengua con rápidas caricias de la suya. Eso pareció encenderlo, porque notó su excitación y él metió una rodilla entre las de ella. Notó su miembro excitado sobre el vientre y eso le dio la esperanza de que habría otra refriega. Su maravilloso vehículo la había llevado lejos esa noche. Se movió para acomodarlo, esperando vagar con él esa mañana.

Por lo tanto, cuando él levantó la cabeza, ella protestó y él la hizo callar con un nada romántico «¡Chss!», se resintió su recién encontrada seguridad. Entonces oyó también el ruido de una llave en la cerradura.

Al instante William se apartó y se incorporó hasta quedar arrodillado.

—Idiota —masculló. La incorporó hasta dejarla sentada y la envolvió en la manta. Cuando se la remetió bajo el mentón, vio la huella de la lágrima que le bajaba por la mejilla y se la limpió con el pulgar—. No tú, cariño, me refería a mí. No llores mi preciosa indómita, necesito que ahora seas fuerte.

Mientras hablaba oyó el chirrido de los goznes de la puerta al abrirse y giró la cabeza hacia el hombre que estaba en el umbral. Deseó decir su nombre, pero en el momento le venía bien la farsa de la ceguera: le daría una vulnerabilidad que derribaría cualquier inhibición por parte del hombre delgado y bajo que se recreaba mirándolo con tanto humor.

—¡Mis queridos huéspedes! —exclamó Arthur, irritándole los nervios con su tono travieso—. Lord William de Miraval y —los ojos casi se le salieron de las órbitas al ver el desarreglo en la apariencia de la dama— lady Saura.

—De Roget —añadió ella.

Aliviado al ver que la joven tenía sujeta la manta y se había rodeado con la capa invisible de dignidad, William se puso de pie.

—Ah, es Arthur. ¿A qué debemos esta inesperada hospitalidad? —Lo complació ver que el otro retrocedía un paso ante su imponente tamaño y luego daba otro paso hacia el grupo de hombres que estaban detrás de él. Poniendo desprecio en su voz, añadió—: ¿Cuántos hombres necesitas que te ayuden a imponer tu hospitalidad a un hombre ciego y su mujer?

Su estatura había sido siempre un punto doloroso para Arthur, y reaccionó tal como había esperado.

—Salid, salid —dijo a sus hombres, haciéndoles un gesto. Entonces lo miró de reojo e hizo entrar a dos gigantones—. Ya está. Ahora estamos solos.

—Exactamente —convino William, maldiciendo su mala suerte.

Se habría reído de la cobardía de Arthur, de su ignorancia de lo que puede percibir un ciego, pero la situación olía a engaño y muerte. La frágil y animosa mujer a la que Arthur estaba mirando con tanta codicia dependía de él. De todos los hombres que podrían haberlo secuestrado, Arthur era el peor; voluble y vengativo, era imposible interrogarlo debido a su agilidad mental; necesitaría de todo su ingenio y habilidad para salvar a Saura de la perdición. Simulando una mirada vacía, le preguntó:

—¿Qué deseas?

—Ah, pues, nada —contestó Arthur, con una sonrisa afectada de expectante placer—. Sólo tus tierras, tu riqueza y todas esas otras cosas.

Le sonrió a Saura, observando el rubor de sus mejillas, el chispeante brillo de sus ojos, sus labios rosados que indicaban que habían sido bien besados.

William sintió comezón en las manos; tenía ganas de darle una bofetada.

—¿Cómo? —tronó, atrayendo su atención—. ¿Cómo te propones hacer eso?

—Bueno, íbamos a hacerlo con tu pequeño accidente, pero yo le dije que eso no resultaría. Eres condenadamente resistente. Pero te cegó y eso nos facilitó un poco la caza.

—¿Caza?

—¡El secuestro! Él ya habrá recibido mi mensaje. ¡Se va a llevar una sorpresa!

—Sí, cuando llegue aquí se va a llevar una horrible sorpresa. —William se pasó la mano por la barba, pensando quién sería «él». Y más importante aún—: ¿Cuándo esperas que llegue?

—Pronto, diría yo. Recibí el mensaje del mercenario ayer por la tarde. Les llevó días y días acercarse a ti, pero a él le envié el mensaje inmediatamente. Anoche cogí la barca para venir aquí. No veía la hora de verte. Ah, William, esto es muy divertido. Nunca había participado en una conspiración, y mucho menos ideado una.

—¿Él no ideó este plan?

—Nones. —Se encogió de hombros, malhumorado, impaciente por la interrupción, y por no desear hablar del omnipotente «él»—. Él quiere pensarlo todo. Cree que soy estúpido, pero yo le demostré que no lo soy.

—¿Quién es?

Arthur agitó las manos.

—No, no te lo voy a decir. Quiero verte la cara cuando él llegue aquí. Tu expresión será casi pago suficiente por las penurias que me has hecho pasar.

—Pero yo no lo conoceré —interrumpió Saura—. ¿Cómo se llama?

William maldijo en silencio porque la atención de Arthur volvió a ella.

—Una mujer tan hermosa como vos no debe preocuparse por detalles tan triviales.

—¿Tan trivial como quién me va a matar? —ladró ella.

—A vos no os va a matar.

—Bueno, alguien tendrá que matarme. ¿Serás tú?

Arthur dio un paso hacia el jergón.

—No. Seguro que se nos ocurrirá algo mejor.

—Blando como la mantequilla tratándose de mujeres —dijo William, despectivo—. E igual de escurridizo. Te lo advierto, a tu amigo no lo va a complacer que hayas secuestrado a lady Saura.

—Pero, William, ¿qué otra cosa podía hacer?

—Podrías haberla dejado en Burke. —Vio el movimiento de los ojos de Arthur al contemplar a Saura, despeinada, ya desnuda, ya en el jergón—. ¿O fue simplemente la ilusión de usar a mi mujer?

Arthur se echó a reír, tratando de parecer sofisticado y consiguiendo solamente demostrar lo nervioso que estaba.

—¿Tú podrías haberlo hecho mejor?

—No lo sé. Nunca he hecho algo tan deshonroso.

Esa terminante afirmación enfureció a Arthur y dejó de reír.

—Ya lo creo que no. Eres tan honorable, maldita sea, que me das asco. Todos nos reíamos de ti a tus espaldas, del fantástico y correcto caballero que eras, y de cómo nunca te rebajabas a violar o a mentir y jamás golpeabas a tus sirvientes ni te metías con, tus escuderos.

—En realidad, sí he dado bofetadas a mis sirvientes con buen motivo, y en cuanto a no meterme con mis escuderos, es un error que no volveré a cometer, si esto es la consecuencia.

—No te apures, mi elevado y poderoso lord William, no volverás a tener escuderos. Eres ciego, ¿lo has olvidado? Vas a morir, ¿lo recuerdas?

—No, aún no me habías hablado de esa parte.

—Sí, y siendo tus queridos amigos, iremos a consolar a tu padre, y no tardaremos nada en estar sentados en tu banco bebiendo de tu copa.

—Eso lo dudo —dijo William, con absoluta seguridad—. No tienes ni el valor para matarme ni la constitución robusta y fuerte para ocupar mi lugar.

—Tu padre estará muy afligido.

—Mi padre no es un tonto llorica. ¿Crees que no ha lamentado su fracaso en inculcarte las semillas de la caballerosidad? Serías el último…

—Inflas el pecho como una paloma, tan orgulloso de tu ínfimo ingenio. —Se quitó la sobrevesta y la tiró hacia un rincón—. Me voy a tirar a esa mujer que ya me has calentado. Tú vas a morir y los cuervos picotearán tu cuerpo.

Diciendo eso se abalanzó sobre Saura, haciéndola caer hacia atrás y golpearse en la pared. Su grito quedó ahogado por el rugido de furia de William.

Arthur se atrevía. En dos pasos William llegó al jergón, lo cogió y lo giró hacia él. Cuando Arthur tenía los ojos bien agrandados por el terror, le dijo, con rotunda convicción:

—Pero es que veo. Te veo, gusanillo llorón.

Los guardias, que habían estado paralizados ante el giro de los acontecimientos, hicieron ademán de abalanzarse hacia ellos al oírlo. Cogiendo a Arthur por el cuello y el trasero, William lo levantó por encima de su cabeza y lo lanzó hacia los guardias como a un perro. Ese cuerpo, inerte por la conmoción, los arrojó de espaldas, estrellándolos en la pared con un fuerte golpe. El sonido del golpe resonó en la pequeña habitación y produjo ruidosos movimientos de las armaduras de los hombres que esperaban fuera de la puerta. William llegó a la puerta antes que ellos e insertó la punta del candelabro de hierro bajo la madera. Uno de los guardias caídos comenzó a incorporarse para ponerse de pie, pero cuando William levantó una banqueta y la movió hacia su cabeza, prudentemente se dejó caer al suelo y se hizo el muerto.

—Hombre listo —dijo William, aprobador, y pasando por encima de los cuerpos caminó hasta el jergón—. ¿Te hiciste daño en la cabeza? —Antes que ella pudiera contestar, continuó—: Aquí está tu ropa. Permíteme que te ayude. —La puso de pie, con el contacto impersonal de un eunuco—. No volveré a cometer el mismo error.

Le pasó la gramalla por la cabeza.

—¡Mi túnica! —protestó ella.

—No hay tiempo. —Le ató los lazos lo más apretados posible, para que no se le viera la piel desnuda—. Yo fui el estúpido que no te tenía vestida cuando llegó Arthur. ¡Paciencia! —gritó a los hombres que estaban golpeando la puerta—. No agravaré ese error esperando a que llegue su cómplice. Tenemos que marcharnos antes que lleguen refuerzos para terminar el lastimoso trabajo de Arthur.

—Eso no lo voy a discutir. —Se limpió las manos en la falda, las manos en que todavía sentía la textura áspera y desigual de la piel de Arthur picada de acné—. Pero ¿cómo vamos a salir estando los guardias en la puerta? ¿Y qué le ocurrió a Arthur?

—Está muerto —dijo él contestando primero la última pregunta—. Con el cuello roto. ¿No oíste el crujido? Y saldremos de aquí. Los criados de Arthur no son más que hombres desleales. Se dispersarán como ratones liberados de una trampa. ¿Dónde están tus zapatos?

—En el arroyo Fyngre.

—Entonces tendremos que buscar caballos —decidió él, doblando las mantas y poniéndoselas bajo el brazo.

—¿No vas a hacer nada por Arthur? —preguntó ella, desconcertada por su prisa, y por su despiadada declaración de esa muerte.

Eso captó la atención de él.

—¿Hacer algo por él? Dientes de Dios, no puedo matarlo más de una vez, por mucho que quisiera. ¿Comprendes lo que iba a hacer, además de violarte, lo que para él no significaba algo más que orinar? Te iba a matar por haber cometido el error de estar conmigo. —Se interrumpió para ir a sacar el candelabro de debajo de la puerta, y luego volvió hacia ella, la cogió por los hombros y le dio una sacudida—. ¿Qué ilusa tontería te impulsó a hablarle? Yo intentaba mantener su atención centrada en mí, y tú te metiste en nuestra conversación.

—Cometer errores es más honroso que no hacer nada —interrumpió ella—. Necesitas saber quién es el otro conspirador, y pensé que él podría decírmelo.

—Sí, se lo diría a una mujer mucho antes que a mí, pero, Saura —añadió, pronunciando las palabras una a una, dando una advertencia con ellas—, no vuelvas a hacer algo tan tonto, nunca. Envejecí diez años cuando él te saltó encima. ¿Y si hubiera tenido un cuchillo?

—A mí no me mejoró la apariencia tampoco.

—Me alegra que estemos de acuerdo. Ahora, vamos. —Se agachó a recoger algo del suelo junto al jergón—. Tu cinta.

Ella la cogió y se la metió en el bolsillo.

Continuaban los golpes de los hombres, pero ya no hacían estremecer la puerta.

—Es el momento de salir de esta maldita habitación —dijo entonces William.

Abrió la puerta y con un gesto invitó a entrar a los tres jóvenes.

—Está ahí —dijo, apuntando.

Poniendo la mano de Saura en la curva de su codo, esperó hasta que hubieron entrado los hombres, salió con ella y cerró la puerta, haciendo el cambio de prisioneros.

# Capítulo 7

William giró la llave en la cerradura, la arrojó fuera por la saetera, y se frotó las manos para quitarse el polvo, satisfecho.

—Están bien seguros encerrados ahí. —Guió a Saura por el corto corredor hasta llegar a la escalera de caracol. Una vez que le afirmó una mano en la curva de su codo y la otra en la pared, añadió—: Al menos hasta que usen el candelabro para echar abajo la puerta. Los peldaños son desiguales. —Esperó a que ella encontrara el peldaño a tientas, y comenzó a bajar delante, a paso tranquilo para que ella no tuviera dificultad en seguirlo. Cuando se acercaban al nivel de la sala grande, aminoró el paso.

—Voy a ir a buscar algo de pan.

—¡William!

—Y quiero que te quedes aquí en la escalera. Aquí, al pie de la escalera. —Le apoyó firmemente la espalda en la pared y le pasó las mantas—. Espera —dijo, echando a andar—. Volveré enseguida.

—Tonto —gritó ella a su espalda—. Marchémonos inmediatamente.

Él no le hizo caso, se fiaba de sus instintos. No había peligro en el castillo, y tomarse un momento para hacer preparativos los ayudaría en su huida después.

—¡Alto! ¿Quién… qué *hace'*?

William miró hacia la voz y se quedó boquiabierto. El quejumbroso desafío venía del único criado que quedaba en la sala grande. Su ropa harapienta y su cara sucia no ocultaban la belleza del joven. Alto y musculoso, irradiaba el tipo de sana lozanía que atrae las miradas de las mujeres y hace farfullar de envidia a los hombres. Su largo pelo castaño, en el que brillaban visos rojizos, enmarcaba una cara angulosa en su belleza. Su mandíbula sin barba sobresalía de la cara con autoridad, su piel tenía el tipo de textura que inspira en una mujer el deseo de acariciarla. En la mano sostenía un cuchillo para trinchar, y le tembló y se ladeó cuando preguntó:

—¿Cómo *sali'te*?

William se limitó a gruñir, pero Saura salió de su escondite.

—¡Bronnie!

El resto de lo que dijo él no lo oyó, apagado por el zumbido que sentía en los oídos. ¿«Ése» era Bronnie? ¿El cobarde llorica de la orilla del arroyo, el cuidador de Saura, era ese lindo joven?

Miró a la chica, y vio la amable sonrisa que le iluminaba la cara al hablar con Bronnie. ¡Le caía bien el idiota! El afecto le formaba arruguitas de complacencia en el rostro. Se miró él, vio sus manos callosas de guerrero, su cuerpo fuerte y duro de luchador, y comprendió que la ceguera sí podía ser una bendición. Se fiaba de Saura, pero, ¡buen Dios!, ¡ese chico podría tentar a una santa!

—¿*Lo ve', maledi*? —estaba diciendo Bronnie—. Toda tu preocupación de anoche fue *po ná*. El señor *e'tá* bien, bien.

—Y ve —dijo William, en tono de advertencia, y observó incrédulo al chico ponerse de un salto detrás de la mesa.

—¡No *e' cieto*!

—Es cierto —confirmó Saura—. Es un milagro.

Bronnie movió la cabeza como loco, asintiendo

—Ah, sí, *maledi*. Pero —hizo un gesto hacia arriba— ¿y…?

—Lord Arthur decidió dejarme marchar —dijo William, mientras unos ruidos de golpes arriba desmentían sus palabras—. Y sugirió que cogiera un caballo del establo.

—Y pan y vino, Bronnie —añadió Saura.

—Ah, sí. —El chico había agrandado tanto los ojos que sus sedosas pestañas le rozaban las cejas.

—Y una espada, Bronnie —añadió William, burlón.

Acobardado por la imponente animosidad del caballero y los golpes y gritos provenientes de arriba, el muchacho retrocedió más aún al otro lado de la mesa.

—*Lor* Arthur me cortaría *la' mano'*. No sé nada de *e'paa'* ni *cosa' de esa'*.

Echándose atrás la mata de pelo, Saura lo tranquilizó.

—Imaginamos que no sabes nada de espadas, pero sin duda la sala de armas está en el sótano…

—Y podemos echar abajo la puerta —interrumpió William.

—Hay… hay… *e'ta e'paa* en el banco. *Lor* Arthur la dejó aquí *ante' e subí*, pero él debería…

Apoyando una mano en la mesa, William pasó de un salto al otro lado y cogió la espada en su vaina.

—Gracias. Buena espada.

—Pero *lor* Arthur…

—Estará feliz de prestársela a un viejo amigo.

Sacó la espada de la vaina y la apuntó con intención hacia el tembloroso criado.

—Baja esa espada y deja de intimidarlo, William —lo regañó Saura, y él pegó un salto, sintiéndose culpable, y la envainó—. ¿Pan, Bronnie? ¿Y vino?

Cuando por fin Saura agitó la mano despidiéndose del chico tembloroso y saltón, montaban los dos mejores caballos del establo de Arthur y llevaban sus provisiones en una alforja de cuero.

—Es exactamente el tipo de perro guardián que habría esperado que tuviera Arthur —comentó William cuando iban cruzando el puente levadizo, llevando la cuerda de tiro del caballo de Saura; poniendo a los caballos al galope, masculló—: Cuanto antes estemos lejos, más feliz me sentiré.

Oculto entre los árboles, el observador silencioso contemplaba la huida. El sol de la mañana iluminaba a William, su gigantesco cuerpo vigoroso, su pelo y barba dorados agitados por el viento. Su cara estaba iluminada por la alegría de ver, y nadie, y mucho menos el silencioso observador, la confundiría con otra cosa. Sin quitar ojo a William y a Saura soltó las maldiciones más virulentas que logró sacar del infierno. Y maldijo a Arthur también, por su intervención, pensando si el estúpido le habría dicho su nombre a William; a William, su querido amigo, su más odiado enemigo.


—Pararemos aquí —decidió William, contemplando la hondonada que formaba el pequeño claro del bosque.

Un declive rocoso protegía del viento y daba paso a un arroyuelo que caía en cascada, formando abajo una pequeña poza, útil para dar de beber a los caballos. La mezcla de frondosos robles y larguiruchos álamos ofrecía un buen refugio, creando una especie de techo protector sobre la hondonada.

—Pero ¿por qué? —exclamó Saura, sorprendida—. Creí que deseabas llegar a Burke esta noche.

Él irguió la cabeza y aspiró el aire.

—Estamos bastante seguros ahora, lo noto. Y tú estás cansada.

Sabía que estaba más que cansada. La había visto cambiar de posición en la silla durante toda la última hora, tratando de encontrar una cómoda. No se había quejado, pero él sospechaba que la cabalgada que había hecho él esa noche con ella le había estirado demasiado sus tiernos músculos hasta el extremo causarle dolor. Y ahí no corrían peligro. El hormigueo de cautela le había desaparecido cuando ya estaban a cierta distancia del castillo de Arthur. Tendría alertas los sentidos y la haría descansar toda la noche. Descansar y aliviar los músculos doloridos, porque tal cosa le resultaría difícil de hacer al día siguiente en el castillo Burke.

—¿Dónde estamos? —preguntó ella.

—En ninguna parte —contestó él, satisfecho—. No me atrevo a pedir hospitalidad en ningún castillo. Las explicaciones serían muy tediosas y este episodio me ha inspirado una prudencia que antes no tenía. Ahora, ven —ordenó, acercándose a su caballo y tocándole el tobillo.

Sin protestar, ella pasó la pierna por encima del lomo y se dejó caer en sus brazos. Él la retuvo un momento, apretada a su musculoso pecho, tan pequeña.

—¿William? Tengo los pies colgando.

—Sí. Y eres una mujer muy bonita. —La retuvo otro momento más, la bajó hasta el suelo y le dio una suave palmada en el trasero—. Deja de tentarme.

Sorprendida por su brusco cambio de humor, ella se alejó, friccionándose el trasero.

—¡No te estoy tentando! —exclamó, indignada—. ¿Cómo te tiento?

—Vas sentada en la silla, cabalgando con tanto garbo, con tanta dignidad, y todo el tiempo yo sé que debajo de ese camuflaje de dama eres una lujuriosa. Y no sólo una lujuriosa. Eres mía, amable con todos los demás y esperando que mis caricias te enciendan.

Ella arrugó la nariz, incrédula.

—¿Puedo caminar hasta el agua sin riesgo?

—Sí, el suelo es llano y la poza está allí —le dio un suave empujón hacia el lugar y se quedó mirándola caminar con cautela hacia el pequeño remanso formado por la cascada—. ¿Y vas a negar que quieres tentarme?

—Noo. —Se levantó la falda, hasta bien arriba, y se la dejó sujeta con el cordón que le servía de cinturón. Mientras William contemplaba boquiabierto la exhibición de sus bien formadas piernas, entró en el agua, que le llegaba a los tobillos, y se acuclilló exhalando un suspiro de alivio—. Tentarte es mi principal ambición —dijo.

—Lo has conseguido —masculló él, girándose hacia los caballos.

Almohazó a los animales, les dio agua y los amarró a árboles, lo bastante sueltos para que pudieran pacer. Después hurgó en las alforjas, sacó las mantas y las extendió sobre la blanda hierba. Entonces se tumbó a mirar las nubes pasajeras que formaban esponjosas imágenes de pantorrillas, muslos y nalgas femeninos. Cuando finalmente Saura lo llamó, deseó no ser un hombre tan concienzudo. Un alma condenada como

Arthur no tendría escrúpulo en aliviarse con ella sin pensar ni por un instante en el dolor que sentía.

Él no podría. Se levantó y fue a cogerle la mano para ayudarla a salir del charco, tratando de ignorar las piernas que chorreaban agua. La llevó hasta las mantas, le ordenó que se quedara ahí y echó a andar por la orilla del arroyo, hacia arriba, buscando una rama que le sirviera de caña y algo que le sirviera de cuerda para pescar. Cuando volvió con una trucha colgando de la cuerda formada por una rama de enredadera, Saura estaba echando una siesta al sol de última hora de la tarde, y nuevamente la razón se impuso a su cuerpo.

La joven despertó cuando él estaba encendiendo el fuego, y sin aviso se sentó diciendo:

—¿William?

—Aquí. —Echando ramitas al fuego observó cómo ella se relajaba—. ¿Tienes hambre?

—Sí. ¿Tuviste suerte en la caza?

—Pesca. Y sí, comeremos bien esta noche. Eres una mujer independiente, ¿verdad?

Ella arqueó una ceja, sorprendida por la rareza de la pregunta.

—Sí, soy independiente.

—¿Y te enorgullece cumplir con los deberes femeninos?

—Dudo que esa pregunta tenga que ver con nuestras actividades nocturnas. —Se mordió el labio—. Pero sí, hago lo que le corresponde hacer a una mujer.

—¡Estupendo! Entonces puedes limpiar el pescado.

Se echó hacia atrás acuclillado y lanzó una carcajada al ver la expresión de fastidio en sus rasgos clásicos.

—Te diré lo que siempre digo a mis hermanos —dijo ella sin vacilar—. Tú lo pescaste, tú lo limpias.

El sol daba los buenos días a las pasajeras nubes tiñéndolas con intensos matices de dorado, naranja y rosa; iluminaba las copas de los árboles y despertaba a los pájaros, pero William no necesitaba que lo despertara. Como un niño antes de Navidad, despertó temprano, adelantándose al regreso del sol, el regreso de su visión. ¿Alguna vez dejaría de maravillarse ante la luz de la aurora?, pensó. Acurrucó más a Saura con la cabeza bajo su mentón, remetiéndole la manta por los hombros para protegerla del frío. Las ramitas de pino cubiertas por la manta de abajo les proporcionaban un fragante y mullido colchón.

No le había permitido quitarse la ropa para dormir, ni la había acariciado de ninguna manera, y ella lloró hasta que él le dejó claro que su rechazo sólo era temporal. «Saura —le dijo—, tenemos muchos días por delante.»

Pero con eso ella lloró más aún, moviendo la cabeza y aferrándose a él, que le friccionó la espalda, tranquilizándola, hasta que se durmió, y entonces él pudo conciliar el sueño ligero de un guerrero. Durmió con un oído alerta, por si se acercaba alguien que anduviera buscándolos, pero, tal como había esperado, nada los perturbó.

En ese momento se estremecía con la expectación de un niño el día de Reyes. Por el guante de Dios, ese día sus ojos se darían un festín con el mundo, con «su» mundo. Vería Burke vestido con toda la gloria del verano, vería la cara de su hijo, primero perpleja y luego contentísima, vería a su padre derramar las varoniles lágrimas que caracterizaban sus emociones más intensas. Les mostraría a Saura, les comunicaría sus planes para casarse. Le cogió la mano que lo estaba acariciando.

—¿Estás despierta, pequeña?

—Mmm.

Frotó la cabeza en su pecho y mechones de su pelo suelto se le quedaron cogidos en la barba. Mientras él los desprendía, ella bajó la otra mano por su muslo.

Le cogió esa mano, se la sacó de debajo de la manta y le besó la palma.

—Sí que eres el tipo de mujer que preocupaba a Bronnie.

Ella se rió, y el musical sonido de su risa se mezcló con los susurros de las hojas y el cantarín murmullo del agua del arroyo.

—Y tú eres demasiado resuelto.

—Resuelto a llegar a casa hoy. —Echando a un lado la manta, se levantó y la instó—: Levántate. —Cogiéndole las muñecas la puso de pie de un tirón. Ella tropezó y se tambaleó, de modo que la afirmó hasta que recuperó el equilibrio—. Lávate y prepárate. Nos pondremos en marcha ahora mismo.

Vio que de su cara desaparecía la animación.

—Sí, William, por supuesto —dijo simplemente, y se alejó a obedecer la orden.

Se lavó, se peinó con los dedos y se hizo la trenza.

Él la miró mientras doblaba la primera manta. Pensando en su semblante serio, hizo a un lado las ramitas con el pie, levantó dos esquinas de la otra manta y dijo:

—Ayúdame a doblarla. —La observó atentamente mientras ella encontraba las dos esquinas y las juntaba—. Saura, ¿qué te pasa?

—Nada —le aseguró ella, curvando los labios en una leve sonrisa.

Haciendo otro doblez y luego sacudiendo la manta para alisar las arrugas, él gruñó, incrédulo.

—De verdad, milord —dijo ella, caminando hasta juntarse con él y pasarle su mitad de la manta.

—Eres abominable para mentir. —La abrazó, dejando la manta entre ellos—. Tu cara te delata.

Ella titubeó, intentando no decir lo que deseaba, hasta que finalmente soltó:

—Ah, bueno, ¿no podríamos quedarnos aquí otra hora? ¿Una hora más antes de que volvamos a la realidad?

Él le escrutó la cara levantada hacia él, los ojos húmedos por lágrimas sin derramar, y sin decir palabra, abrió la manta, la sacudió y la extendió sobre la hierba. En un extremo colocó la otra manta doblada a modo de almohada. Levantándola en los brazos, se arrodilló y la depositó en el medio y luego se tendió de espaldas con indolente garbo, tocando con su hombro el de ella; y se hizo el silencio entre ellos.

—No debería habértelo pedido —musitó ella—, pero este tiempo contigo ha sido… —buscó, pero no encontró otra palabra— dorado.

Saura había tenido muy pocos momentos dorados que embellecieran su vida, comprendió William, y se intensificó su satisfacción y contento. Era la compañía de él, su amor, lo que la hacía feliz. Contemplando el movimiento de las hojas agitadas por la ligera brisa, se le despertó la curiosidad.

—Si pudieras cambiar algo en tu vida, ¿qué sería?

—Mi altura —contestó ella al instante.

—¿Tu altura? —Sorprendido, giró la cabeza y la miró atentamente; ella estaba mirando las hojas también; habría jurado que las veía—. ¿Por qué tu altura?

—Siempre he deseado ser alta y cimbreña, en lugar de baja y con bultos.

Él recorrió con la mirada su cuerpo menudo y elegante, y soltó un silbido de sorpresa ante la imagen deformada que tenía ella de sí misma.

—Tus bultos son... Están muy bien colocados.

Ella no hizo caso.

—Las personas altas tienen una prestancia que las personas bajas no tienen. Eso lo sabes. Tú inspiras respeto por tener un largo mayor entre los pies y la nariz. Es más fácil llegar a los estantes de arriba, es más fácil para los niños encontrarte en medio de una multitud. —Se rió—. ¿Qué deseas cambiar tú de ti?

—Ya ha cambiado.

—¿Qué? —preguntó ella, perpleja—. Ah, quieres decir tu vista. Feliz es el hombre que está totalmente contento consigo mismo.

—¿Y eso no es algo que querrías cambiar en ti?

Saura lo pensó.

—Noo. No. No pienso en eso. Mi falta de visión es simplemente parte de mí. Nunca he visto el mundo así que no echo de menos verlo.

—Yo había visto el mundo y deseaba volver a verlo —musitó él.

—Sí, eso lo entiendo. No podías hacer lo que se espera de un caballero, cumplir con todos tus deberes, al no tener vista. Yo hago casi todo lo que se le exige hacer a una mujer de mi posición: disponer y supervisar la preparación de las comidas, cuidar de mis siervos, dirigir las costuras. He cuidado de mis hermanos menores, los he criado hasta la madurez, hasta que estaban preparados para ser adoptados para educarse en la casa de otro caballero.

—Simplemente te las arreglas con esa incapacidad sin pensarlo, sin buscar lástima ni esperarla.

—La lástima me hace desear escupir —replicó ella, enérgicamente—. Y hay bendiciones en ser ciega.

William se sorprendió, porque eso fue exactamente lo que pensó la mañana anterior.

—¿Qué bendiciones?

—No tengo que dar a mis ojos la vista de la fealdad, y no me engaño fácilmente por lo que dicen las personas. Creo que las personas tienen una enorme capacidad para mentir con la cara y las manos, pero no con la voz. Cuando mi madre deseaba saber lo que alguien pensaba, me hacía escucharla. Siempre sabía calibrar su sinceridad.

—Útil capacidad.

—Sí. —Sorbiendo por la nariz movió la cabeza atrás y adelante—. ¡Menta! —exclamó—. ¿La hueles? —Entusiasmada, levantó la manta y pasó la mano por la hierba aplastada—. ¡Aquí!

Desprendiendo las ramitas, las acercó a la cara de él, y él le cogió la muñeca. Acercando su mano a la nariz aspiró el exquisito aroma. Miró las hojas verde oscuro cogidas entre sus delicados dedos, y sus uñas cortas con el lustre de concha. Miró más allá, su cara, moteada por luz del sol y sombras, iluminada por el simple placer, y la ternura se sobrepuso a su lástima. Lo que fuera que merecía Saura no era lástima. Le bajó la mano hasta su boca y con sumo cuidado cogió una de las hojas entre los dientes y mordió. Al masticarla, el sabor le refrescó la boca. Entonces le movió la mano hasta la boca de ella, instándola a probar la hierba. El delicado mordisco de sus blancos dientes, su sonrisa mientras masticaba y sentía deslizarse por la lengua el sabor a primavera, lo hechizaron.

Apoyada en el codo, con el pelo negro enredado y el cuello de la gramalla caído enseñando un hombro, era una seductora sin saberlo. ¿Qué podía hacer? A la luz y al aire libre, lo que evitó esa noche se convirtió en necesidad.

Le besó los dedos, uno a uno, y luego la palma. Colocándole la mano en su hombro, se inclinó sobre ella, lentamente, con la precisión de un joyero al cortar una gema. Acercó la boca a la de ella, la posó oblicua sobre sus labios, evitando que se tocaran las narices, y presionó suavemente, una y otra vez, hasta que su respiración fue la de ella.

La brisa coqueteaba con sus guedejas de pelo, ¿podía hacer menos él?

Le pasó la trenza por encima del hombro y desató la cinta del extremo.

—Mi pelo se enreda constantemente contigo —rió ella, y en su risa él detectó un instante en que se le quedó atrapado el aire en la garganta.

—Es precioso.

Cogió un mechón, se lo llevó a la cara y se frotó la piel con él. Deseaba tomarse su tiempo para poseerla en ese paraje natural, así que le enmarcó la cara entre las manos y observó su expresión de deseo ligeramente sorprendido, absorbiéndola.

A ella la sorprendió esa vacilación. Con la mano que tenía sobre su hombro lo empujó, él perdió el equilibrio y cayó de espaldas. «¿Qué...?», alcanzó a farfullar, pues ella ya estaba inclinada sobre él enmarcándole la cara. Con infalible instinto le encontró la boca, y lo besó, interrumpiendo su inspiración.

Ella no tenía idea, comprendió él, del lugar que le corresponde a una mujer. Lo que había atribuido a curiosidad natural la noche anterior, tal vez se definiría más correctamente como agresividad femenina.

No sabía cómo resolver eso. Había oído hablar de mujeres que dirigían el acto de amor, pero lo descartó como consecuencia de falta de virilidad en el hombre. Sin presumir, respetaba su masculinidad y pensaba que Saura también debería respetarla. Tenía que enseñarle a ser sumisa, enseñarle cuánto aprecia un hombre a una mujer que yace quieta y espera sus atenciones, que es adecuadamente agradecida.

Mientras los labios de ella acariciaban los de él en exacta imitación a sus atenciones anteriores, y los besos sabían a menta, decidió que podría enseñarle a ocupar el lugar que le correspondía después. Después, cuando ella terminara de enseñarle a él con sus entusiastas manos y su suave boca.

—¿Estás cómodo? —preguntó ella, levantando la cabeza sólo para hacer la pregunta y, sin esperar respuesta, alisó la manta—. Déjame que te ponga cómodo.

Cogiéndole el borde de la camisa se la subió para que el sol brillara sobre él. Con sus ágiles dedos le acarició las puntas del vello rubio del pecho. El contraste entre el calor del sol y el escalofrío causado por la estimulación de ella, le levantó las caderas, apretándolas contra las de ella.

Con las piernas y el abdomen cubriendo los de él, ella se deslizó por su cuerpo hacia abajo.

Sin pensarlo él levantó las manos para cogerla, pero ella se las apartó.

—Déjame servirte. Eres mi amo. Deja que te ayude a relajarte.

Las palabras eran humildes, pero el tono no.

Le desató el cordón de las calzas largas y se las bajó.

—Al final no te exploré las piernas —dijo, con una risita gutural—. ¡Tantos músculos! Los siento, uno a uno. —Pasó la mano por todo el largo de un músculo y después se lo friccionó con firmeza—. Estás muy tenso.

Él gruñó, consciente de que la tensión se le disiparía si seguía acariciándole así.

Ella le desató el cordón del calzón interior y lo instó a levantar las caderas para poder bajárselo. La luz de la mañana brillaba como una moneda nueva; lo invadió la vergüenza.

¿Desnudo al aire libre?

Jamás. Alargó las manos y estaba a punto de subirse la prenda cuando ella lo acarició. Subiendo la mano por el interior de su pierna, le acarició la cadera y le tocó el miembro duro levantado.

Caricias suaves, ligeras, le aumentaron la excitación y acabaron con su perplejidad.

Dientes de Dios, colaboraría con ella de todas las maneras posibles. Con los pies se quitó los zapatos para facilitarle las operaciones, maravillado ante su acariciada ilusión de autodominio.

El pelo negro de ella se enredó en su dorado vello púbico rizado y en doloroso suspenso admiró el erótico efecto. ¿Cuánto tiempo podría resistir? ¿Cuánto más podría aguantar esa tortura? La cogió por las axilas y la subió por su cuerpo hasta quedar cara a cara con ella.

—Desvístete —le ordenó—. Rápido.

Ella se incorporó, ya soltándose los lazos de los costados, y él vio surgir su cuerpo libre de la gramalla resplandeciente como dulce nata.

—Rápido —repitió—. Rápido.

Ella continuó de pie a su lado con la frente ligeramente arrugada, en solemne reflexión. Entonces pasó un pie hasta el otro lado de él; con la cara hacia el sol, su mentón adelantado arrojaba sombras sobre su pecho; sus pechos levantados arrojaban sombras sobre su abdomen plano, sus largas piernas resplandecían a la luz del sol.

Él se preparó para el descenso de su cuerpo sobre el de él, listo para rodar con ella y situarse encima, pero ella volvió a sorprenderlo. Por qué lo sorprendió, no lo sabía; Saura de Roget no había hecho nada que no lo sorprendiera, a no ser que supusiera que ella podría sentarse encima de él. Seguro que no esperaría que...

Ella se sentó.

—¿Cómo has aprendido tanto? —preguntó.

A ella le llevó un momento entender la pregunta.

—¿De qué?

—De dar placer a un hombre. —Alargó la mano y con un dedo le hizo cosquillas en la entrepierna, y ella se quedó rígida hasta que él paró—. Dímelo, Saura.

—¿Qué? Ah, ¿te doy placer? —Sus dientes brillaron en una breve sonrisa, que se desvaneció cuando él volvió a tocarla—. Simplemente pienso en lo que me daría placer a mí y te lo hago a ti.

Él reanudó el lento deslizamiento de sus dedos, en hedonista reciprocidad.

—No, William, no —musitó ella, agitando la cabeza.

Bajó los párpados, ocultando esos ojos violetas, y eso le dio una expresión de sensual placer. Entreabrió los labios y el atisbo de sus dientes lo estimuló, estímulo que se vio aumentado por la punta de su lengua asomada a un lado en intensa concentración. Los pezones se le endurecieron y arrugaron cuando un repentino estremecimiento la recorrió desde el centro de placer hacia arriba, y abrió esos ojos.

—¡No! —exclamó, muy seria, apartándole la mano y luego guiándole el miembro hasta que la penetró.

La observó fascinado mientras bajaba lentamente el cuerpo aprisionándole el miembro, saboreando el momento, hasta que esto dio paso a una nueva urgencia. Su movimiento hacia arriba lo cogió por sorpresa, pues, indocta como era, se levantó casi demasiado; al instante le cogió las caderas y la sostuvo mientras se readaptaba. Entonces la ayudó a imponer un ritmo tranquilo, en armonía con la paz de la mañana.

Contempló las nubes que pasaban flotando por arriba, tan cerca que parecían tocar los árboles, sin embargo tan lejanas que parecían apilarse formando torres. Las hojas verdes de primavera se mecían con la ligera brisa y un petirrojo pasó saltando de rama en rama, buscando una ramita para posarse. La cara de Saura, enmarcada por el cielo azul, era lo más hermoso que había visto en su vida: delicada y excitante, sensible y carnal. En las manos sentía hincharse y relajarse los músculos de sus muslos, pasión que lo montaba cabalgándolo desde la base hasta el extremo elegido por él.

Deslizando las manos hasta sus pechos, le acarició los pezones con exquisita presión, y fue recompensado por una repentina contracción en el interior de ella. Sonrió, y se preparaba para darle satisfacción cuando ella se inclinó sobre él buscando con la boca. Le mordisqueó suavemente las tetillas y se las chupó con ávido placer.

Como un delirante afrodisiaco, la sensación le enredó el cerebro y se arqueó, sobresaltándola con el repentino vigor, y ella reaccionó con un fuerte rebote. De pronto, el apacible placer se convirtió en una competición por llegar a la compleción; lucharon por el dominio, contendieron por la satisfacción, retorciéndose, embistiendo y moviéndose enardecidos, a un ritmo primitivo.

Embistiendo al mismo ritmo, se tensaron en el tormentoso placer y ella llegó primero a la cima. Su exultante grito partió el aire, sobresaltando al petirrojo, que en un revuelo de plumas se elevó hacia las nubes, y William sintió que su cuerpo se elevaba con él. Derramó en ella todo lo que era, entregándole su simiente y recibiendo a cambio la euforia de ella.

Entonces Saura se desplomó sobre su pecho, gimiendo «No más», pero de todos modos se estremeció cuando él se arqueó en otra embestida.

Creyó que no podría moverse, pero mientras ella se estremecía con las sensaciones posteriores al orgasmo encontró la fuerza para acariciarle la cabeza, friccionarle la espalda y presionarle la pelvis produciéndole otra contracción de placer. Cuando por fin pudo hablar, musitó:

—Las mujeres sois seres maravillosos. Lo que yo puedo hacer una vez vosotras podéis hacerlo muchas veces. Claro que después soy capaz —añadió, riendo en su oído— de alejarme a gatas.

—Despreciable bobo orgulloso —dijo ella en un tono teñido de desprecio y cargado de agotamiento.

—¿Nadie te ha dicho qué gloriosa mujer eres?

—No.

—Claro que no. Ningún hombre te ha descubierto ni te descubrirá. Eres mía.

—Sí —repuso ella pasado un momento.

Él eligió cuidadosamente las palabras:

—Me he sentido solo, esperando encontrar a una mujer con la que tuviera intereses en común. No soy un muchacho estúpido que sólo ve la apariencia externa. Necesito reír, comer, dormir, hablar con mi mujer. Necesito una mujer que me guste. —Notó que el cuerpo relajado de ella se iba tensando a medida que él hablaba, y le extrañó—: Tú me gustas. Me gusta reír, comer, dormir y conversar contigo. Tu belleza y garbo añaden decoración a nuestra comida, pero no afectan a su sustancia ni a su sabor. Como has dicho —añadió, con una nota de humor en la voz—, no tienes que dar a tus ojos la vista de la fealdad y mi cara no tiene ningún interés para ti.

Eso la hizo moverse.

—No eres feo. Maud me lo dijo.

—Bueno, si lo dijo Maud —rió él, divertido por su vehemencia, y volvió a la conversación racional—. En cuanto a las ventajas para ti, lady Saura, querría recomendarme como un caballero. Si hiciéramos esto correctamente, mi padre le diría eso a tu tutor, pero nos hemos adelantado a los cánones sociales y siento la necesidad de señalar mi utilidad. Con toda la debida modestia, lógicamente. —Ella no reaccionaba con la animación que había esperado; en realidad, pareció encogerse, meterse dentro de sí misma—. Soy un estupendo guerrero, competente para dirigir a tus hombres y proteger tus tierras. —Ante su falta de reacción, su absoluta calma, interrumpió el discurso; deseaba ofrecerse a ella de una manera que ella recordara con honor todos los días de su vida. Pero sus palabras le producían infelicidad, lo notó en la fuerza con que le apretaba los brazos—. Por lo tanto, lady Saura de Roget, viviremos juntos y uniremos nuestras almas tal como hemos unido nuestros cuerpos.

—¡No! —exclamó ella, incorporándose y apartándose de él—. No puedo.

Se echó atrás el pelo, y las manos le temblaban. Él la observó con atención: estaba muy agitada.

—¿Por qué? —preguntó simplemente.

Ella encontró a tientas su gramalla y se apresuró a ponérsela, ocultando el cuerpo a su mirada, como si la frágil tela fuera una especie de armadura que la protegería del sufrimiento.

—No lo has pensado bien, milord. —Haciéndose los lazos, hizo notar lo que menos lo preocupaba a él—. No tienes ninguna necesidad de casarte conmigo porque me desfloraste. Eso no es necesario, no es necesario.

Él se sentó, flexionó una pierna y se rodeó la rodilla con los brazos.

—¿No escuchaste nada de lo que he dicho? Lo que nos ocurre cuando unimos nuestros cuerpos es único, una fusión de dos almas. Tu virginidad o no virginidad no influye en mí para nada.

—Culpa, tu sentimiento de culpa cuando despertaste con la vista recuperada y me viste.

Él negó enérgicamente con la cabeza, pero, claro, ella no vio el gesto.

Alisándose la arruguita en el entrecejo con el dorso de la mano, ella continuó:

—Estás eufórico por la recuperación de tu vista, estás complacido por nuestra escapada, pero si lo piensas, comprenderás que no deseas a una mujer imperfecta en tu cama.

—¡Imperfecta! —Hizo una inspiración para gritarle, pero ver asomar un rosado pezón por una rotura de la gramalla lo desarmó. Tragando saliva, logró hablar en tono moderado—: ¿Qué diablos era yo cuando peleaba con la niebla gris? No me siento más perfecto ahora de lo que me sentía hace dos semanas.

—Me tienes lástima —levantó las comisuras de los labios en un patético intento de sonreír—, y ya te he dicho lo que pienso de la lástima.

—¿Eso era lo que sentías por mí antenoche? ¿Lástima? ¿Por eso me diste tu cuerpo?

—Ooh, no, no. Antenoche yo acariciaba la idea de… Bueno, pero eso era antes de que recuperaras la vista. Piénsalo, William. ¿Y si… y si tenemos hijos?

—Podría casi asegurarte que tendremos hijos. Antes que pase un año. ¿No te gustan los niños?

—¿Y si nacieran ciegos?

El pezón le hizo un guiño al ocultarse detrás de la delgada tela. Su tímido atractivo lo animó a probar con la lógica, único método para tratar con las mujeres, pero Saura era una mujer única.

—Será lo que Dios quiera. Pero ¿y los otros hijos nacidos de tu madre? ¿En tu familia hay otro niño sin vista?

—No, pero…

—Seremos los mejores padres que ha tenido un niño.

—Pero no puedo casarme contigo —dijo ella, muy triste.

La delicadeza de la situación requería más estrategia de la que él había supuesto. Nunca había visto esas inseguridades, ocultas como estaban en la muy segura personalidad de lady Saura. Pero hay más de una manera de sacar las castañas del fuego. Adrede, recurrió a la crueldad:

—Deberías ocuparte de tu aguja y dejar estos asuntos serios de negocio a los hombres que son tus superiores —ladró.

Al instante a ella se le cubrió la cara de un rojo subido.

—Pensé que querías…, pensé que me preguntabas si deseo una unión así.

—Casarte o no casarte no es asunto tuyo. Una mujer va adonde la coloca su tutor. La mayoría de las damas de tu posición se casan a los trece, y tal vez tu mayor edad te ha hecho insensible a la verdadera naturaleza de una mujer.

Ella abrió la boca, pero no le salió ningún sonido. Parecía estar buscando las palabras, sin saber qué decir y qué no decir.

—¿Mi mayor edad? ¿Es eso un impedimento para el matrimonio?

—Podría serlo, porque a una mujer más joven se le enseñan fácilmente los usos y costumbres de su señor, y se amolda a sus deseos. Una mujer más joven se sienta a los pies de su señor al anochecer y le perdona sus indiscreciones, incluso mientras las comete.

—No es esposa lo que necesitas —dijo ella, exasperada—. Lo que necesitas es un cachorro.

—Una mujer más joven —dijo él severamente— aún no ha desarrollado una lengua mordaz.

Vio que ella no creyó del todo que él fuera tan ortodoxo, y captó escepticismo en su petición:

—¿Tal vez podrías explicarme la verdadera naturaleza de una mujer, milord?

Despacio, con tiento, se aconsejó él. Nadie creía todo lo que decían los curas sobre los ardides y maldades femeninos ni acerca de que debían someterse a sus amos. La realidad era muy diferente, y Saura era tan inteligente que no le creería si simulaba estar de acuerdo con las duras prescripciones de la Iglesia. Pero sí podía suavizar la postura tradicional.

—Las mujeres son incapaces de decidir qué es mejor para ellas —dijo—. Deberían pasar de la firme mano de su padre a la firme mano de su marido, con la cabeza gacha en señal de obediencia y la mente puesta solamente en cómo crear un hogar agradable. Si yo decido casarme contigo, lady Saura, recuerda que tu única participación en el trato es dar tu consentimiento en la ceremonia delante de testigos.

En la cara de ella se formó una expresión mezcla de frustración y asombro.

—Ésa es la visión habitual del matrimonio.

—No la olvides nunca —ordenó, y por la postura de sus hombros vio que caían destrozados sus sueños; la tristeza de su cara le oprimió el corazón, pero ceder ante ella en ese momento significaría echar por tierra su estrategia. Endureciendo el corazón, le preguntó con fingida despreocupación—: ¿Qué harías si no pudieras continuar viviendo en Burke?

—Supongo que tendría que volver a la casa de mi padrastro.

La moderación de él acabó con un fuerte rugido. A ella se le quedó atrapado el aire en la garganta cuando él le cogió la muñeca con fuerza.

—Milady Saura, será mejor que hurgues en esa ridícula mente tuya en busca de otra respuesta, porque jamás te permitiré hacer una cosa así. —Le soltó bruscamente la mano y se la apartó, y ella oyó ladridos en la distancia—. Jamás. Ahora ocúltate. Se acerca alguien.

# Capítulo 8

Acuclillada detrás de las rocas donde la había instalado William, Saura oía acercarse los cavernosos y amenazantes ladridos. La humedad del suelo le enfriaba los pies, los pies que deseaban huir de esa trampa. El corazón le retumbaba de miedo y con los residuos de la tensión de antes. La vehemencia de William y el miedo de que volvieran a capturarlos no eran nada comparados con los temores que albergaba en el alma.

Entonces oyó gritos de un hombre, mezclados con los ladridos más apagados de un perro grande. Asustada, se llevó la mano al cuello; tal vez el desconocido cerebro del hombre que quería asesinar a William no tenía la intención de volver a retenerlos cautivos, tal vez les llegaría la muerte en ese trocito de paraíso.

William no permitiría que ocurriera eso. Ese pensamiento le pasó por la mente sin ser llamado. Sin que él se lo hubiera dicho, sabía que estaba ahí con la espada brillando al sol. Quien fuera que entrara en ese claro haría bien en prepararse para una pelea.

Oyó al perro salir del bosque de un salto y entrar en el claro, y oyó la disgustada exclamación de William:

—¡Cáspita!

Con un repentino reconocimiento, gritó:

—¡William, es…! —Unas enormes patas se posaron en sus hombros y una adoradora lengua le lamió la cara. Se le fueron hacia atrás los talones y cayó sentada en el suelo—. *Bula.* —Lo empujó—. *¡Bula!* ¡Échate! *¡Bula,* basta!

Inmediatamente el animal se echó y revolcó la cabeza en su falda, gimiendo y emitiendo felices ladridos de cachorro. Con las manos ocupadas tratando de arreglárselas con el éxtasis del perro, oyó muy vagamente la voz del hombre al entrar en la hondonada.

—Saura, sal de ahí —llamó William—. Es el cazador de Burke.

—Lo sé —contestó ella, irritada—. Lo supuse.

—¡Milady! —Alden le cogió la mano, arrodillado ante ella y rivalizando con el perro por su atención—. Alabado sea el buen san Wilfredo, estás bien.

—Estoy bien —contestó ella, irritada al pasar las manos por los costados de *Bula*—. Pero ¿quién ha estado matando de hambre a este perro? No es más que costillas y piel.

—No quería comer, milady. Vagaba llorando y gimiendo por ti.

—¡Sólo hemos estado ausentes dos días!

—Sí, y el castillo alborotado, y nadie presta atención a un viejo soldado ni a un perro loco de pena. Así que cuando este viejo soldado volvió de la exploración…

—¿Exploración?

—Fue la tarde en que os cogieron y el señor Kimball y el señor Clare llegaron al castillo llorando y culpándose.

—¿Corrieron al castillo a avisar a lord Peter?

—Sí, pero lord Peter no estaba y se armó el enredo, los soldados preparándose para un ataque y nadie para salir a buscaros, como debería haber sido. Así que yo fui a buscar las huellas hasta que me topé con los mercenarios que os cogieron.

—¡No! —exclamó Saura, levantando las manos hacia él. Le encontró la cabeza, envuelta en vendas—. ¿Estás gravemente herido?

—Estoy bien, sólo me golpearon para divertirse. No me conocían, no sabían que era de Burke.

Saura le friccionó el cuello a Alden y le acarició las orejas a *Bula* con igual compasión, y los dos se relajaron, en reposo por primera vez desde hacía dos días.

—¿William? —llamó—. Debemos…

—Está con los caballos, milady, preparándolos.

—Mmm —musitó ella, pensando en eso.

—¿Tuviste una riña con el señor? —le preguntó Alden en voz baja—. Se ve algo tenso, si sabes lo que quiero decir.

—No tiene importancia. Yo me ocuparé de William, pero primero debo oír tu historia.

—Ah —dijo Alden, no convencido, pero obedeció—: Era de noche cuando llegué de vuelta a Burke y les dije lo que vi. Lord Peter escuchó atento y después salió volando, y ahí estaba el perro, paseándose y gimiendo, y todos los soldados organizados y cada uno en su puesto, y a mí se me ocurrió: ¿por qué no dejar salir al perro? Tiene más juicio que todos esos caballeros juntos. Así que él y yo salimos ayer al amanecer y desde entonces hemos estado siguiendo las huellas, escabulléndonos y ocultándonos en los arbustos, hasta llegar a un castillo, y de ahí hasta este lugar.

—Alden —dijo ella con infinita paciencia en la voz—. ¿Dónde está tu caballo?

—¿Caballo? —rió Alden, con esa condescendencia de superioridad hacia la mente de una mujer que adoptan hasta los hombres de más humilde cuna—. No se te habrá ocurrido que podía seguir a este animal por el verde bosque sobre un caballo, ¿verdad?

—¿Hiciste a pie todo el camino hasta el castillo de Arthur y de vuelta?

—Por eso el perro está tan flaco, ¿ves?

—¡El diablo se lleve al estúpido perro! —explotó ella—. Hombre, ¡has hecho demasiado!

—Soy tu criado —replicó él, y le tembló la voz—, como antes lo fui de tu señora madre. No podía quedarme sentado sin hacer nada para salvarte.

El temblor de su voz le recordó bruscamente a Saura que Alden ya no estaba en los primeros arreboles de la juventud.

—Ningún otro hombre podría haber hecho más —lo elogió—. ¿Has descansado algo?

—Sí, hasta el perro tuvo que caer desplomado anoche, y había corrido y corrido delante de mí. Se sentaba a esperarme y echaba a correr otra vez. Si yo estaba demasiado cansado, se echaba a mi lado y golpeaba el suelo con la cola hasta que yo volvía a levantarme.

—Uy, Alden, qué bueno eres. Demasiado bueno.

Él cambió de posición sobre sus rodillas, azorado por la preocupación de su señora. Saura le tironeó los hombros.

—Levántate, tonto leal, y échame una mano.

—Sí —dijo William, detrás de Alden—. Lady Saura, si puedes separarte de tus lisonjeros esclavos, deberíamos ponernos en marcha para escapar de cualquier persecución. He preparado los caballos.

Su evidente irritación le recordó a ella la discusión, por lo que hizo un mal gesto mientras Alden la ponía de pie.

—Menos mal que el suelo no estaba muy abajo —gruñó, limpiándose la falda.

William avanzó.

—Alden, tu capa —ordenó, y envolvió a Saura en sus oscilantes pliegues.

—Hace calor —protestó ella, pero se la arrebujó más.

—No estás decente. No llevas la túnica interior.

—No te habías quejado de eso antes.

—Lo que es apto para mis ojos...

—¡Tus ojos! —exclamó Alden—. Milord, ¡ves! ¿Qué milagro es éste?

—Es una historia larga y ahora no tenemos tiempo —explicó William amablemente—. Reserva tus preguntas. Esta noche en la cena las contestaré todas.

—William —susurró ella, tironeándole la manga—. Alden.

—Alden, lady Saura está cansada y dolorida, así que cabalgará conmigo. Tú monta su caballo —ordenó.

Sin esperar respuesta, la levantó y le apoyó el pie con la mano. Ella se acomodó en la silla, complacida por esa prueba de su amabilidad. Podía estar descontento de ella, pero nunca se desquitaría dejando de protegerla.

—Así podrás guardarnos las espaldas —continuó William, dirigiéndose a Alden—. Comienzo a sentir una urgencia por llegar a casa.

El criado gruñó al montar.

—Gracias, milord. Parece que el cansancio me está cayendo encima ahora que os he encontrado. Pero creo que descubrirás que lord Peter ha puesto una red de vigilancia en todo Burke y más allá.

—¿Estamos cerca, entonces? —preguntó Saura.

—Estamos en la cabecera del arroyo Fyngre.

—¡Oh, William! —exclamó ella, dando un pequeño rebote al saltar él a la silla—. Si anoche hubieras sabido dónde estábamos, hoy podríamos haber despertado en Burke.

—Mmm.

Dado que William no añadió ningún comentario, repentinamente ella pensó si tal vez él ya sabía dónde estaban y sólo paró ahí porque deseaba pasar otra noche con ella. Esa idea le gustó y luego la preocupó. ¿Había deseado satisfacer su deseo de ella o deseado reforzar su derecho sobre ella?

Se acomodó en la silla rodeada por sus brazos cuando él cogió las riendas y le habló al caballo. Tenía que imponerse a sí misma. No podía casarse con William; él se merecía algo mucho mejor. Pero si se entregaba al miedo, no podría conservar la serenidad para rechazarlo y aplastar el deseo más intenso y profundo de ella. Tenía que razonar. Eso era, después de todo, uno de sus rasgos que más contrariaba a Theobald.

Tal vez se inquietaba por nada. Tal vez William creía en lo que decía sobre el matrimonio: que era un asunto de negocio y el papel de ella sólo era obedecer y llevar bien la casa. Tal vez creía que ella ya era demasiado vieja.

En la casa de Theobald había aprendido a dominar la imprudencia, y el látigo de su lengua le había enseñado eso; pero en Burke habían caído derrumbadas las lecciones tan arduamente aprendidas. Con lord Peter y William no veía la necesidad de examinar cada palabra antes de hablar para que no fuera atrevida. Esos hombres estaban tan seguros de su virilidad que el falso respeto de una mujer les parecía casi un insulto. Y ahora que William le exigía volver a poner freno a su lengua ya no recordaba la manera de hacerlo. Recuperando el aplomo, se dijo que esos comentarios hirientes no eran otra cosa que la reacción de un hombre herido en su orgullo porque se ha rechazado su proposición. Nada más. Nada más.

El pecho de William parecía tallado en piedra y cabalgaba muy erguido, como si su fastidio fuera un objeto sólido permanente. En todo caso, ella sabía cómo miman su furia los hombres y cómo reaccionan a los halagos femeninos, por lo tanto se acurrucó más apretada contra él y le puso la mano en el muslo, un largo trozo de acero bien templado que le agradaba tocar. Notó cómo se le puso rígido el músculo.

Alden acercó su caballo.

—He estado fuera y no sé los planes de lord Peter. ¿Tienen alguna señal tus guardabosques?

—Son un clan de personas independientes, más antiguos que los sajones, y jamás los ha conquistado nadie. Mi padre los deja en libertad con sus costumbres y nos sirven bien. Si deciden mostrarse, los veremos. Mientras tanto, démonos prisa en llegar a Burke.

Azuzando a los caballos, impuso un paso rápido pasando por entre los árboles y por las piedras, protegiéndola a ella de las ramas que podrían golpearle la cara. Evitando los caminos, seguía un sendero apenas definido, y *Bula* trotaba a un lado.

Avanzaban rápido por el nemoroso silencio, un silencio demasiado profundo. Los sonidos de sus movimientos resona-

ban en la quietud. Pegaron un salto cuando se rompió una ramita al pisarla un caballo.

Perpleja por ese silencio, Saura giró la cara hacia William,
y él la miró. Por sus rosados labios entreabiertos asomaban
sus blancos dientes; su aliento olor a menta le recordó la mañana, el cuerpo de ella levantándose sobre el de él y los glo-
riosos sonidos y vistas del amor. En su cara veía confianza y
un transparente afecto que él nutriría para convertirlo en
amor; pero antes tenía que llegar a Burke con ella a salvo. Sintió un hormigueo en la nuca, señal de que alguien los estaba
observando desde un escondite.

—¿Por qué no cantan los pájaros? —le preguntó Saura en
un susurro.

—Hay hombres en el bosque. —Miró alrededor con todos
los sentidos alertas—. Pero ¿son los hombres de mi padre o
los del enemigo?

Tanto William como Alden observaban con los ojos recelosos de hombres alertas, y cuando Saura dijo: «Oigo ruido de
cascos de caballos», frenaron sus monturas en una parte ancha
del sendero y aguzaron los oídos.

Repentinamente se materializó ante ellos un hombre
todo vestido de verde. *Bula* ladró una vez y luego se sentó,
obedeciendo la señal de William. El hombre hablaba el inculto
inglés de los campesinos, por lo que William tuvo que esfor-
zarse para entender.

—Viene tu padre, lord William. —Observó solemnemen-
te cómo se le alegraba la cara al señor, y entonces dio la noticia
grave—. Vigilamos toda la noche y no vimos a nadie siguién-
dote hasta esta mañana. Doce hombres guerreros se agruparon a la orilla de nuestro bosque. Un hombre importante los

dirigía y siguieron tus huellas hasta que cogieron a uno de mis hombres.

—¿Mataron a tu hombre?

—Sí —contestó el guardabosques amargamente—. Como a un perro inútil le rompieron el cráneo. Él no les dijo nada, pero se retiraron.

—¿Cómo era el cruel señor?

—Todos los normandos son iguales y un yelmo le ocultaba la cara.

—¿Cómo hablaba?

—Habló poco, y lo que dijo lo dijo en voz baja.

William le hizo un gesto de asentimiento.

—Gracias, Aschil, por tu información y tu protección. Ve al castillo. Te daré una paga por el hombre que has perdido.

Sin decir palabra el hombrecillo desapareció en el bosque sin dejar ni un solo rastro donde había estado.

Saura le tironeó la muñeca.

—¿Se ha marchado el hombre raro?

Recordando cuánto había deseado él conocer los pormenores de las escenas que se desarrollaban en su presencia, aparte de los detalles obvios para los ciegos, le describió al guardabosques con palabras que le formaran una imagen.

—Ni siquiera movió una hoja cuando se marchó —concluyó.

El ruido de cascos de caballos al galope sonó más cerca.

—¿Son los caballeros? —preguntó Saura.

William negó con la cabeza, riendo.

—Nadie fuera de mi padre cabalgaría a esa velocidad por este terreno tan escabroso.

Por el recodo apareció lord Peter inclinado sobre el cuello de su caballo y William le gritó una advertencia. Lord Peter frenó con tanta brusquedad que su castrado se encabritó y él descendió por el lomo en un fluido movimiento.

—¡William! —gritó, corriendo hacia ellos.

—¡Padre! —El guerrero desmontó de un salto.

Se encontraron con un choque que estremeció el bosque, y se abrazaron riendo mientras *Bula* brincaba y ladraba alrededor de ellos hasta que se agitaron las hojas de los árboles.

—Esta vez pensamos que te habíamos perdido —rugió lord Peter, dándole fuertes palmadas en la espalda—. ¿Quién fue? ¿Cómo escapaste? ¿Mataste al cabrón? Pero no, ¿cómo podrías si estás...? —Se le cortó la sonora voz, mirando a su hijo—. Estás... —Movió la cabeza atrás y adelante, observándolo mientras William lo observaba. Se apagó la llama de su euforia, y poco a poco la fue reemplazando una tímida esperanza—. ¿William?

—Sí, padre —dijo él suavemente, asintiendo—. Veo.

Lord Peter le enmarcó la mandíbula entre las manos.

—¿Es posible? —musitó—. ¿Cómo pudo ocurrir un milagro así? ¿Has estado en el paraíso?

—Y he vuelto, padre. Y he vuelto.

Esta vez el abrazo de lord Peter fue más moderado, no jubiloso sino agradecido, de la manera intensa y callada de un padre al que se le ha escuchado la oración y concedido su ruego. Entonces hizo una promesa, tanto más potente por ser declarada en el bosque de Dios:

—Iré de peregrino a Compostela a agradecer al apóstol Santiago la bendición que te ha concedido. —Padre e hijo se miraron intensamente durante un emotivo silencio, y entonces lord Peter se apartó y caminó hacia el caballo—. ¡Lady Saura!, me alegra verte viva y bien.

Levantó las manos para ayudarla a desmontar y ella le sonrió con franca satisfacción.

—Sí, milord. Cuando me fuiste a ver en el castillo Pertrade y me pediste que ayudara a tu hijo, no previmos este final, ¿verdad?

Se deslizó hacia abajo con las manos en los hombros de él, y él le observó atentamente la cara. Pero cual fuera el milagro que había tocado a William, no la había tocado a ella. Sonrió amablemente mirando sus hermosos ojos violeta.

—No previmos eso. Tengo severas órdenes de no volver a casa sin ti.

—¿Maud?

—Maud ha estado…

—¿Loca de preocupación?

—En un estado lastimoso.

—Entonces volvamos. —Sonrió hacia los agotados caballeros que se habían quedado rezagados en el sendero—. Antes que mi criada pierda más sueño.


Tenía las manos mojadas.

William iba a pie atravesando la aldea de casitas apiñadas bajo la protectora muralla del castillo Burke. Tiraba del caballo y ella iba sentada sola en la silla, pero la multitud agrupada alrededor enlentecía el avance a un paso de tortuga. Muchísimas de las leales personas le habían besado el dorso de la mano dándole una bienvenida tan efusiva que le calentaba el corazón. Pero seguía teniendo mojada la mano y deseaba terriblemente llegar a su habitación para descansar. Si lograba atravesar el puente levadizo, se prometió, podría desmoronarse.

William reaccionaba con no fingido placer a su castillo, a su gente, a su casa. Llamaba a los hombres por sus nombres, besaba a las mujeres viejas y abrazaba a las jóvenes.

Ella se sentía feliz al oír alegría en la voz de William, pero le dolía la cabeza de tanto pensar. Manos y más manos cogían la de ella y le estrujaban los sensibles dedos haciendo que le dolieran los huesos. Los cascos de los caballos comenzaron a sonar con un ruido hueco al pisar la madera del puente. Un momento después su sensación de estar en un amplio espacio abierto dio paso a la de estar más protegida, la que experimentaba cuando estaba en el patio. Si lograba llegar a la escalera, se prometió, podría desmoronarse.

Los rumores del milagro que curó la vista de William habían llegado velozmente al personal del castillo y aumentaban el bullicio de voces que le asaltaba los oídos. Preguntas gritadas desde todos lados la confundían, y deseó encogerse y ocultarse de la descarada curiosidad.

—¡Padre! —gritó Kimball, y el grito resonó hasta las almenas.

—Kimball —dijo William, con la voz ronca por la emoción, y soltó las riendas.

Se hizo un silencio en la multitud y entonces llegaron susurros flotando.

—Mira cómo se abrazan.

—Mira las lágrimas del niño.

—Mira a lord William. No puede parar de mirar al señor Kimball.

—Mira cómo giran.

Eso último lo dijo alguien con afecto; ella sintió el escozor de las lágrimas en los ojos, y la tensión que la había tenido en sus garras esos dos días se aflojó y la soltó. Se mantenía erguida gracias a una mezcla de buenos modales y obstinación, y algo de su cansancio debió notársele en la cara. Una enorme y cálida mano se posó en su muslo.

—Venga, abajo, cariño —dijo William.

Le temblaron los brazos cuando él la sacó de la silla y la bajó hasta dejarla con los dos pies en el suelo.

—¿Saura? ¿Estás enfadada? —preguntó Clare tímidamente.

Su hermano estaba a su lado, acariciándole la mano, temeroso, tal como hacía en el castillo Pertrade cuando Theobald se paseaba despotricando furioso en una de sus borracheras.

Alargó la mano, con su garbo habitual muy disminuido, y le acarició la mejilla.

—¿Por qué habría de estar enfadada?

—¡Porque no te salvé de esos hombres!

Eso era el grito de un corazón dolorido, y por ese valiente niño ella podría mantenerse serena un rato más.

—¿No corriste a avisar a lord Peter que nos habían capturado?

—Sí.

—Tal como debías —dijo ella, sonriéndole.

Dos flacos brazos le rodearon las caderas y la mugrienta cabeza se hundió entre sus costillas. Le rodeó el cuello con las manos y cuando él aflojó el abrazo le revolvió el pelo.

—Mi caballero errante —dijo riendo—. ¿Vas a usar mi prenda de favor cuando entres en la batalla?

Una alegre risa le contestó, y él se apartó, como si lo avergonzara que lo vieran haciendo arrumacos con una mujer.

Sin el apoyo de Clare le flaquearon las piernas y pensó si acabaría alguna vez esa ceremonia no organizada. Si pudiera arreglárselas para subir a su habitación…

—¡Saura! —sonó el grito de Maud por encima del bullicio—. ¡Milady!

Saura echó a andar en dirección a esa amada voz, y le pareció que le abrían camino. Esos brazos maternales la envolvieron y esa voz maternal regañó:

—¿Qué has estado haciendo? Estás blanca como un fantasma y tienes los ojos tan grandes como la luna llena.

—Está cansada —dijo William detrás de ella—. No está acostumbrada a estas aventuras, a hacer el papel de reina guerrera. Llévala a su habitación, pon en la cama a tu corderita para que esté descansada para la celebración de esta noche.

Maud lo observó, observó sus ojos que formaban arruguitas en las comisuras. Él la miró y asintió, y ella retrocedió apartándose de él como si se hubiera vuelto loca. Entonces chocó con Saura, la rodeó con su fuerte brazo y la llevó hacia la escalera.

Él se las quedó mirando hasta que desaparecieron dentro de la casa. Entonces, con un feroz entrecejo dijo a lord Peter, como si hiciera una promesa:

—Ésa es la mujer con la que me voy a casar.

—Ah, estupendo —dijo Kimball.

Clare cacareó como un gallo.

Al mirar a los chicos con sus idénticas sonrisas plasmadas en sus mugrientas caras, su intensa resolución dio paso al alivio.

—¿Os parece bien, no?

Los dos asintieron enérgicamente, su entusiasmo reforzado por el típico optimismo de los niños.

—Entonces no olvidéis lavaros bien antes de la cena, si no lady Saura va a descubrir que el agua no os ha tocado desde que nos marchamos, y sabéis lo que ocurrirá entonces.

Los dos asintieron, esta vez con más moderación, y Clare gimió:

—El abrevadero para los caballos.

—Exactamente. —Al ver que su padre lo estaba observando, le preguntó—. ¿Qué opinas de que me case con ella?

Lord Peter se encogió de hombros y le preguntó con la cara muy seria:

—¿Estás seguro de que ella no es demasiado fuerte para ti? Estos meses pasados ha dado las órdenes en esta casa como la Reina del Cielo, y te va a dar órdenes a ti también.

—Bueno, ella creerá eso —dijo William, riendo a carcajadas, a su manera masculina, superior.

Lord Peter le dio una palmada en el hombro y entró con él.

Saura, que iba subiendo la escalera, los oyó y se tensó. Esa noche la cena fue espléndida. La sala grande de Burke resplandecía con la luz de las antorchas y de la fogata en el centro cuyas llamas se elevaban hasta el cielo raso. Se habían puesto todas las mesas de caballete. Hombres y mujeres estaban tan apretujados en los bancos que los sirvientes tenían dificultad para pasar la comida por entre ellos. Asistieron todos los caballeros unidos a lord Peter y William por el juramento de lealtad, agotados por los precipitados preparativos para hacer frente a una guerra o un asedio. Los soldados y villanos que habían salido a buscar a su señor atiborraban los bancos y expresaban en voz alta su alivio y sus elucubraciones. Entre ellos estaba sentado Alden, un simple hombre cuya lealtad a Saura le había ganado el puesto de honor. Lord Peter ocupaba el asiento del señor en la mesa principal, con William a su derecha y Saura a su izquierda. Al lado de ella yacía *Bula* en posición supina durmiendo el sueño de los justos. Sonriendo con inconsciente júbilo, Clare y Kimball cumplían sus deberes como pajes sirviendo a la mesa principal con una prontitud que rara vez se ve en niños.

A los que estaban por debajo de la sal se les servía aguardiente de miel y cerveza, y de un barril se extraía el vino tinto para los nobles. Bajo la severa vara de Maud, el cocinero se había superado a sí mismo. A los panes se les había dado diversas formas y aromatizado con hierbas. Habían recogido las primeras verduras tiernas que crecían a la orilla de los arroyos, añadiendo su largamente ansiado sabor a la espesa sopa de buey llamada *charlette*. Los faisanes asados según la receta de Maud produjeron suspiros de satisfacción a medida que estas aves rellenas con avena y manzanas pasas desaparecían de las fuentes. Un pudín dulce salpicado con claveles completó la comida.

Cuando terminaron de comer, Kimball, llevando un aguamanil, vertió agua en las manos de lord Peter, luego en las de William y después en las de Saura. Clare lo seguía, ofreciendo una toalla. Después de mirar a William y ver su gesto de asentimiento, lord Peter se puso de pie, como si eso hubiera sido una señal ya convenida. Golpeando la mesa con los puños, gritó «¡Silencio!» y el coro de voces se fue apagando a medida que cada comensal susurraba «Chss» a su vecino y a los muy borrachos se los hacía callar con un golpe en el mentón. Cien pares de ojos curiosos se esforzaron por ver a través del humo, y cien pares de oídos curiosos se aguzaron para oír la historia que prometía ser el material del que se tejen las leyendas.

Cuando tenía la atención de todos centrada en él, lord Peter proclamó con voz retumbante:

—Mi hijo William, lord de Miraval y Brunbrook, heredero de Burke y Stenton, el caballero más magnífico de la isla de Inglaterra y del ducado de Normandía, ha regresado a nosotros ileso, gracias a la intervención de los santos y la Santa Virgen por el lado del bien y el honor. —Guardó silencio para el viva que salió sonoro de todas las gargantas—. La historia de su ida y regreso es una de traición que fue templada por un signo de la gracia de Dios. Está ante nosotros esta noche para contárnosla.

William se levantó en toda su estatura, estatura realzada por la tarima en que estaba la mesa. Lord Peter fue a situarse al otro lado de Saura y William ocupó el puesto delante de la sal. Mientras la ilusionada multitud pasaba su atención a él, lord Peter se sentó y sonrió a Saura, con una sonrisa divertida y descarada que la habría perturbado si la hubiera visto.

—Amigos míos —dijo William, en voz más baja de lo que había esperado Saura; lo bastante fuerte para ser oído por todos y lo bastante baja para que todos tuvieran que aguzar los oídos para captar cada palabra—. La historia que os voy a contar no es tanto la mía como la de milady Saura y el milagro ocurrido gracias a ella.

La joven enderezó la espalda, muy recta, como una flecha disparada al cielo. ¿Qué iba a decir William?

—Un malhechor nos capturó a los dos, sometiéndonos a tremendas indignidades y crueldades; esto me estimuló la furia. Combatí al ejército del malhechor y perdí, por estar ciego.

—Exhaló un largo suspiro y todos los presentes suspiraron con él—. Un gigantesco guerrero me golpeó hasta que yo ya no sabía dónde estaba, y después nos capturó y nos arrojó a una mazmorra.

Saura curvó los labios ante esa descripción de Bronnie como un «gigantesco guerrero». Pero ¿qué quería decir William?

—Si no hubiera sido por milady Saura, yo habría muerto. Ella los avergonzó con su bondad y los sorprendió con su belleza, y estos bandidos le llevaron comida, vendajes y mantas. Ella me vendó las heridas, curándolas como pudo. Me protegió de los demonios de la muerte con la llameante espada de su rectitud. Y cuando se acostó a mi lado en mi cama, me curó los ojos con su virtuoso beso.

Saura sintió caer sobre ella, como un enorme peso, la atención de todos, desviada de William. Con la boca ligeramente entreabierta y la expresión aturdida, por la sorpresa, sintió clavados en ella los ojos de todos. ¿Qué quería decir William? ¿Qué insinuaba? ¿Cómo entendería su historia la gente reunida en la sala grande?

—La noche de nuestro cautiverio, lady Saura me envolvió en sus brazos, me excitó las pasiones y se convirtió en mi esposa. Aunque la Iglesia aún no ha bendecido nuestra unión, y aunque no tengo las sábanas manchadas con su sangre para enseñarlas como prueba, doy testimonio de que estaba virgen. Mis ojos lo demuestran, porque todos saben del poder curativo de una esposa virgen.

¡Bueno! ¡Eso lo explicaba todo!

—Y ahora declaro ante todos los testigos que tomaré a lady Saura de Roget por esposa a los ojos de la Iglesia y la honraré todo el resto de nuestros días juntos.

Una enorme y firme mano le cogió la de ella y la puso de pie, mientras un estruendoso «¡Hurra!» lanzado por todos hacía temblar las vigas. Entonces, cuando los ecos del sonido se iba apagando, sosteniéndole la mano levantada, con los dedos entrelazados, William le susurró al oído:

—No vas a escapar fácilmente de mí, cariño.

# Capítulo 9

Lord Peter, que estaba al lado de ellos, se puso de pie y gritó:

—¡Un brindis! ¡Un brindis por lady Saura, la esposa de mi hijo, lord William!

Manos impacientes cogieron las copas, las levantaron muy en alto y todos bebieron.

—¡Un brindis! —gritó Alden—. ¡Un brindis por lord William, el mejor guerrero de toda Inglaterra!

Manos impacientes cogieron las copas, las levantaron muy en alto y todos bebieron.

—¡Un brindis! —gritó Maud, y todos guardaron silencio, porque normalmente las mujeres no proponían brindis—. ¡Un brindis por su boda por la Iglesia!

Un rugido de risas celebró su proposición, pero manos impacientes cogieron las copas, las levantaron muy en alto y todos bebieron.

La cerveza y el aguardiente de miel corrían libres pasando de los jarros a las copas. Satisfecho con su estratagema, William se sentó. Los moradores del castillo y los aparceros e inquilinos que asistían a la celebración ya estaban conversando espontáneamente, convencidos por su lógica, entretenidos por su ingenio y dichosísimos por el relato de esa historia de amor y su bonito final. Si habían tenido ciertas dudas, éstas fueron firmemente aplastadas por el mensaje de Dios, el mensaje que curó a su amo.

Ya todos estaban sentados conversando con sus amigos en una excepcional velada de ocio, comentando los extraordinarios acontecimientos ocurridos esos días y haciendo planes para la eminente boda. No oyeron el susurrado comienzo de una riña en la mesa principal.

Viendo cómo Saura reunía todas sus armas para atacar su resolución, William observó con placer que la había abandonado su palidez y melancólica fragilidad de esa tarde. Los mimos de su fiel Maud le habían devuelto la seguridad en sí misma y su color. Y si todavía estaba algo alicaída, tanto mejor. Hacer frente a una mujer de la energía de Saura le exigía hacer uso de absolutamente todas las ventajas que pudiera. Se fortaleció con paciencia, ya que sabía que ella no permitiría que la historia tuviera un final tan conveniente.

Ella bebió un poco de vino y giró la cara hacia él, tan cerca que se tocaban los muslos.

—Bonita fábula, milord. ¿No sientes un peso en tu alma por decir tantas mentiras?

—No son mentiras, sino tanta verdad como ellos deseaban o necesitaban. Mi padre sabe toda la verdad, como tú, como yo. ¿Quién más importa?

—Debes reconsiderarlo. No fue mi cuerpo el que te devolvió la vista, sino el extremo del palo de Bronnie.

—No me voy a casar con Bronnie —replicó William, mordaz—. Y no tengo el atrevimiento para determinar qué curación eligió Dios concederme.

—Tal vez nunca te habías acostado con una ciega y yo sólo soy una novedad.

Rumió esa idea, la encontró nada convincente y él destruyó su credibilidad:

—Dientes de Dios, nunca me he acostado con un hombre, pero no tengo el menor deseo de acostarme con mi «padre».

Sorprendido, lord Peter se atragantó y arrojó la cerveza que tenía en la boca hasta el otro lado de la mesa.

—Condenación, agradezco oír eso.

—Sí, pero eso sería incesto también —dijo ella, sin poder resistirse.

William sonrió de oreja a oreja. Qué fácil era desviarla del tema.

—Te cansarás de tener que ser amable conmigo —dijo ella.

A él se le desvaneció la sonrisa; con qué prontitud ella volvía al tema.

—¿Amable?

—Sí. Me tratas como si yo fuera una excepcional figurita de cristal. Llegarías a tenerme rencor al sentirte obligado a tratarme con infinita cortesía.

Desapareció el fastidio de él y una verdadera sonrisa le iluminó la cara.

—No lo había considerado así. Según mi experiencia, cariño, la primera ternura se disipa bajo la influencia de las irritaciones diarias de la vida de matrimonio. La ternura es simplemente una de las primeras fases del amor.

Saura rumió eso.

—¿Quieres decir que cuando te hayas acostumbrado a mí se te va a acabar la ternura?

—No del todo, esperemos.

—Soy duradera.

—¿Con eso quieres convencerme de que no me case contigo?

—No, no fue ésa mi intención, pero… —titubeó, consciente de que su deseo de casarse con él le estropeaba el sentido común—. Sigo diciendo que es un encaprichamiento.

—¿Acaso piensas que no soy lo bastante inteligente como para saber si deseo o no deseo casarme contigo?

Su voz le sonó alegre y divertida, pero en el trasfondo detectó algo que no supo definir y que la inquietó. No la inquietó tanto como para curarle el deseo de ayudarlo a superar esa extraña obsesión, pero la inquietó.

—Te creo lo bastante sagaz para hacer cualquier cosa. También creo que te equivocas al agradecer la recuperación de tu vista a una persona que no fue causa. Deberías encender velas en la capilla.

—Ya las he encendido.

—En lugar de sentirte obligado por el honor a casarte conmigo. Estás haciendo todo lo que debe hacer un caballero honorable, pero, escucha, te libero de tus obligaciones.

—Pareces demasiado complacida por liberarme. Como solía decir mi difunta esposa «el amor enseña a bailar hasta a los burros» —dijo él en tono más agradable todavía—. ¿Es eso lo que quieres decir?

A ella le temblaron las manos un instante, y deseó que él no hubiera mencionado a su difunta esposa. Su sorpresa por la punzada de emoción la hizo pasar por alto la extraordinaria dulzura de su tono al hacer esa afirmación tan insolente.

—No sé si yo lo expresaría con tanta grosería. Y no quiero decir que tu esposa fuera grosera.

—Anne era infaliblemente grosera —terció lord Peter, contradiciendo el insulto con el afecto en su tono—. Mis nueras, con todas sus diferencias, tienen una cosa en común.

—¿Cuántas nueras has tenido? —preguntó ella, sorprendida.

—Sólo dos. Anne y tú.

—Yo no soy…

—Me parece que las dos tenéis una infalible predilección por oponer argumentos erróneos por los motivos más estúpidos —continuó él—. Ambas rebosáis inteligencia, pero no tenéis y ni una gota de sentido común entre las dos.

—Saura —dijo William, en tono solemne y elevando la voz para que lo oyeran todos los caballeros—, te amo.

Ella descartó esa declaración agitando la mano.

—De ninguna manera creo que esto sea amor, y estoy segura de que, con un poco de distancia y tiempo entre nosotros, se desvanecerá tu encaprichamiento.

—¿Acaso me aconsejas lo que debo hacer?

Ella notó más intenso eso que percibía en su tono, pasando de una tenue advertencia a una clara señal de que él se negaba a aceptar un consejo lógico. Como le había dicho antes ese mismo día, ella hacía todo lo que debía hacer una mujer de su posición, por lo tanto continuó la tarea de apaciguarlo.

—Nunca sería tan osada, lord William. Simplemente es mi humilde creencia que no debo aspirar a ocupar el más alto nivel en tu casa.

—El más alto nivel…

—Tu esposa. Sin embargo, a mi manera, creo que podría ocupar un puesto aquí, al menos hasta que llegue el momento en que te vuelvas a casar.

Se había apagado el ruido de las conversaciones, todos distraídos por el diálogo que se desarrollaba en la mesa principal.

—¿Qué tipo de puesto?

Ya no cabía duda, en la voz de él vibraba la irritación, pero ella tenía fe en su capacidad para calmar a su salvaje señor.

—Podría llevar la casa y cuidar de tu hijo, y si las noches se alargaran demasiado, tú y yo podríamos…

—Quieres ser mi puta.

Ella no le veía la cara, lógicamente, pero los demás sí. Se oyó el ruido que hicieron los hombres al echar atrás los bancos, coger sus cuchillos de comer y retirarse lentamente hacia la parte de atrás de la sala.

Nadie se marchó. Nadie podía resistirse a presenciar el drama anunciado por las mejillas enrojecidas y los puños apretados de William, y observaban con avidez la riña entre el amo al que adoraban y la mujer con la que quería casarse.

—Ésa no es la palabra que emplearía yo… —comenzó ella, dolida por la palabra, pero de todos modos intentando calmarlo.

—Es la palabra que usarían todos los demás —interrumpió él, bruscamente.

Sólo entonces ella logró definir eso que detectaba en su voz: furia. Una tardía cautela la llevó a sugerir:

—Milord, tal vez deberíamos hablar de esto mañana.

—Normalmente una querida tiene más experiencia, más talentos que los que tienes tú.

La humillación que la inundó se llevó por delante la herida que le produjo eso.

—Esta mañana me encontraste bastante talento.

—La ternura, lógicamente, no tiene lugar en un arreglo entre un señor y su puta. Cuando un señor desea ser servido, su meretriz se desviste y lo sirve.

Saura notó que él comenzaba a ponerse de pie y cómo la furia coloreaba de fuego cada palabra. Por primera vez desde que lo conocía le tuvo miedo; no el tipo de miedo que le inspiraba su padrastro, sino el tipo de miedo que le mojaba las palmas, le dejaba atrapado el aire en la garganta y la impulsaba a echar atrás su banco y prepararse para correr. Se levantó lentamente, apoyándose en la mesa y con la esperanza de que hubiera interpretado mal su tono, pero el siguiente golpe de él le disolvió esa expectativa y le aumentó la alarma.

—Cuando un hombre, un hombre que es más grande y fuerte, y evidentemente más inteligente que su pequeña mujer débil y condenadamente estúpida, exige atención para su cuerpo, esa mujer hará bien en agachar la cabeza y decir mansamente: «Sí, milord».

Golpeaba el suelo con los pies al hablar, y su voz sonó más fuerte, pues estaba gigantesco ante ella.

Resuelta a no dejarse intimidar, ella enderezó la espalda y alzó el mentón.

—No soy estúpida.

—No lo creía antes, pero los acontecimientos han demostrado que estaba equivocado. —Le arrancó el velo, lo tiró a un lado, le cogió la trenza y le echó atrás la cabeza—. Dilo. Di: «Sí, milord, te serviré como lo exiges».

Se debilitó el fundamento de su resolución, minado por el enorme tamaño de él, encima y alrededor de ella.

—No te serviré —dijo, vacilante, con la voz débil—. No te serviré si no hay respeto y estima mutuos.

—¡Respeto! —rugió él, tan fuerte que se estremecieron las vigas y unos cuantos de los villanos más cobardes salieron corriendo por la puerta.

Ella deseó taparse los oídos, pero él le tenía firmemente sujetas las manos a los costados, rodeándole la cintura con uno de sus enormes brazos.

—¿Respeto por una puta? Si deseas respeto, no prosperarás jamás como mi meretriz. Querida mía, resígnate, esto es matrimonio para ti. Pero permíteme tranquilizarte con respecto a la ternura. No tienes por qué temer que te trate como a un frágil vidrio esta noche. Esta noche toda mi ternura se disolverá en un caldo de hirviente frustración.

Diciendo eso, se apoderó de su boca en un beso que no tenía nada de la delicadeza ni el afecto que había demostrado antes.

Un caldo de frustración, desde luego, aplastándole los labios con los de él.

—Ábrela —ordenó él.

Ella intentó negar con la cabeza y él se lo impidió tironeándole más fuerte la trenza y cogiéndole el labio inferior entre los dientes. El mordisco fue rápido y casi indoloro, pero la amenaza de su furia le doblegó la renuencia. Entreabrió los labios, aunque muy poquito. Y esa pequeña concesión se convirtió en rendición absoluta cuando él le introdujo la lengua. Con la boca, él imitó los movimientos del acto de amor, abriéndola y excitándola, a la vista de todos. Y cuando ella le tenía rodeada la cintura con las manos, cuando tenía la cara arrebolada, con un rubor que no tenía nada que ver con vergüenza o azoramiento, cuando su cuerpo buscaba el de él con el irracional deseo de copular, él la soltó para declarar:

—Tú, milady Saura, eres la mujer que me va a purgar de la frustración. Inmediatamente. Ahora.

Levantándola se la echó sobre el hombro como si fuera un atadijo de ramas de esparto, y un viva de los hombres pasó por encima de ella cuando iba con la cabeza colgada sobre la espalda de él, la cara hacia abajo. Encontró alivio buscándole la piel desnuda por debajo de la camisa y enterrándole las uñas. La inmediata represalia de él le produjo una humillante punzada en la parte de su cuerpo que estaba justo sobre su hombro, y nuevamente los hombres lanzaron vivas. No fue su dura mano la que la convenció de apartar las uñas, sino el temblor de furia que percibió en su cuerpo. Brotó y creció la cautela cuando él hizo un viraje en dirección a la puerta de la habitación soleada.

La voz de Maud sonó delante de ellos y William paró en seco.

—No puedes hacer esto, milord —lo regañó, firmemente situada en la puerta—. Lady Saura es una mujer dulce y gentil, y yo soy la responsable de su reputación. No puedes llevarla a tu cama.

—¡Mujer! —bramó William entre dientes, y el temblor de su cuerpo aumentó en intensidad—. Apártate de mi camino.

—Condenación, Maud, ¿has perdido el juicio? —gritó lord Peter, levantándose y corriendo hacia ella—. ¡Apártate!

—¡No! —exclamó la criada.

Entonces Saura oyó ruidos de una refriega delante de ella, luego oyó exclamar a Maud «¡Te atreves!» y los gritos y ruidos del gentío corriendo a mirar de cerca.

William entró en la habitación y echando el pie atrás cerró la puerta con un golpe.

—¿Maud? —preguntó ella.

Él le cogió el muslo por debajo de la falda y la depositó en la cama.

—Mi padre trata a sus mujeres como se merecen —dijo entonces, muy claramente—. Como yo.

—¡Zopenco! Como si las mujeres se merecieran más obstáculos que los que ya les han puesto los hombres tontos.

Se sentó apoyada en los codos y él le puso una mano en el esternón y la volvió a tumbar.

A modo de advertencia flexionó la mano con que le tenía cogido el muslo, y por la rápida inspiración que hizo ella comprendió que había sentido el hormigueo hasta lo más profundo de su cuerpo.

—No sabes cuándo debes callarte, pero yo te enseñaré. Te enseñaré muchísimas cosas esta noche.


William se levantó de la cama y contempló a la mujer escandalosamente satisfecha dormida en la cama. ¡Dormida! Se rió. Palabra blanda para llamar al agotamiento total que paralizaba a ese cerebro excesivamente activo. Por lo menos esa noche le había calmado uno de sus miedos al tiempo que él calmaba su propia indignación. No había ningún obstáculo para su matrimonio, aparte de los que ella erigía en su cabeza. Y ésos, sabía por su experiencia personal con lady Saura, eran tan sólidos como los acantilados que cortaban la costa de Inglaterra.

Una persona podía ayudarlo esa noche, así que con sumo cuidado para no hacer ruido se puso la ropa y abrió la puerta. Ardía el fuego en el centro de la sala grande y la mayoría de los sirvientes yacían en las esteras, envueltos en mantas o con sus amantes. Avanzando con cuidado de no pisar los cuerpos, miró a las pocas almas que seguían reunidas alrededor de una mesa bebiendo a la salud de su señor.

—Aquí está el novio —gritaron.

Él sonrió al oír sus voces melosas por la borrachera.

—¿Dónde está Maud?

—¿Maud? —repitió una mujer, divertida, con una sonrisa sesgada, aturdida por la cerveza—. La última vez que vimos a Maud, estaba en el hombro de tu padre.

Él ensanchó la sonrisa.

—¿Ah, sí? ¿Y qué camino tomó mi padre?

—El de su habitación, alma valiente que es —cacareó un hombre.

—¿Y ha salido alguien de ahí?

—No, milord, seguro que él y la mujer han luchado hasta someterse el uno al otro.

Todos los del grupo se revolcaron de risa en los bancos, celebrando la sugerencia. Moviendo la cabeza, William se alejó, muy consciente de que en esas risas se mezclaba la diversión y el respeto. A pesar de su edad, ya pasados los cuarenta, lord Peter era un hombre vigoroso que disfrutaba de las mujeres dentro y fuera de la cama; y Maud había aterrorizado a los criados desde el día en que puso los pies en el castillo Burke; era una mujer con la que era mejor no meterse. Era probable que la unión entre lord Peter y Maud cambiara las costumbres de la casa de maneras que no se podrían ni imaginar.

La respuesta que obtuvo su firme golpe en la puerta del dormitorio de lord Peter fue el sordo grito «¡Vete!» en una contrariada voz masculina.

Sin hacer caso de la orden, abrió la puerta y entró. Lord Peter se incorporó en la cama rugiendo, y el rugido disminuyó de volumen al ver quién era el visitante.

—Vale más que sea algo importante, hijo —farfulló, incrédulo.

—Te aseguro que lo es.

Apareció la cabeza de Maud por entre las pieles que cubrían la cama.

—Y será mejor que milady Saura esté bien de salud.

—Ah, lo está. —William avanzó hacia la cama elevada sobre una tarima, llevando una banqueta, y se sentó a horcajadas, sorprendido por los movimientos que hacía Maud con la cabeza—. Está maravillosamente bien, y durmiendo muy profundamente.

La miró a la tenue luz de la vela. ¿Qué le pasaba a la mujer?

Lord Peter se sentó bien y las pieles cayeron dejándole el pecho desnudo. Hizo a un lado las ropas apiladas sobre la cama y se frotó los ojos con el dorso de la mano.

—¿Qué pasa, pues, muchacho?

—Necesito ayuda con Saura. Se me resiste. Se resiste a la idea del matrimonio, y sólo hay una persona con la que tengo que hablar.

Los dos miraron a Maud, que tenía la trenza sobre el hombro; ella se ruborizó y volvió a apoyar la cabeza en la almohada.

¡Guante de Dios!, pensó William. La mujer está avergonzada. Avergonzada ¡a su edad! Cómo le gustaría burlarse de ella, atormentarla embromándola. Pero en ella estaba la clave para el consentimiento de Saura, así que con toda diplomacia dijo lo que seguro la distraería:

—Saura desea continuar conmigo como concubina.

Maud chasqueó la lengua.

—Esa muchacha no tiene ni una pizca de sentido común. —Al darse cuenta de que eso parecía un cumplido hacia él, se apresuró a añadir—: No es que casarse contigo vaya a ser muy maravilloso, pero es mejor que volver a vivir con su padrastro.

Lord Peter se frotó el mentón.

—Bueno, hijo, ¿estás seguro de que deseas casarte con ella? Al fin y al cabo no hay ningún motivo para poseer el árbol si lo único que quieres es coger las manzanas.

Maud le asestó un puñetazo en el centro del pecho que lo hizo caer de espaldas y resollar, sin aliento. Ella se cruzó de brazos, con los ojos brillantes por un fuego protector.

—¡Era broma! —exclamó él.

William se pasó dos dedos por la boca para borrarse la sonrisa de la cara.

—Sea broma o no, mi problema sigue siendo el mismo. La dama no desea casarse conmigo y tiene la fuerza de carácter para rechazarme ante el altar.

Pasado un corto silencio, lord Peter asintió:

—Rechazarte a pesar del contrato de matrimonio.

—Rechazarte delante de cien testigos —convino Maud, malhumorada.

William exhaló un suspiro.

—Debemos convencerla antes de que llegue ese momento. ¿Qué debo hacer?

Maud negó con la cabeza.

—Manipular a mi señora es casi imposible. Sabe cuándo se le miente, lo sabrá cuando intentes persuadirla de hacer algo bueno para ella y malo para ti.

William dio un fuerte puñetazo en el poste de la cama.

—¿Malo para mí? Este matrimonio será una bendición en mi vida. ¿No es posible convencerla de que es una señal de Dios el que en sus brazos se me concediera la recuperación de mi vista?

—Sí, señal de Dios de que continúe contigo. Ella desea continuar contigo, estoy segura. Pero lo que no entiendes es lo que piensa ella acerca de sus ojos, acerca de sí misma. No entiendes los horrores de vivir con Theobald, Dios maldiga su nombre. Desde que era pequeña y apenas comenzaba a andar, él la pateaba. La atormentaba acercándole el desayuno para que ella pudiera olerlo y entonces se lo alejaba. Y se reía, como si estuviera haciendo algo muy gracioso.

—¿Y su madre? ¿Qué hacía?

—Mi señora, lady Eleanor, no sabía cómo era cuando se casó con él. Y no tuvo otra opción. —Hurgó en el enredo de ropa, cogió su chal y se envolvió los hombros con él. Friccionándose lentamente los brazos y apretándoselos, continuó, recordando—: El padre de Saura murió muy de repente, se apagó como una vela. Lady Eleanor estaba muy avanzada en su embarazo y enferma de sarpullido y fiebre. No podía ocuparse de sus propiedades. Los vecinos comenzaron a robarle tierras inmediatamente. Saura nació y no nos dimos cuenta de que tenía un problema, era tan bonita y sana. Entonces Theobald le propuso matrimonio a lady Eleanor, y parecía un hombre decente. —Mirando hacia el pasado, entrelazó los dedos—. Enseguida comprendimos que habíamos cometido un error.

La obligó a entregar a la nena a una nodriza y la dejó embarazada inmediatamente.

—¿Cuándo descubristeis que Saura era ciega? —preguntó William.

Ella titubeó, tan triste por los recuerdos que no sabía si debía decirlo. Las dos caras amables vueltas hacia ella la convencieron y lo dijo:

—Yo lo supe antes que lady Eleanor, y mucho antes que Theobald. Saura era muy inteligente. Levantaba la cabeza desde el momento en que nació, y se reía, fuerte, cuando la mayoría de los bebés sólo sonríen. Al principio pensé que su mirada desenfocada sólo era la manera de mirar de los bebés. Pero pronto se me hizo evidente, y también a la nodriza. Cuando comenzó a arrastrarse a gatas tocándolo todo con tanto asombro, lo supo lady Eleanor. Esa nodriza marrana se lo dijo a Theobald y él deseó matar a la nenita.

William hizo una brusca inspiración y lord Peter masculló una palabrota de horror en voz baja.

—Si milady no se hubiera interpuesto, habría estrangulado a la pequeña. Si milady no hubiera estado embarazada de un hijo suyo, la habría arrojado a un lado. De todos modos la amenazó si su heredero no era perfecto. Se enfurecía como un hombre débil enfrentado a una situación que no podía doblegar a su satisfacción. Envió lejos a Saura, a criarse en una de sus propiedades, y yo fui con ella. Milady me lo ordenó y me ordenó que le enseñara a correr y a jugar al aire libre, al sol, como cualquier niña. Y eso hice hasta que ella tenía nueve años, cuando Theobald tuvo miedo por las revueltas que había en el campo y exigió que la llevara casa, para poder vigilarla. Tenía miedo de que alguien la raptara y le exigiera sus propiedades.

—¿A lady Eleanor la alegró tenerla de vuelta? —preguntó lord Peter.

—Ah, sí. Inmediatamente comenzó a formarla para ser una dama a cargo de una casa. No le permitía ninguna excusa, y entre las dos enseñamos a lady Saura todo lo que necesita saber una castellana. Y eso fue bueno también, porque milady le dio cinco hijos sanos a Theobald, y envejeció antes que le tocara. Le enseñó a lady Saura a cuidar de ellos, siempre sospechando que ella no estaría mucho tiempo más para estar por ellos.

Alertado por el tono de su voz, William preguntó:

—¿Cómo murió lady Eleanor?

—Creo que él le dio una patada en el vientre cuando estaba embarazada de su último bebé. —Le bajaron lágrimas por las mejillas y lord Peter la rodeó con un brazo—. Otro hermoso niño nacido muerto en el baño de sangre de su madre.

Recordando el orgullo y el cariño en la cara de Saura cuando hablaba de lady Eleanor, lord Peter preguntó:

—¿Lo sabe Saura?

—Por supuesto. Nunca hemos hablado de eso, pero lo sabe. No me sorprendería que Theobald se lo hubiera dicho para jactarse. La hacía trabajar, la obligaba a llevar la casa y a criar a los niños, y luego criticaba y censuraba su trabajo. Nunca dejó de atormentarla. La habría violado si no hubiera sido porque toda la gente del castillo la quería e intervenía para protegerla.

William soltó una maldición y se levantó de un salto.

—Voy a insertar a ese hijoputa en un espetón y lo asaré lentamente sobre las brasas.

—Yo prepararé la salsa —dijo Maud, asintiendo—. Y cuando esté bien hecho, lo hornearé envuelto en pasta y lo arrojaré en medio de un montón de estiércol.

Asintieron al mismo tiempo, igualmente complacidos por el cuadro que veían en sus imaginaciones, pero lord Peter interrumpió su vengativo entusiasmo.

—Eso está muy bien, pero a no ser que William se case con ella, Theobald tiene todo el derecho a exigirle que vuelva.

—La posesión… —comenzó William.

—… no vale nada si la dama decide abandonarte —terminó lord Peter brutalmente—. En realidad, ella no obtiene nada de valor contigo por marido. ¿Qué mujer en su sano juicio buscaría un protector que espera la muerte por un cuchillo en la espalda?

Con implacable resolución, William volvió a sentarse en la banqueta.

—¿Has pensado en lo que te dije esta tarde?

—¿Qué? ¿Que Arthur era un traidor? Estoy de acuerdo. ¿Que necesitamos descubrir quién es el cerebro de este atropello? Estoy de acuerdo. ¿Que necesitas mejorar tus habilidades como caballero? En ese punto no cabe ninguna duda. Ese poco de trabajo que hiciste hoy me convenció de eso. Tu esgrima es atroz, tu manejo de la maza y el hacha de combate es tan malo que asustaría a tu caballo destrero.

—¡De acuerdo! Practicaré con los escuderos hasta que sea capaz de desafiarte incluso a ti, padre, pero eso es la parte fácil. ¿Y este canalla astuto y escurridizo que intenta matarme y matar a los míos? ¿Quién puede ser?

Maud exhaló un exagerado suspiro de paciencia y preguntó:

—¿Tienes una bata, milord Peter?

—Desde luego —contestó él, apuntando hacia un arcón del que colgaba una abrigada bata de terciopelo—. Pero no te vas a marchar, ¿verdad? Esta estrategia sólo nos llevará un momento.

—Hablando de guerra y combate los hombres pueden alargar muchísimo un momento. Si lord William me pasa la bata, serviré una copa de vino para cada uno, para aguzarnos el ingenio y mojarnos la lengua.

—Buena mujer —dijo lord Peter abrazándola, con los ojos brillantes de diversión y ternura.

—Mujer sensata. —William le pasó la bata y le dio la espalda para que ella se la pusiera—. Pero ¿cómo podría ser menos habiendo ayudado a educar a una mujer como mi Saura?

Maud cogió el jarro de vino que se dejaba para calmar la sed nocturna del señor y adrede hizo tintinear la copa de peltre para indicarle a William que podía girarse a mirarlos, y le pasó la copa haciendo una mueca maliciosa.

—Los halagos no te ganarán aliados que no te hayas ganado ya, y la conveniencia de lo que digas te comprará el resto.

Echándose atrás la trenza, se giró a pasarle una copa a su amante y volvió a la cama con la copa para ella.

—Gracias —dijo William, muy serio— por el vino y por el consejo. Ambas cosas son buenas y necesarias y aún tenemos por delante una desagradable conversación sobre serpientes y peleles.

—Nuestras opciones son limitadas —dijo lord Peter mirando a William, y sus pensamientos engranaron con eslabones idénticos.

—Sí, Arthur se educó con Charles y Nicholas.

—Y Raymond de Avraché —le recordó lord Peter.

—Raymond no. Es uno de los nobles más ricos del país, uno de los de posición más elevada.

—Hijo, no siempre los hombres son lo que deben ser. Raymond era un niño desdichado cuando llegó a nuestra casa. Sus padres no se ocupaban de él para nada. Sólo se interesaban en él como heredero, como un ser político que les serviría para favorecer la causa Avraché. A veces no se puede curar una mala crianza.

—¿De verdad crees eso?

Lord Peter sopesó los hechos cotejándolos con sus instintos y negó con la cabeza.

—No.

—Raymond es mi amigo —dijo William, tajante, y con eso consideraba cerrada la discusión—. Analicemos mejor a los otros dos y veamos cómo influyeron en Arthur.

—Nicholas. —Lord Peter se friccionó la frente, desde las cejas a la línea del pelo, como si su fracaso en la educación de sus pupilos le produjera un dolor que ningún vino podía curar—. Nicholas es callado, muy reservado, dice muy poco. Nunca confió en mí, ni siquiera cuando era niño. Si hay algo podrido en él, nunca me enteré.

—Yo tampoco. ¿Tenía influencia en Arthur?

—Arthur no tenía pensamientos propios, se dejaba llevar por la brisa y disfrutaba de las diferentes corrientes. Nicholas podría haber influido en él, pero ¿con qué fin? El hermano mayor de Nicholas tenía el título, pero murió tres años atrás, no mucho después que Nicholas volviera a la propiedad de la familia. Ahora es lord, y uno de los hombres más ricos de Suth Sexena.

—Sólo nos queda Charles.

—Charles —dijo lord Peter, bebió un trago de vino y apoyó la cabeza en la almohada.

—¿Qué pasa con Charles que los dos os ponéis tan pensativos al mencionar su nombre? —preguntó Maud, bruscamente—. ¿No es el lord de una poderosa propiedad?

—Es lord, sí, pero la propiedad no es poderosa —contestó William.

—Cuando Charles entró en posesión de su herencia —explicó lord Peter—, los hermosos castillos que habría recibido se habían reducido a uno solo. Sólo es una propiedad y está cargada de deudas y fraudulencia. Su padre siempre fue un derrochador, que dejó arruinarse las fortificaciones mientras él seguía al viejo rey Enrique por las cortes. Charles no es mucho mejor, siempre alardeando de su valor y temeroso de participar en torneos no sea que pierda su caballo y su armadura. Y con este horroroso desorden que nos gobierna, creo...

—Sí, yo también —interrumpió William, y se frotó la frente y los ojos en una imitación tan natural de su padre que Maud se echó a reír y se levantó a coger el jarro para llenar las copas—. Si es Charles, ¿qué podemos hacer para atraparlo antes que nos haga daño?

—Invitarlo a la boda —contestó lord Peter al instante—. En un ambiente tan festivo, seguro que delatará sus intenciones. Lo observaremos como un halcón, tendremos testigos cerca.

William se frotó las manos, regocijado.

—Qué maravillosa persuasión para Saura. Supongo que se casará conmigo si su consentimiento me libera de este peligro.

—Yo no contaría con eso —dijo Maud.

—Bueno, ésta es la mejor idea que se nos ha ocurrido por el momento —replicó William, levantándose y dejando su copa en la banqueta.

Salió de la habitación estimulado por la conversación y el plan, y Maud lo contempló con irónica aprobación.

—Nunca habría pensado que un hombre tan gritón y franco como Charles fuera capaz de una traición tan solapada —musitó.

—Yo tampoco —convino lord Peter—. Pero nunca se puede estar seguro.

—Yo estoy segura de una cosa. Saura no se casará con lord William a menos que demos los pasos necesarios. Tú, milord Zorro, eres tan astuto que no vas a traicionar nuestro plan. Y yo soy una mujer tan prudente que no voy a revelar tu mano. —Se acurrucó bajo las mantas y le sonrió, enseñándole unos dientes fuertes y blancos y mucho regocijo—. Él hará su papel con convicción si no se lo decimos, y no pondrá sobre aviso a Saura de nuestro ardid con su voz. Acércate más… —esperó a que él la rodeara afectuosamente con un brazo, y se tumbó de espaldas llevándolo con ella— y escucha mi plan.

# Capítulo 10

Saura salió del hondo pozo de agotamiento apremiada por la regañona voz de Maud y la fuerte convicción de que estaba retrasada para asistir a la misa de la mañana.

—… sale de un salto de la cama a desayunar egoístamente después de usarte la mitad de la noche, dejándote tan cansada que no eres capaz de levantarte como una mujer decente a saludar a la aurora. La mitad de la gente del castillo se ríe tontamente segura de que te ha enseñado cuál es tu lugar y de que te casarás con lord William sin armar más lío. Pero no te preocupes, lady Saura. —Con sus fuertes manos la cogió por los hombros y la levantó hasta dejarla sentada—. Yo te ayudaré a escapar. No permitiré que un matón te obligue a hacer algo que tú no deseas hacer.

A la adormilada Saura la voz de Maud le sonó horriblemente alegre.

—Creo que no…

—¡Violación! ¡Esto es violación!

Apartándose de los ojos mechones de pelo suelto, Saura se frotó las sienes como si le dolieran.

—Noo, no.

—Como un salvaje, te llevó sobre el hombro.

—Maud, no fue violación.

Maud le apartó las manos y le dio un buen masaje con sus hábiles dedos.

—¿De qué otra manera lo llamarías?

—Habría sido violación si yo no hubiera…

—¿No hubieras…?

Saura se levantó de la cama.

—¡Si yo no hubiera disfrutado tanto!

—Ah, pues, has gozado igual que un hombre —protestó Maud—, sin preocuparte por ti, sin pensar en tu reputación. Supongo que parirás un bebé dentro de nueve meses.

—¿Un bebé?

Se detuvo a medio paso y Maud la retuvo el tiempo necesario para pasarle una camisola por la cabeza.

—Pues, sí. Todo el mundo sabe que cuando una mujer goza con su hombre, un bebé viene detrás no muy lejos. Pero no te preocupes, podemos manejar ese problemita. —No paraba de hablar, sin hacer pausas que le dieran tiempo a Saura para pensar. Le pasó los brazos por las mangas—. De todos modos, no estoy segura de que tenga que ayudarte a escapar. Anoche lord Peter me detuvo un momento para pedirme que te dijera que fueras a hablar con él a primera hora de la mañana.

Saura se pasó la mano por la boca.

—¿Para qué?

Maud ledio una copa de cerveza recién hecha.

—Esto te dará la fuerza para hacer frente a lord Peter. Ese hombre no estaba nada complacido, me pareció. Hosco y maleducado, protestando por un matrimonio entre tú y su hijo, y porque no lo habían consultado a él.

—¿No me desea en su familia? —preguntó Saura, sentándose, aturdida por lo herida que se sintió.

—Perjudicas su importancia, diría yo. Bueno, yo le dije que no lo había visto tan severo cuando William lo estaba mirando, y él bufó. Así que es posible que salgamos de aquí con nuestro equipaje hecho por lord Peter. Eso te hará feliz, ¿verdad, milady?

Saura asintió y Maud la puso de pie y terminó de vestirla rápidamente.

—Claro que tendremos que volver a la casa de tu padrastro, lo que yo tenía la esperanza de evitar, pero no podemos continuar aquí, estando lord William tan resuelto a casarse contigo. Sería cruel torturarlo de esa manera. Así que habrá que volver a casa de Theobald el hijoputa, supongo.

La voz de Maud rezumaba odio, mientras Saura, con las manos apretadas en puños, pensaba, pensaba de verdad, en cómo sería vivir nuevamente en la casa de su padrastro. Y la voz seguía hablando, sin parar, llenándole el cuadro.

—El castillo Pertrade va a parecer un hoyo pequeño y sucio después de vivir en Burke. No puedes viajar hasta allí cabalgando, y Clare se quedará aquí como paje, así que no tendrás compañía. Tendremos que comenzar a tener cuidado con los hombres otra vez, ya que nunca te muestran ni una pizca de respeto. De todos modos, tal vez esa niñita con la que se casó el viejo Theobald ya ha aprendido a llevar la casa y manejar a sus criados y no tendrá que depender tanto de ti. Me imagino que los criados ya se habrán acostumbrado a acudir a ella para que les dé las órdenes. —Le dio un tirón a la sobrefalda del vestido y le alisó las mangas—. Ya está, estás muy bonita, tal como debes para encontrarte con lord Peter después de la misa.

¿Lord Peter no la deseaba en su familia? Ese pensamiento le dio vueltas y vueltas a Saura en la cabeza durante toda la misa y cuando estaba partiendo el pan con los criados en la sala grande. Sentía angustia, esa reacción tan humana. El hombre al que tenía en tan alta estima no la deseaba en su familia. Preparaba diálogos imaginarios entre lord Peter y ella, diálogos en que ella le señalaba todo lo que la hacía digna de su hijo. A veces los diálogos se disolvían convirtiéndose en acalorada discusión, porque Maud le había plantado dos semillas muy desagradables en la cabeza. Podía hacer frente a la primera semilla, la de su indignidad, porque había hecho eso toda su vida. Pero la otra, mucho peor, la llevaba guardada muy adentro, enconándose en el horror. No deseaba volver a la casa de su padrastro para ser una mujer inútil, dependiente, rechazada y despreciada, una carga para sus hermanos, y siempre temiendo por su vida.

Cuando llegó al pequeño despacho del rincón de la sala grande donde llevaba la contabilidad el sacerdote, encontró a lord Peter revolviendo ruidosamente unos documentos.

—Siéntate, lady Saura —ordenó—. Ahí tienes una silla.

No se levantó a ayudarla y ella no lo esperaba tampoco. Comprendía su brusquedad: quería proteger a su hijo de un matrimonio con una mujer que consideraba inferior. Pero lady Saura de Roget incorporaba ventajas que él no se podía imaginar, y se las explicaría.

—Comprendes, muchacha, que no esté tan contento e ilusionado como mi hijo. Me has demostrado que eres un ama de casa capaz, y mi nieto adora el suelo que pisas. William está totalmente enamorado, claro, y es incapaz de ver que hay que tomar en cuenta otras cosas. No quiero que pienses que soy desagradecido; me complace muchísimo que hayas contribuido a que William recuperara la vista, pero... ¿a cuánto exactamente asciende tu dote? ¿Aportarás alguna propiedad a la familia?

Inclinándose hacia él, ansiosa de contestarle, Saura no cayó en la cuenta de lo oportuno que fue lord Peter al apuntar justamente a su mejor argumento. Sólo pensó en la suerte que tenía de ser tan rica.

—Soy la única heredera de todas las propiedades de mi padre.

—Eso debe de ser una considerable cantidad de tierras —dijo lord Peter, en tono reflexivo, y se golpeteó los dedos, como si estuviera indeciso. Entonces añadió en un tono diferente—: Conocí a tu padre.

—¿Milord?

Sorprendida, porque ésa era una conexión de la que no sabía nada, esperó atentamente la respuesta, todavía nerviosa.

—Nos educamos juntos en la misma familia —explicó él—. Él era menor que yo, era paje cuando yo ya era escudero. Elwin asistió a la ceremonia en que me armaron caballero, y me deseó lo mejor cuando volví a mis tierras. Me caía bien. Era un hombre bueno, un hombre honrado, y muy rico. —Volviendo al asunto de negocio, continuó—: Las mujeres, como es lógico, no saben nada de estas cosas, pero ¿recuerdas por casualidad los nombres de algunas de las propiedades o de los lugares donde están?

Ella enderezó los hombros y recitó los nombres de los lugares y los tamaños de sus tierras. Él no se atrevió a poner en duda esta lista, porque su voz clara y segura revelaba su orgullo y su opinión acerca de sus posesiones. Maud no se había equivocado al aconsejarlo; esa palanca movería a Saura hacia el matrimonio.

Cuando terminó la enumeración, ella esperó con tranquila certeza hasta que él logró dominar su diversión para preguntar:

—¿Sabes cómo están vinculadas estas tierras?

—¿Señor?

—¿Hay otras personas que tengan el derecho a reclamarlas?

—Aparte de mí, no hay ningún otro pariente vivo; mi padre era el último de su linaje, sólo quedo yo.

—¿Cuándo entras en posesión?

—Está en manos de mi tutor hasta que yo me case.

—¿Estás segura? ¿Al casarte con William heredarás…?

—Todo —confirmó ella.

—¿Tu padrastro tiene algún derecho sobre tus tierras?

—Ninguno.

Al echarse atrás en su silla lord Peter tenía una sonrisa en la cara que ella percibió por los oídos.

—Las mujeres siempre son muy poco serias, pero si esta información es correcta…

—Juro que lo es.

—Entonces aportarás una considerable cantidad de tierras a nuestras propiedades y estaríamos dispuestos a renunciar a la mayor parte de la dote que debe pagarse en moneda. ¿Sabes cómo se administran las tierras bajo el gobierno de Theobald?

A ella se le nubló la cara.

—Las exprime para sacar dinero y permite que los vecinos más fuertes cojan lo que se les antoje. Hablé con él, pero lo único que conseguí fue una bofetada y la orden de que me ocupara de mi aguja. Mis hermanos hacen algo cuando pueden, pero…

—O sea que habrá trabajo para poner orden en tus tierras.

—Sí, lo siento.

—Y eso mantendrá ocupado a William, alejándolo de verdaderos combates hasta que estemos seguros de que está sano, de que no le volverá la ceguera.

—Ah.

—Sí, desde luego. Ésta será una unión muy beneficiosa para mi familia. Contactaré con Theobald inmediatamente para comenzar a negociar el contrato. Por mi parte, no veo ningún problema. Ya estás viviendo en mi casa, y se ha reconocido que eras virgen, desflorada recientemente por mi hijo.

Esa prisa por asegurársela le recordó a ella sus recelos, y objetó:

—No quiero que pienses que yo me he aprovechado de tu hospitalidad atrapando a William para que se case conmigo.

—Mi querida niña, tengo verrugas en mi verga más viejas que tú, y soy más astuto. No se me ocurre ningún motivo para repudiarte.

—¡Soy ciega!

—Eso no es una desventaja en mi opinión. Sin embargo, tal vez sí existe un impedimento para la boda. ¿Sabías que la sangre de William no es pura?

—¿No es pura? ¿Qué quieres decir, milord?

—Soy normando. Mi padre combatió al lado de Guillermo el Conquistador cuando vino de Normandía y derrotó a

Harold en Hasting. Mi madre era normanda, pero mis ojos vagaban por mis tierras y descubrí que la hija sajona del lord anterior era bella y joven. La damita no deseaba nada de mí. Mi padre, hombre estricto, no deseaba nada de ella. —Se rió en voz baja evocando esos lejanos recuerdos—. Se casó conmigo cuando estaba embarazada de nuestro bebé, y mi madre le dio la bienvenida con su compasión femenina.

—¿Y tu padre?

Lord Peter la observó sagazmente mientras ella se pasaba la mano por el abdomen plano.

—El primer día que anduvo, William cogió un palo y lo blandió como una espada y luego cayó sentado sobre el trasero con pañales y aulló de frustración. Desde ese momento fue el favorito de mi padre, y mi mujer fue respetada como la madre de William. Tú eres hija de una orgullosa casa normanda. El matrimonio entre normandos y sajones no es una mancha, pero tal vez deberías considerarlo si sientes algún prejuicio en contra del linaje sajón.

—¡Qué tontería! —exclamó ella, descartando su lógica con un movimiento del brazo.

—Piénsalo bien. Tus hijos llevarían la sangre de una raza conquistada.

—Milord, los sajones lucharon hasta que su sangre corría como un río rojo. Puede que hayan sido conquistados, pero jamás debe ponerse en duda su valor, y me parece que el mejor guerrero de Inglaterra es consecuencia de mezcla de sangres.

—¿Te refieres a William?

—Por supuesto —dijo ella, con orgullo—. Todo lo demás es mito y locura.

—Estoy de acuerdo —dijo él; esperó a que ella asimilara eso y preguntó—: Aparte de tu ceguera, ¿no hay ninguna otra mancha en ti, supongo?

—Ninguna.

—No hay historial de ceguera en tu familia, lo sé, y Dios ha compensado tu falta de vista con los dones de inteligencia y belleza. En estos tiempos de problemas, es necesario que el matrimonio se celebre inmediatamente ante testigos. Con toda modestia debo reconocer que somos una de las grandes familias de la región. Debemos invitar a todo el mundo, si no, el agravio engendrará agravios y tendré una guerra entre mis manos. Será una boda multitudinaria. ¿Eres capaz de hacer los preparativos para tantos invitados?

—¡Por supuesto! —exclamó ella, revelando que se sentía tan insultada como él había esperado—. Con la ayuda de Maud, lo prepararemos todo.

—Habrá cientos de personas en el castillo, los nobles con sus sirvientes, y mucho trabajo para ti. Entre William y yo nos encargaremos de la atención y los entretenimientos, si eso es útil, pero tú tendrás que organizar los acomodos para dormir y dar de comer a tanta gente.

—Puedo hacerlo —dijo ella, fríamente.

—Estupendo. He tenido que rechazar proposiciones de padres que estarán aquí, padres que desearían conseguir a William para sus hijas. Mujeres perezosas, sin elegancia ni talento, sosas y regañonas. Me harás un favor sacando a William del mercado del matrimonio. Tu madre fue una mujer extraordinariamente fértil. Yo preferiría que de esta unión me nacieran más nietos, por supuesto, pero si no hubiera ningún hijo, William ya tiene uno sano al que podemos casar en la próxima...

—¿Por qué estás interrogando a mi mujer? —rugió William desde la puerta, interrumpiéndolos.

Saura pegó un salto, sintiéndose culpable, como si hubiera estado ahí conspirando en contra de él con su padre.

—Vamos, William —dijo lord Peter en tono apaciguador.

Complacido por la oportuna distracción, pensó, con mucha justificación, si tal vez Maud había considerado necesario poner fin a la conversación, antes que Saura comenzara a tener sus sospechas. La intervención de William llegaba después de que él hubiera tratado todos los puntos importantes, después de haberle dado a la joven la seguridad acerca de su conveniencia, después de haberle estimulado su gusto por la posesión de sus tierras.

—Me cuesta creer que tengas el descaro de interrogar a la mujer que he elegido —dijo William, malhumorado.

—Vamos, hijo, no hay ninguna necesidad de…

—Ella se doblegará a mi voluntad.

—¡William, deja de gritar! —exclamó lord Peter elevando la voz a un grito cuyo volumen rivalizaba con el de su hijo—. Yo no podría haber arreglado una mejor unión ni que lo hubiera intentado.

—Saura y yo… ¿Qué?

—Oye, esta chica es rica. ¿Sabías que es la única heredera de su padre y que con su matrimonio entra en posesión de su herencia sin ningún problema? Dientes de Dios, Elwin de Roget tenía tantas tierras como las que tengo yo, duplicarán nuestras propiedades. No es de extrañar que ese despreciable pelmazo, Theobald, no quisiera casarla. ¡Llévatela! —Agitó los brazos vigorosamente mientras Saura se levantaba y caminaba hacia William—. Y envíame al hermano Cedric. Empezaremos a trabajar en el contrato inmediatamente. Tendremos una gran fiesta para celebrar esta unión, invitaremos a todos los vecinos y amigos. Sólo me gustaría verle la cara a Theobald cuando reciba el contrato. —Soltó una entusiasta risa, de la que Saura se hizo eco, aunque con más suavidad—. Apuesto a que le dará un ataque. —Cuando William ya la había alejado bastante y ella no podía oírlo, sonrió triunfante—. Esto será todo un matrimonio.

Ya en el medio de la sala grande, William le cogió el brazo a Saura, sintiéndose violento.

—Te pido disculpas por el… mmm, enorme entusiasmo de mi padre por tus propiedades. Te aseguro que no fueron tus tierras las que me atrajeron a…, las que me convencieron de…

Sin dejar se sonreír, con la cara radiante de placer, ella contestó:

—No, William, eso lo sé y lo agradezco mucho. Pero piénsalo, mis tierras serán mías, para administrarlas como me parezca conveniente.

—¿Significa eso que te casarás conmigo? —preguntó él, pasado un momento.

—Sí, tu padre me ha convencido. Es lo correcto. Soy ciega, pero tu padre asegura que soy hermosa.

—¿Y tú le crees?

El tono de él fue un misterio para ella, absolutamente neutro, y fue como un golpe para su recién encontrada seguridad.

—¿No soy hermosa?

—Muy hermosa —confirmó él—. Te lo he dicho muchas veces.

A ella se le desarrugó el entrecejo.

—Sí, y tu padre me convenció. Además, ha dicho que mi personalidad es agradable.

—¿Agradable?

—¿No lo es?

—Sí.

—Y soy competente para llevar una casa.

—¿Mi padre te convenció de eso también?

—No, eso lo he sabido siempre. Tu padre renuncia a la mayor parte de mi dote. Buena cosa, puesto que dudo de que Theobald pueda pagar algo, ni aunque sea una miseria. Lord Peter también me recordó el bien que haré al tener el mando de mis tierras.

—¿Y a mí se me permite participar en la administración de estas tierras? —preguntó él, sarcástico.

Moviendo la mano en un despreocupado gesto, ella concedió:

—Tú sabes más de administración de lo que yo podría saber jamás, pero ¿no lo entiendes? Por fin las personas que recuerdo de mi infancia estarán protegidas, el campo donde yo vagaba de niña será administrado correctamente. Es perfecto, William. Tú obtienes una gran cantidad de tierra en compensación por casarte conmigo y yo obtengo mis tierras. Y no lo menos importante, Theobald deja de recibir los beneficios. ¿No es glorioso?

—¿Y eso es todo lo que obtenemos con nuestro matrimonio? —preguntó William, picado por la capitulación y los motivos de ella.

Ella volvió la cara hacia él con expresión perpleja.

—¿Qué quieres decir?

Él la levantó en los brazos y con la boca y el cuerpo le demostró lo que quería decir, y de pronto la dejó en el suelo con impresionante brusquedad.

Su espada lo llamaba, su lanza y su hacha de combate. Sus armas le prometían alivio de la consternación y la incredulidad que hervían dentro de él.

Ella no lo amaba.

La había llevado a su cama, le había demostrado de las maneras más francas posibles que la adoraba, y ella no había querido nada de él hasta que su padre la convenció de casarse.

Sobornándola con sus propias tierras.

Le sabía amargo en la lengua. ¡El descaro de la mujer!

Comprendiendo dónde podía trabajar para desahogar su furia, bajó la escalera y salió al patio. Los mozos habían sacado a los caballos para almohazarlos y ejercitarlos, los criados estaban sacando las malas hierbas en el jardín, y Kimball y Clare estaban practicando en sus simuladas batallas.

Mirando furioso alrededor, se detuvo junto al establo. Sus manos se flexionaban, sus músculos le pedían acción, y una feroz promesa le iluminaba los ojos. Se detuvo la actividad cuando todos reconocieron las señales. Los mozos que estaban trabajando con los caballos se hicieron a un lado saltando, y Kimball y Clare treparon a un árbol escondiéndose en el follaje. William casi no se dio cuenta, tan concentrado estaba en desahogar su malhumor. Se agachó a recoger la larga vara que usaban los niños como lanza y llamó a gritos al jefe de sus soldados. El soldado bajó corriendo la escalera que descendía desde el camino de las almenas.

—Channing, quiero enviar un mensaje a sir Guilliame diciéndole que vuelva a poner a su hijo a mi cuidado. Necesito un escudero. Necesito un escudero inmediatamente.

—¿Y si el señor le ha confiado su hijo a otro caballero?

—Entonces ve si tiene otro hijo. Pero dudo que el joven Guilliame haya ido a educarse con otro. La familia lo tendrá en casa en una visita larga. —Mientras Channing asentía, él hizo girar lentamente la vara haciendo una figura en el aire, para calibrar su peso, y se la metió debajo del brazo—. Necesito que se preparen muchos mensajeros para ir a las casas de todos los vecinos y de mis vasallos y castellanos con una invitación. —Estiró los labios en un gesto adusto—. Me voy a casar.

Los niños subidos al árbol gritaron felices su aprobación.

—¿Habéis convencido a la dama, milord?

El soldado se veía entusiasmado, sonriendo de placer, y William pensó agriamente cómo había extendido Saura su influencia hasta a sus combatientes.

—¿Qué importa quién la persuadió? —gruñó, enterrando la improvisada lanza en el suelo—. Está hecho. Al final de esta luna necesitaré una tropa preparada para cabalgar conmigo al castillo Pertrade con el objetivo de «persuadir» —se le curvó la boca en una sonrisa de placer— a lord Theobald de firmar el contrato de matrimonio.

La cara de Channing se iluminó de placer.

—Con mucho gusto, milord. Lord Theobald tiene mala fama en estas partes debido al trato que da a sus campesinos y sirvientes, y no tendré ninguna dificultad en reunir una buena tropa.

William asintió, lo despidió con un gesto y se asomó por la puerta abierta del establo.

—¡Traed a mi destrero! —gritó, con un volumen que hizo volar polvo y heno. Mientras los mozos corrían a obedecer, él golpeó el tronco del árbol con la vara—. Si queréis ver práctica con el estafermo, venid inmediatamente.

Oyó el ruido de los niños al bajar del árbol mientras se calentaba los músculos saliendo al patio exterior y dando toda la vuelta al perímetro corriendo acompasadamente.

El estafermo no había cambiado jamás en todos los días de su vida. Estaba instalado en el centro de una liza para justas, desafiando a combatir a los no entrenados. En un extremo de un madero estaba sentado un muñeco relleno con pesos, vestido con ropas desechadas de caballero, sosteniendo un aporreado escudo. Del otro extremo colgaba un saco de arena, y el poste del medio actuaba de eje de la cruz giratoria. Muchos niños habían arremetido contra sir Estafermo; muchos niños habían comido polvo cuando no lograban alejarse al galope después de golpear el escudo con su lanza. Al girar el madero, el saco de arena les golpeaba la espalda haciéndolos caer del caballo; la dolorosa lección los estimulaba a hacerlo a la perfección la próxima vez que arremetían contra sir Estafermo. Como explicaba lord Peter a los chicos magullados, era mejor quedar sin aliento al ser golpeado por un saco de arena que ser muerto por una lanza al perforar la cota de malla en la batalla.

El destrero salió brincando, llevando a rastras a los tres mozos que lo llevaban cogido por la brida, y William lo miró calculando la distancia. Echó a correr y al llegar al caballo montó de un salto en la silla sin tocar los estribos. Esa fanfarronada era la prueba de madurez que hacían todos los caballeros recién armados en honor de sus padrinos. Él la hizo en honor de los niños y de los hombres cuya lealtad nunca había flaqueado, y ellos expresaron su aprobación con un rugido.

Tranquilizó al caballo mientras los mozos corrían huyendo de la furia del animal. El destrero se encabritó, hizo piruetas lanzando coces, y William lo dominó hasta dejarlo detenido. El conocido tacto de la silla, el olor del animal que sentía entre los muslos hizo volver al mundo a su estado de rectitud. A él lo curó, reparó su orgullo herido y le devolvió la personalidad segura y confiada de lord William.

Lanzó un grito de alegría pura cuando uno de los soldados le pasó una lanza de fresno y al instante puso al caballo al galope. Con la lanza en la mano como una prolongación de su fuerza, calculó la distancia, golpeó el centro del escudo del estafermo y se alejó al galope. El estafermo giró y continuó girando mientras su público vitoreaba.

Después de hacer el viraje y saludar al público, dirigió al caballo de vuelta a la línea de partida y lo retuvo ahí junto a la barrera de madera mientras uno de los mozos del establo enderezaba el estafermo. Conservaba la capacidad de dominar a su destrero con las rodillas, conservaba la capacidad de calcular el momento oportuno y mantener el equilibrio para hacer frente a los desafíos de una justa. Si no lo habían abandonado las habilidades para combatir, seguro que en el cerebro le quedaba todavía la astucia para arreglárselas con una mujer joven. Era capaz de planear un ataque y de prolongar un asedio; podía entrenar esas habilidades para hacer frente a la mente femenina. Ella lo consideraba un amante apasionado; consentía en casarse con él como al protector de sus tierras. Tenía que existir una estratagema que desviara los pensamientos de Saura de los asuntos prácticos del cuerpo y las propiedades y los dirigiera hacia esa fusión de las mentes que él llamaba amor.

El caballo brincó inquieto cuando se acomodó en la silla y volvió a sujetar la lanza con firmeza. Inclinándose, puso nuevamente al galope al caballo, se preparó y golpeó el escudo. Pero justo en el instante del impacto lo distrajo un horroroso pensamiento. ¿Y si el despreciable padrastro se negaba a entregarle sus tierras? ¿Se negaría ella entonces a casarse con él?

Tal como lo golpeó el pensamiento sacándolo de su complacencia, el estafermo giró con fuerza y el saco de arena lo golpeó en la espalda. Desprevenido como estaba, el golpe lo hizo salir volando de la silla y fue a caer cuan largo era sobre la hierba a un lado de la muralla. Emitiendo un gemido rodó hasta quedar de espaldas y contempló las nubecillas blancas que pasaban por el cielo azul de verano, pensando cuánto tiempo le destruiría el equilibrio esa mujer.

Tal vez, si tenía suerte, eternamente.

Sopesando el contrato que tenía en sus manos enguantadas, William miró resuelta y serenamente a Theobald, que estaba sentado ante él con el codo apoyado en la pequeña mesa donde también tenía su copa.

—¿Pretendes insinuar que yo te engañaría? —preguntó.

—No, no —repuso Theobald quitándose una gota de sudor de la sien con la muñeca—. Pero ¿no quieres sentarte a beber una copa de vino? Después de la larga cabalgada que has hecho este día de julio el vino te refrescaría y reanimaría tu mente.

—¿Pretendes insinuar que yo te engañaría? —repitió William, su voz sonora, pausada, exigente.

El lord de Pertrade estaba sentado en un sillón de madera mientras que él estaba de pie; el lord estaba vestido con cómodas pieles bebiendo vino mientras a él le chorreaba de agua de lluvia la cota de malla. Sin embargo, él estaba con un pie en el suelo y el otro apoyado firmemente en la tarima, y su imponente presencia convertía en una masa de temblorosa gelatina al lord que tenía delante, y el documento que le tendía entrañaba su propia exigencia.

—Te traigo un contrato de matrimonio por el cual te libero de tu inútil hijastra ciega.

—Nunca dije que fuera ciega e inútil —protestó Theobald, con los ojos enrojecidos entrecerrados por el esfuerzo de pensar—. Ella es… En realidad, es bastante capaz y hemos echado de menos su dulce presencia en Pertrade.

—Una piedra colgándote del cuello le dijiste a mi padre.

Los bien elegidos soldados de William se movieron inquietos, transmitiendo furia con sus posturas. El peligro que representaban superaba al del grupo más numeroso de desaseados combatientes situados en los diversos rincones de la sala.

—Le dijiste a mi padre que nadie la querría por esposa. Yo te pido una módica dote. Deberías agradecerme que la saque de tu casa y te ahorre su manutención.

Volvió a dar unos golpecitos en el contrato, sólo por el gusto de ver el mal gesto de Theobald.

—Soy su tutor —farfulló el padrastro—. Ella no tiene derecho a casarse sin mi permiso.

—Este contrato de matrimonio te libera de la indeseada responsabilidad de lady Saura y del pesado deber de proteger sus tierras.

Theobald se puso bruscamente de pie, tambaleante, para lanzar una bravata.

—Y de los ingresos que producen esas tierras —gruñó con voz estropajosa—. ¿Qué te hace creer que tienes el derecho de exigirme esas tierras?

William no se movió, pero enderezó más la espalda, adoptando, en cierto modo indefinible, una postura más peligrosa.

—No sólo te exijo sus tierras, te exijo además que rindas cuenta de todo el grano que has recibido, de todas las medidas que has tomado para garantizar la seguridad de las propiedades.

—¿Cuentas? —Ante la llama que vio brillar en los ojos de William y la inesperada exigencia de rendición de cuentas, Theobald se giró mirando alrededor. Se veía tan impotente como sus hombres, y ante su mirada éstos desviaron la vista; miró a su esposa-niña y ella lo miró sin ninguna expresión en la cara; entonces miró las caras endurecidas de los guerreros de William, y en ellas vio su derrota. Volvió a sentarse, cogió su copa con la mano temblorosa y la apuró—. Haré traer mis archivos. A mi sacerdote. Ah, pero él, esto…, no está aquí. Y las cuentas no están… Bueno, el sacerdote es estúpido; bebe demasiada cerveza.

William se mantuvo inmóvil como una piedra, inflexible, duro.

—Las cuentas están incompletas. Pero ¿si quieres quedarte a pasar la noche?

—No. —Asqueado, William paseó la mirada por la sala, en la que niños y perros se revolcaban en las sucias esteras—. No. Firma este contrato y esperaré hasta que tengas las cuentas.

Sus palabras fueron concisas y firmes, nada conciliadoras. Sólo ofrecía una opción y esperaba ser obedecido. La mirada de Theobald volvió a recorrer la desordenada sala, y su débil intento de engañar sólo alcanzó a pasarle por la cabeza y murió.

—Dámelo —masculló—. Pondré mi firma.

William arrastró la pequeña mesa hasta dejarla cerca de la rodilla de Theobald; chasqueó los dedos y uno de sus hombres corrió a su lado sacando de una bolsa que le colgaba del cinturón una pluma y un tintero, al que le quitó el tapón. Theobald trazó la cruz que representaba su firma, los trazos temblorosos y con manchones de tinta; el soldado espolvoreó arenilla sobre la cruz para secar la tinta y se la pasó a su señor. Por la cara de William pasó una sonrisa, una sonrisa que hizo encogerse a Theobald en su sillón, y luego enrolló el pergamino. Sin decir ni una sola palabra de despedida, se dio media vuelta y atravesó la sala.

Al llegar a la puerta se giró, con el contrato firmado bien sujeto en la mano. Con ojo crítico observó el humeante fuego que chisporroteaba en el centro de la sala, a las desaseadas criadas que iban y venían, a los insolentes caballeros y el sucio mantel lleno de manchas. Arqueó una rubia ceja.

—Asistirás a la boda, desde luego, lord Theobald. Esperamos que des tu bendición a nuestra unión. Esperamos que todos nuestros invitados te oigan expresar tu placer por la boda. ¿Asistirás?

—Por supuesto —masculló Theobald, hoscamente, y desvió la vista de la franca mirada de William.

—Te enviaré a mis hombres para que garanticen tu seguridad en el camino —declaró el guerrero entonces.

—No es necesario —protestó el vil lord.

—No permitiré que sea de otra manera.

Sonrió enseñando todos los dientes y salió haciendo sonar las espuelas en la piedra.

# Capítulo 11

La sala grande olía bien, olía a limpio, y en el aire se mezclaban los olores de hierbas y de las esteras recién hechas que cubrían el suelo. William arrastró un pie y hasta su nariz subió el aroma a menta. Cojines con fundas bordadas cubrían los duros asientos de los sillones y sillas de madera dispersos por la sala; las criadas iban y venían entre la habitación soleada y las de la primera planta afanadas llevando braseros y mantas. El fuego del hogar subía hasta el cielo raso con una llama limpia y brillante, y en los candeleros había antorchas encendidas. Menguaron los efectos del arduo día sobre la silla de montar y el odioso enfrentamiento al reconocer la mano directora de su amada. En la distancia oía la voz de Saura, y la fue oyendo más clara y más cerca mientras contemplaba apreciativamente su hogar.

—Gracias por la sugerencia, lord Nicholas. El sótano es el lugar perfecto para que duerman los sirvientes de nuestros invitados.

William se tensó de sorpresa al ver aparecer a su prometida subiendo los últimos peldaños que llevaban a la pieza subterránea de almacenamiento, situada debajo de la sala grande. Un sencillo velo blanco le cubría el pelo y una mancha de polvo le atravesaba la mejilla. Un vestido informe de tela basta marrón la cubría del cuello a los pies, y los zapatos de madera que llevaba resonaban en el suelo al caminar. Estaba vestida para trabajar y, en su opinión, se veía encantadora. Encantadora ella, que no el pegote que entró tras ella en la sala.

Nicholas la seguía de cerca, con los apreciativos ojos fijos en su trasero.

—Es un placer para mí asistiros, lady Saura —dijo, cogiéndole una mano y llevándosela a los labios—. De todos modos sé que se os habría ocurrido sola: una mujer tan inteligente y bien organizada como vos.

Una sonrisa enigmática adornó los labios de ella, y a William no le hizo ninguna gracia cómo hechizaba al huésped que, embobado por su belleza, parecía comérsela con los ojos.

—Saura, he llegado —dijo.

Al instante ella giró sobre sus talones volviéndose hacia él. Su sonrisa sesgada se ensanchó iluminándole toda la cara de franco placer, y avanzó hacia él tendiéndole la mano.

—¿William?

Él corrió a estrecharla en sus brazos, la levantó y dio una vuelta completa llevándola en volandas y besándole la cara mientras ella se reía.

—Basta, William, tenemos compañía —dijo, en una débil protesta. Puesto que eso no hizo mella en el festejo de él, exclamó—: ¡Basta, William! Ahora que has llegado tengo que ordenar que sirvan la comida de la noche.

Él detuvo el giro y la bajó deslizándola por su cuerpo.

—Es tarde. Hace rato que se puso el sol. ¿Aún no se ha servido la cena?

—No, la retrasé para esperar a que llegaras. —Dejó las manos en sus hombros un momento y luego las juntó recatadamente delante de la cintura—. ¿Tienes hambre?

Inconsciente de sus ardides femeninos (porque ¿cómo podía conocer esos señuelos universales sin haberlos visto nunca en otras?), estaba coqueteando con él. Agitaba sus largas pestañas negras dejando ver y ocultando sus ojos brillantes; su sonrisa jugueteaba en sus labios y su cara, como si no pudiera ocultar la dicha que le causaba el regreso de él.

William detuvo la mirada en su blanca y tersa piel, más irresistible aún por el rosa que le teñía las mejillas, y deseó lamerla como a natilla fresca.

—Estoy famélico —le aseguró, y en su voz se coló una nota de deseo que no tenía nada que ver con comida.

—Yo también tengo hambre —dijo Nicholas, en tono de reproche, interrumpiendo el momento de intimidad.

Saura pegó un salto. Había estado tan absorta en su dicha que había olvidado a su huésped. Dotado de más autodominio que ella, William miró a su amigo sonriendo.

—Bienvenido, Nicholas. ¿También te ha hecho esperar?

Su amigo se inclinó en una encantadora venia, diciendo:

—La dama tiene una manera tan agradable de hacer esperar que uno ni siquiera nota las punzadas del hambre.

Saura se rió de su elocuencia.

—Educada manera de decir que os he hecho pasar hambre. Todos tendrán buen apetito, entonces. —Dio una palmada y, como una estampida de jabalíes, los siervos abandonaron sus tareas y comenzaron los preparativos para la cena—. Esta noche tendremos una comida sencilla, potaje y requesón dulce.

—Mi plato favorito —dijo William, mirando sorprendido a los apresurados criados—. ¿No les has dado nada de comer desde el mediodía?

—Cometieron un tonto error —dijo ella, sonriendo con la boca, pero con el cuerpo tenso de preocupación. Dirigiéndose a él dijo en voz alta para que oyeran todos—: Tus criados, lord William, creyeron que ya no existía mi autoridad sobre ellos. Insolentemente reaccionaron a mis órdenes con incredulidad e indiferencia. Hoy he tenido que luchar la misma batalla que luché hace muchos meses para hacer valer mi autoridad en esta casa. Por lo tanto, te pregunto, milord, ¿hasta dónde existe mi poder?

William la miró sorprendido y luego miró a sus criados. Éstos se habían detenido para oír su respuesta y lo estaban mirando. Comprendió que la culpa la tenía él, por su disgusto. Ver a Saura colgando de su hombro aquella noche les había debilitado la buena voluntad. No sabían si él se casaría con una mujer tan atrevida como ella, y debido a eso Saura estaba en un vacío en cuanto a posición y autoridad.

Nada de lo que había hecho esa última luna había puesto fin a las elucubraciones y dudas de los sirvientes. Habían pasado los últimos días de mayo y ya estaban en junio, y las rosas florecían y se marchitaban. Había practicado sus técnicas caballerescas; había cabalgado con su padre acompañándolo en cacerías; había estado encerrado con el hermano Cedric redactando el contrato de matrimonio. Se había refrenado, comprendió, para no demostrar su resentimiento con Saura. No había hecho el papel de devoto amante, cierto, pero eso había sido un equivocado intento por su parte de asegurarle a ella que su amor no era una simple llama que se apagaría pronto.

Había aplastado la ternura que brotaba en su interior para tratarla como a una esposa ya establecida.

En ocasiones incluso se había desentendido de ella, y de sus comidas, y por la noche no cedía a sus intentos de seducirlo. El no haber fornicado con ella sólo se había debido a su prisa por terminar el contrato de matrimonio, pero los criados no habían comprendido eso. Redactar el contrato de un matrimonio como el de ellos, en el que había que tomar en cuenta tierras y dinero, llevaba semanas de arduo trabajo. Tontamente nunca se le ocurrió fijarse en el efecto que tenía su despreocupado trato en los sirvientes. Sólo se había sentido complacido al ver cómo Saura se iba relajando poco a poco y volvía a su papel de castellana.

Esa noche la había dejado durmiendo para cabalgar hasta Pertrade como un obseso con el objetivo de asegurarle sus tierras, y los criados pensaron que la había abandonado. Ella había pagado el precio del deseo de él. Como una bandada de buitres perezosos y ladinos, los criados habían fastidiado a su dama todo el día y en ese momento estaban esperando para oír qué diría él.

Le cogió las dos manos y se las levantó hasta su pecho.

—Milady Saura, perdona que me presente ante ti con las botas cubiertas por el polvo de los caminos. Hoy mi misión fue ir a ver a tu padrastro, lord Theobald. En esta bolsa que cuelga de mi cinturón tengo nuestro contrato de matrimonio. Tu tutor puso libremente su firma en él. Los preparativos para nuestra boda deben comenzar inmediatamente. Todo lo que poseo es tuyo, por jurisdicción y de hecho. Cualquiera que ponga en duda eso, que hable conmigo.

Miró un momento su cara levantada hacia la suya y luego paseó la mirada por la sala y por sus siervos, que se movían incómodos. Nadie habló y entonces, con la rapidez y silencio de un montón de ratones amaestrados, todos volvieron a sus tareas. Montaron las mesas de caballete, pusieron los manteles y dispusieron los tajaderos.

—Detecto la desvergonzada mano de Hawisa en esto —le dijo en voz baja.

—Sí —convino Saura—. Despedida a trabajar en la cocina, girando el asador, sigue causando sufrimiento con su malignidad. Tenemos una buena cantidad de buenos sirvientes en este castillo, pero su rápida reacción a su agitación me preocupa. ¿No se la podría casar con alguien de fuera de la propiedad?

—Veré qué puedo hacer. Tendré que encontrar a un pobre hombre que la tome por esposa, y no sé quién me cae tan mal.

—¿Hawisa? —preguntó Nicholas—. ¿No es la guarra que siempre has tenido aquí?

—Sí. —William se encogió de hombros—. No vale nuestra atención. Ya haré algo con ella después. A Saura le irá bien disponer de todos los criados hasta que pase la boda.

—Pero sólo hasta que pase la boda —concedió Saura. Volviendo la cara hacia Nicholas, lo invitó a ocupar su lugar en la mesa—. Servíos queso y cerveza. Yo iré a ayudar a lord William a quitarse la armadura y lavarse, y enseguida volveremos a acompañaros.

—¿Dónde está mi padre? —preguntó William cuando se alejaban.

—Llevó a los muchachos a cazar para tener carne fresca.

—¿Lloviendo? —preguntó él, incrédulo.

—No estaba lloviendo esta mañana. Me imagino que encontraron refugio entre tu gente, han encendido una fogata y están contando historias de sangrientas batallas. Tu padre dijo que llevaba a los niños para entrenarlos en el arte de la caza, pero yo creo —chasqueó los dedos hacia las criadas al entrar en la habitación soleada— que ha ido porque oyó decir a Clare que las estrellas son más brillantes en el cielo de Burke.

—Sí, seguro —rió él—. Padre siempre mima a los niños si puede. ¿Tal vez ya los considera bien despegados de ti?

—Sin duda. —De pronto sonrió, divertida—. Maud los siguió montada en un viejo rocín. Tu padre está muy apegado a ella.

—Ah, sí, me he fijado.

También se fijó en la eficiencia con que trabajaban las criadas. Una sacó ropa limpia de un arcón y extendió las prendas sobre la cama, y otras dos le levantaron la cota de malla y se la sacaron por los hombros.

—Llévala al armero para que la engrase —ordenó Saura, y una de ellas salió de la habitación con la armadura—. Linne, tú lo desvistes y le lavas el orín de la piel.

Mientras Linne le quitaba la ropa mojada y lodosa, las otras muchachas arrastraron la bañera de madera desde el rincón. Subiéndose en una banqueta, Linne le indicó con un gesto que se metiera en la bañera y entonces le derramó agua caliente por los hombros y la cabeza, mientras él se lavaba rápidamente con las manos enjabonadas.

Cuando ya tenía el cuerpo bien fregado y aclarado, ordenó:

—Dadle la toalla a lady Saura. Ella puede secarme.

Unas risitas rompieron el silencio, pero Saura chasqueó los dedos y al instante ellas dejaron de reírse. Le pusieron la larga toalla de lino en las manos y salieron de la habitación.

—Dejad la puerta abierta —ordenó bruscamente, y la puerta que ya se estaba cerrando se abrió de par en par, dejando al lord y la lady a la vista de cualquiera que pasara; al ver que Saura arqueaba una ceja en gesto interrogante, le explicó—: Vas a ser mi esposa y como a tal no te voy a deshonrar en presencia de visitas. Por difícil que me resulte eso.

Cerró la boca haciendo rechinar los dientes, irritado, y ella emitió sonidos tranquilizadores mientras lo envolvía en la toalla.

—¿Te estás riendo de mí? —Le levantó la cara hacia la de él y ella le sonrió con amistosa comprensión.

—Sí, pero no creas que vas a sufrir más que yo.

—Sí que sufriré más, porque tendré que renunciar a mi cama y dormir en la sala grande en un jergón.

—Yo sufriré más porque no puedo dormir sin ti.

—Yo sufriré más —hizo una mueca de diversión y dolor mientras ella lo secaba con enérgicos movimientos—, porque ya no quepo en mis calzones.

Ella aminoró la energía de las fricciones, secándolo con más suavidad.

—¡Nada de eso! —Arrebatándole la toalla, se puso de espaldas a la puerta y terminó de secarse. Al ver que ella cogía su camisa y avanzaba hacia él, negó con la cabeza—. Me vestiré solo.

—¿Por qué, entonces, hiciste salir a las criadas? —preguntó ella, perpleja.

—Quería hablar contigo a solas, sin las restricciones de otros oídos oyendo. —Miró su hermosa cara pensando «Porque estoy loco de amor por ti y debo cortejarte en todo momento». Pero se limitó a decir—: ¿Mi intervención va a mejorar tu problema con los criados?

—En su mayor parte, son buenas personas. Necesitan una influencia firme y estable, y tu apoyo ha sido más de lo que podía esperar. Gracias, William. —Se inclinó en una rápida reverencia—. ¿Cómo conseguiste obligar a Theobald a firmar el contrato de matrimonio tan rápido?

Él se puso la camisa antes de contestar:

—Fue mi buena apariencia y el encanto de mi personalidad.

Ella se rió fuerte, y él arqueó una ceja, mirándola.

—¿No me crees?

—Claro que te creo. Seguro que tu buena apariencia, tu encantadora personalidad y la presencia de tu espada tuvieron una influencia irresistible en Theobald.

—Qué bien lo conoces —dijo él, maravillado, poniéndose el resto de la ropa con una eficiencia que desmentía su necesidad de un escudero.

—Sí. ¿Vendrá y me entregará libremente a ti?

—Vendrá. Y, por el guante de Dios, te entregará a mí con una sonrisa.

—Sí, supongo que vendrá, aunque sólo sea por la oportunidad de visitar un castillo tan grandioso como el tuyo. Pero debemos mantener el vino alejado de él hasta que termine la ceremonia. Es atroz cuando está borracho.

—Beber tanto vino pudre hasta al hombre más fuerte.

—Nunca ha sido fuerte. Espero que lo vigiles, que evites que caiga bajo malas influencias.

Diciendo eso le ofreció una sonrisa sesgada, como si tuviera miedo de atraer su atención a posibles problemas.

—Los vigilaré a todos —convino él sin dificultad, aunque no con sinceridad—. Nuestro enemigo no será un peligro en nuestra boda. Con la presencia de tanta gente y el fracaso de dos atentados a mi vida, yo diría que, sea quien sea el responsable, estará encogido de miedo. No te preocupes, mi muchacha. Yo cuidaré de ti.

—Eso lo sé, William, siempre lo he sabido. Me parece que agosto sería un tiempo ideal para la boda —sugirió—. No podemos reunir a los invitados antes.

—Agosto —dijo él, manifestando su acuerdo—. Necesitaremos la ayuda de los aldeanos para prepararnos para recibir a la gente, y esa ayuda no la podemos tener hasta agosto. Entonces ya habrá acabado el trabajo más pesado del verano y estarán recién comenzadas las actividades de la cosecha. Tenemos treinta días para hacer llegar las invitaciones, treinta días para hacer los preparativos y aprovisionarnos, y para entonces yo ya habré inculcado el respeto a tu autoridad a los siervos con mi mano dura.

—No todos me traicionaron, sólo unos pocos pusieron en duda mi autoridad. No los trates con dureza. Es mi responsabilidad ganarme su lealtad, y este día ha sido un golpe para mi presunción.

Él notó que le temblaban los labios mientras sonreía pidiéndole piedad para el hatajo de chillones criados.

Maldiciendo la puerta abierta, la cogió en sus brazos.

—No te inquietes, cariño. La fiesta de bodas será un suplicio, lo sé, pero es necesario hacer nuestras promesas delante de nuestros villanos. El hermano Cedric nos bendecirá y estará tu padrastro, aun cuando haya que traerlo a rastras agarrado de… del cuello.

Ella se rió, porque estaba claro que él deseaba traerlo agarrado de otro apéndice.

—Te gusta la idea —dijo, acusadora.

—Noo —protestó él, sarcástico—. Dios me libre de esa idea. El día de la boda será una buena oportunidad para que los castellanos renueven sus promesas de lealtad a mí, porque estarán todos para ser testigos y el sacerdote ratificará sus promesas. También tendremos la oportunidad de ver cuáles de nuestros vasallos han desertado y hay que meter en cintura.

De la cara de ella desapareció el placer.

—Una oportunidad para que veas con quién debes luchar.

—Sí —dijo él, entusiasmado—. Hace muchísimo tiempo que no levanto mi espada en una batalla.

Ella le rodeó los hombros con los brazos, como si quisiera protegerlo.

—Llevarás a tu padre, ¿verdad?

—¿Para unas cuantas escaramuzas de poca monta? ¿Tal vez uno o dos asedios? —Echó atrás la cabeza, sorprendido—. ¿Por qué?

—Te has desacostumbrado a la guerra.

—Muy cierto. Y la práctica con la lanza y el sable no puede reemplazar las condiciones de una verdadera batalla. Tal vez una contienda en nuestra boda me afinaría las habilidades. Eso es una buena idea. Se la comentaré a Nicholas. Gracias, mi amor.

Dicho eso, la abrazó, la besó brevemente, no muy atento, y salió a toda prisa a la sala grande.

Saura salió tras él, con más lentitud, y fue a sentarse en el banco que le apartó William. Nicholas se sentó a su izquierda. *Bula* se echó detrás de ella, a esperar que le cayeran bocaditos. William compartió con ella el banco y el tajadero y le sirvió comida con la mayor ternura.

En la sala reinaba la tranquilidad mientras los criados servían y comían con evidente sumisión. La cena transcurrió sobre ruedas. Saura se esforzó en dirigir la conversación hacia temas inocuos: caza, equitación, los problemas de administrar una propiedad. No dio la oportunidad a William de hablar de la contienda, aunque sí aprovechó para interrogar al huésped, porque la roía un vago recelo.

—Milord Nicholas, no nos habéis dicho qué os motivó para hacernos esta agradable visita.

—¿No? Qué descuido el mío —dijo él, y William notó cómo suavizaba la voz para hablar con ella—. Había oído rumores, curiosos rumores de cambios en Burke, y ya no me fue posible contener mi curiosidad.

—¿Qué tipo de rumores? —preguntó Saura.

—La verdad, al parecer. Que William había recuperado la vista, que se casaría con la misteriosa heredera de Pertrade.

—¿Cómo viajan tan rápido las noticias? —comentó William—. Aún no hemos enviado a los mensajeros.

—Por eso no os sorprendisteis cuando llegó William —musitó Saura—. Yo me había imaginado una escena cuando comprendierais que había recuperado la vista.

—¡Qué decepción se detecta en su tono! —exclamó su prometido—. A las mujeres les gustan las escenas que conmueven el corazón, ¿eh?

—No debemos decepcionar a la dama —dijo Nicholas, con la voz a rebosar de risa, levantándose del banco—. ¡William! —exclamó, con fingida animación.

—¡Nicholas! —exclamó William, levantándose para encontrarse con él detrás de ella.

*Bula* gimió mientras trataba de ponerse entre ellos.

Se abrazaron, diciéndose tonterías tranquilizadoras, hasta que ella se echó a reír.

—Sentaos, tontos —dijo.

—Mira a tu estúpido perro —dijo Nicholas.

—¿Qué ha hecho? —preguntó ella.

—Sentarse, por supuesto —contestó William—. ¿No dijiste «Sentaos, tontos»? —Entonces *Bula* gimió y él le dijo—: ¿Te gusta eso, muchacho?

Saura conocía ese gemido. El perro no se estaba quejando, estaba en éxtasis.

—¿Le gusta cuando lo acaricias?

William pasó sus largas piernas por encima del banco y volvió a sentarse a su lado.

—Le gusta cuando Nicholas lo acaricia también. Creía que no te gustaban los perros, amigo.

—Éste es el perro de lady Saura —contestó Nicholas.

—Ah, comprendo. —Aunque le costó sonreír, de todos modos añadió la advertencia—: Tendrás un amigo de por vida si continúas rascándole así las orejas.

—Es tan grande que uno diría que es fiero —dijo Nicholas.

—Todo es puro teatro —dijo William, con un cordial desprecio por el perro—. Es tan cobarde que ni siquiera podemos cazar con él.

—Calla —lo regañó Saura—, que le hieres los sentimientos.

—Lo único que le heriría los sentimientos a este perro es que no no le diéramos comida —contestó William, irritado—. No sé por qué lo seguimos teniendo.

—Porque eres blando —dijo Nicholas.

—Porque lo quieres —dijo Saura, poniéndole una mano en la rodilla; él le dio unas palmaditas.

—Sin duda los dos tenéis razón.

—En realidad —dijo Nicholas, sentándose—, no me sorprendió mucho que William recuperara la vista. Cuando recuperó la salud, se hizo evidente que también recuperaría la vista. Los rumores sobre su matrimonio me trajeron aquí.

—¿Dónde oísteis esos rumores? —preguntó Saura.

—Ah, ¿no os lo he dicho? Charles fue el que me lo dijo. Por su forma de hablar supuse que él estaba aquí cuando ocurrió.

—¿Cuando ocurrió qué? —preguntó William.

—Cuando te volvió la vista. ¿No estaba? —Al ver que William negaba con la cabeza, se encogió de hombros—. Estaba bebido, ya sabes cómo se pone. Bebido y cabalgando, anonadado tal vez, no sé, por alguna carga que le pesaba en el alma. Y muy confuso. Me contó una complicada historia sobre ti y Arthur, la tontería de que Arthur intentó tenderte una emboscada. —Guardó silencio, pero William no dijo nada. Entonces movió la cabeza—. Sí que he pensado en qué le habrá ocurrido a Arthur. Es un chico que se deja influir muy fácilmente. Nunca me ha parecido un hombre.

—Sí —dijo William en tono grave—. Era sólo un niño.

Nicholas pegó un salto ante eso.

—¿Era? Pardiez, William, ¿qué sabes?

Lamentando haber dejado escapar esa información, no vio manera de retirarla.

—Charles tiene razón. Arthur murió.

—No… ¿Es cierta, entonces, esa ridícula historia que contó Charles?

—Fue bastante ridícula, sí —concedió William.

Bebió un trago de cerveza y apartó la jarra. No podía permitirse otro desliz como ése. Había olvidado lo astuto que era Nicholas. Su cara de mejillas anchas, cubiertas por barba nueva, ocultaba una poderosa inteligencia. Su personalidad, calmada, flemática, se expresaba a veces en estallidos de fingido entusiasmo, pero su carácter y comportamiento eran los de un hombre mayor.

Su constitución física lo excluía de cualquier hazaña guerrera; tenía los hombros no más anchos que las caderas, y su tripa atestiguaba su afición a la comida. Era calvo, sólo una franja de pelo rubio le cubría la parte de atrás de la cabeza y encima de las orejas, y tenía el hábito nervioso de pasarse la mano por toda la cabeza, como para comprobarlo. Su piel blanca de rubio se quemaba fácilmente con el sol y se descamaba con regularidad, dejándole una nariz roja que no tenía nada que ver con borracheras. En realidad, bebía muy poco, el mínimo posible, y guardaba sus secretos y pasiones con un férreo control. Sólo sus ojos, en los que brillaba un fuego interior, insinuaban su vehemente personalidad. Los ojos eran castaños, un color soso, enmarcados por pestañas rubias cortas, y los bordes de los párpados se le enrojecían por el humo, pero cuando él recordaba esos ojos, nunca pensaba en su soso color, sino en el fuego que los iluminaba.

Lo invadieron las dudas. Dudas sobre los motivos de Nicholas, dudas sobre la información que le llegaba con tanta facilidad. Sintió renuencia a contarle todas las confesiones de Arthur, y al parecer Saura sentía lo mismo.

—Arthur estaba loco de envidia —dijo ella—. Se jactaba de lo inteligente que fue al tendernos una emboscada a William y a mí.

Nicholas no dijo nada, simplemente esperó con enervante habilidad que ella continuara, pero el silencio se alargó. Inmune a esas tácticas, lady Saura estaba muy tranquila con las manos en la falda. Nicholas miró a William, haciéndole un gesto de impaciencia, y éste se relajó al ver a su astuto amigo desconcertado por su amada.

—¿Os secuestró a vos también? —preguntó al fin Nicholas.

—Nadie ha dicho que secuestrara a alguien —observó ella—. Dije que nos tendió una emboscada.

—Lo siento. Por lo que dijeron vuestros criados hoy, entendí que habíais estado ausentes, y supuse... —dejó sin terminar la frases, a modo de cebo, pero había cometido un error y lo sabía—. ¿Ahora estáis a salvo? —preguntó bruscamente, preparándose el terreno para dar marcha atrás en la conversación—. Una gran dama como vos siempre es un blanco para los sinvergüenzas. Sois hermosa y un inmenso premio en el mercado del matrimonio.

—Milord William se cuidará de eso en agosto.

William se rió, con el fin de relajar la extraña tensión que había surgido entre su mujer y su amigo.

—Lo dices, Saura, como si yo fuera a curarte de tu belleza el día de nuestra boda.

—Noo —dijo ella muy seria—. Pero ya no seré un premio cuando esté casada contigo, y tú serás el responsable de mi bienestar. Eso te curará de la temeridad.

—Compadéceme, amigo mío —dijo entonces William, fingiendo horror—. Ya me regaña.

—Rasgo femenino. Te regaña porque te quiere. —Desvió la mirada de la maravillosa cara de Saura y vio a William moverse incómodo—. Pero perdónala, porque nunca podrás curarla de una belleza tan grande como la de ella.

William se miró las manos, que tenía fuertemente apretadas en puños sobre la mesa. Ella era «la» belleza, belleza pura. Transformaba a hombres corrientes en imponentes héroes, y no se daba cuenta de cómo su apariencia estimulaba instintos caballerescos en los campesinos más toscos. ¿Alguna vez dejaría de maravillarse cuando veía esa cara de Virgen iluminada por una valentía inquebrantable? Levantó la vista y la miró, y volvió a quedar atrapado. ¿De veras la había poseído? ¿De veras la había llevado hasta una lasitud de saciedad amorosa? Ella se veía inocente, absolutamente inocente, intacta, como una niña, como una mujer.

Ella se fiaba de él sin reservas, incondicionalmente, le creía todo lo que él le decía. Sin embargo, la había hecho creer que sentía una seguridad que no sentía. Quien fuera el que intentó matarlos estaría presente en las fiestas de celebración de la boda. Podía cuidar de sí mismo, pero ella era una mujer, frágil y delicada, y lo embargaba una posesividad que no había conocido ni imaginado jamás. No tenía ninguna duda acerca de su propio bienestar, pero ese canalla se daría cuenta de que ella era su punto débil. Sólo pensar en Saura secuestrada, sola, ciega, asustada, lo hacía sudar y sentir un miedo que ningún otro peligro podría causarle. Se encargaría de tenerla segura y a salvo, resolvió. Como fuera, encontraría la manera de tenerla a salvo.

# Capítulo 12

Saura se quitó el vestido y la enagua y se friccionó los brazos para entrar en calor. Dejándose puesta la camisola para protegerse del frío, se metió entre las sábanas de la cama de la habitación soleada. La cama era muy confortable; además, alguien se la había preparado y pasado el calentador por entre las sábanas.

Los criados habían recibido la respuesta a sus dudas. En las semanas transcurridas desde el regreso de William con el contrato de matrimonio firmado, la habían tratado con respeto, como corresponde a la señora del castillo.

Se tocó los labios con las yemas de los dedos. Retenían el sabor de la familiaridad, del beso breve e intencionadamente sin pasión que le dio William cuando llegó con ella hasta la puerta del dormitorio y la dejó ahí abandonada. Sabía dulce, al placer de deseo y respeto. Él no dormiría con ella, no le haría su magia en el cuerpo, mientras tuvieran huéspedes en el castillo.

Nicholas había continuado en la casa con ellos todo el final de julio y las primeras semanas de agosto.

Soltó una palabrota corta y violenta, y hundió la cara en la almohada. Maldito Nicholas por estar ahí, y maldito William por ser tan honorable.

De cierto modo extraño deseaba que William no fuera su prometido. Ningún otro hombre podría inspirarle el respeto y el afecto que le inspiraba él. Ningún otro hombre podría hacerla sentirse culpable por ser la mujer que era.

Indigna. Inferior.

Si iba a casarse con William, y se casaría, porque era lo correcto, aun cuando eso satisfacía los deseos de su corazón, debía vencer esos sentimientos y ser la mujer que él creía que era.

Resueltamente esponjó la almohada, se acomodó bien de espaldas y se cubrió con las mantas hasta el pecho; suspirando, cerró los ojos. Al sentir una corriente de aire en la mejilla, subió más las mantas y se las arrebujó alrededor del cuello. Había olvidado cerrar las cortinas de la cama. Se incorporó y, avanzando de rodillas por la cama, corrió las cortinas. El frío la hizo meterse a toda prisa bajo las mantas y volvió a acomodarse.

El sueño se negaba a venir. Durante meses la había eludido, y sus pensamientos giraban en perjudiciales círculos, como agitados por una rueda de molino.

Los sirvientes. Su capacidad para dirigir y supervisar los quehaceres domésticos con eficiencia era el apoyo que podía ofrecer a William. La autoridad de él los tenía sometidos y ordenados temporalmente; a la larga, ella los controlaría.

La boda. Ésta había sido su primera oportunidad para demostrar que era buena castellana. El trabajo de disponer las comidas, supervisar su preparación y decidir y organizar el alojamiento para los huéspedes la había tenido ocupada desde el alba al anochecer, pero lo había hecho.

La contienda: ese tan anunciado simulacro de batalla en que todos los caballeros presentes elegirían equipo como niños jugando a la pelota y luego tratarían de golpearse con espadas. Morían hombres en las contiendas. Los combates la aterraban; de todos modos, William tenía razón: debía practicar con amigos antes de enfrentar a los enemigos. Ella no le minaría su confianza en sí mismo sugiriendo que temía por su vida; conocía más que la mayoría el valor de la confianza en sí mismo.

Ya está, estaban resueltas todas sus preocupaciones. Podría dormir. Dormir.

¿Cómo era posible que la eludiera algo que deseaba tan ardientemente? Estaba cansada; seguro que podría dormir. Se puso de costado, encorvó los hombros y se subió las mantas hasta las orejas. Las lluvias de verano producían humedad en el interior del castillo, una humedad y un frío que el fuego de los hogares no podían disipar. William le mentía; detectaba su mentira en su voz; no le decía toda la verdad, con el fin de protegerla. Deseaba dejar que le mintiera y la protegiera, pero no podía hacer caso omiso de sus instintos. Él estaba preocupado por ese bellaco que lo amenazaba. Le decía que todo estaba bien, pero no creía en lo que decía. Fuera quien fuera ese enemigo, presentaba un verdadero peligro. Podría introducirse entre los invitados a la boda y causar estragos. Podría asesinar y raptar, y ¿cómo podrían ellos identificar al culpable?

William la protegería con los métodos de un guerrero, pero ella debía defenderlo a él con los métodos de una mujer. Hurgaría y fisgonearía, estaría atenta a todas las voces. Intentaría detectar esas mentiras que con tanta facilidad salían de las bocas de los hombres, descubriría quiénes eran sus amigos y determinaría quiénes eran sus enemigos. Entonces advertiría a William de cualquier posible riesgo.

Reconocer su verdadero temor la tranquilizó. Idear un plan de defensa le sirvió para relajarse. Exhalando un último y largo suspiro, cogió la almohada desocupada del otro lado de la cama; metiéndola debajo de las mantas, la afirmó bajo el mentón, la abrazó apretándola contra su pecho, pasó una pierna por debajo y puso la otra encima. Ahora sí que podría dormir.

—Yo cuento cuatro —dijo Channing.

Entrecerrando los ojos para no deslumbrarse por la fuerte luz del sol de agosto, William observó a los jinetes que avanzaban por el camino.

—Cinco en total. Fíjate, a uno de los caballos, el que monta una mujer me parece, lo llevan con una cuerda de tiro, y uno de los jinetes lleva a un niño en un brazo.

El hombre mayor suspiró y se apoyó en el merlón.

—No es peligro, entonces —dijo.

William le puso una mano en el hombro.

—En las próximas semanas veremos a muchos jinetes subiendo por ese camino. Pero no los esperaba tan pronto. Sólo han transcurrido dieciocho días desde que llevamos el contrato a Theobald y sólo diez desde que enviamos a los mensajeros.

El jefe de sus soldados le sonrió.

—Y sólo faltan siete días para la ceremonia —dijo.

—Que Dios apresure el día. ¿Quién pudo organizarse tan rápido para llegar tan pronto? ¿Son invitados, o traen noticias?

—¿Invitados que traen noticias? —sugirió Channing.

—Sí. Mantente atento a lord Peter y los niños, pero ordena que mantengan subido el puente levadizo, y hasta que la llegada de visitantes sea fluida, que se obligue a todos los que desean entrar a decir sus nombres y el asunto que los trae.

—¿No ofenderá eso? —preguntó Channing, ceñudo, acostumbrado a los mecanismos de la guerra, pero no a los de la sociedad.

—En estos tiempos de turbulencia a nadie le extrañarán nuestros recelos. Observa con desconfianza a todos los visitantes que pasen por la puerta exterior cuando la abramos al tráfico, y llámame inmediatamente si hueles algún problema.

—Sí, milord.

—Te echo mucha responsabilidad sobre los hombros, lo sé, pero yo debo estar dentro de la torre del homenaje con mi señora para recibir a nuestros invitados.

Channing abrió la boca como si quisiera decir algo, y luego se limitó a expulsar el aliento, como si no se atreviera a hablar.

Conociendo de tanto tiempo los rasgos de su soldado jefe, William lo alentó:

—Dilo.

—Ya no tenéis por qué preocuparos de la señora y los sirvientes, milord. —Rascó el suelo con la punta del pie—. Se comenta, hasta yo lo he oído…

—¿Se comenta?

—En todo el castillo y en la aldea no se habla de otra cosa.

—¿De qué?

—Os lo he dicho. Ya nadie pone en duda la autoridad de la señora. Dicen que cometieron un error, que fueron estúpidos.

Al pensar en la insolencia de los siervos, William apretó las mandíbulas y el mentón le quedó firme como si estuviera tallado en granito.

—Sí que lo fueron.

—Bueno, no es necesario que haya alguien con ella todo el tiempo. Ahora los siervos harán lo que les ordene.

Su voz denotaba el desprecio de un soldado por los criados domésticos, pero William detectó algo más también. Retrocedió unos pasos y observó atentamente al guerrero lleno de cicatrices. Vio que Channing evitaba mirarlo a los ojos; estaba mirando hacia el camino por una cañonera entre los merlones.

—Ya están cerca —dijo.

—Yo no he estado todo el tiempo con ella —dijo William, mansamente.

—Ah, no, milord. La habéis dejado sola para que haga sus quehaceres femeninos.

William sopesó esas palabras y preguntó:

—¿Quién está todo el tiempo con ella?

—Esto…, es que…, tal vez lord Nicholas podría ayudaros en los preparativos para la contienda. O tal vez en los preparativos en el establo.

Esa insulsa sugerencia le dijo a William más de lo que deseaba saber.

—¿Hay habladurías?

Un grito de abajo salvó a Channing de contestar.

—Son vuestros invitados, milord. —Echó a correr—. Debo bajar a aprobar su entrada.

—Yo también —dijo William, corriendo a su lado.

Los gritos iban dirigidos a los hombres que guardaban la puerta exterior. William se asomó a escuchar. Tan pronto como entendió lo que gritaban, rugió:

—Dejadlos entrar. Dejadlos entrar, inmediatamente. —Girándose hacia Channing, explicó—: Son los hermanos de milady. Envía a alguien a buscar a Clare. Yo iré a buscar a Saura.

Mientras William bajaba corriendo la escalera de la cara interior de la muralla, Channing gritó la orden de que abrieran la puerta y bajaran el puente levadizo. Crujieron los maderos y chirriaron las cadenas al bajar el puente, y una fresca brisa sopló por la puerta abierta como boca cuando entraron los hermanos. William fue a ponerse entre ellos inmediatamente y se ofreció a aliviar de su carga al joven que llevaba al niño.

Dudley asintió amablemente y le pasó al pequeño de tres años. Entonces se friccionó el brazo, gimiendo:

—Resulta pesado después de tantas millas.

William le miró la cara al silencioso niño y vio una belleza similar a la de Saura.

—Éste es Blaise —declaró—. Y tú eres Dudley, el que estudia para cura. Rollo, el mayor —recibió un seco saludo del chico de dieciocho años—. Y su joven esposa. —Muy joven, se dijo para sus adentros, observando a la larguirucha niña cuyo caballo iba casi pegado al de Rollo. Le sonrió al joven que estaba desmontando con laborioso cuidado—. Tú eres John, el que se está formando en otra casa, y ya tenemos a Clare.

Cuatro pares de ojos violeta lo miraron con diferentes expresiones, y se tambaleó un poco, por la impresión de ver a su Saura mirándolo desde caras masculinas tan diferentes.

—Soy William, vuestro nuevo hermano. Bienvenidos a nuestra casa. Bienvenidos.

Dudley se deslizó de su caballo y le sonrió, diciendo:

—Gracias, William. Ha sido larga la cabalgada desde el monasterio. Me alegra haber llegado aquí.

—Y a mí —dijo John. Frotándose el trasero, hizo un gesto de asentimiento al mozo del establo que le cogió las riendas de su caballo, dándole permiso para llevárselo—. Me alegra conocer a nuestro nuevo y misterioso hermano. Theobald envió a Rollo un mensaje tan incoherente que no sabíamos qué esperar. Y entendiendo como entendemos la mente de nuestro estimado padre, pensamos si no serías tal vez un viejo jorobado de cien años.

William rió a carcajadas, tan contento que Blaise batió palmas y ni siquiera Rollo pudo reprimir la risa.

—La verdad es más increíble aún —logró resollar, riendo, dándole unas palmaditas al pequeño en la espalda.

Blaise le correspondió el gesto dándole unas palmaditas en las mejillas, fascinado por esa sonora risa. William lo abrazó, se lo pasó a John y se acercó al caballo de la esposa de Rollo.

—¿Me permitís que os ayude, milady? —le preguntó, tendiéndole la mano.

La chica miró a Rollo y, al ver su gesto de asentimiento, colocó la mano en la de él y se dejó caer de la silla.

—¿Cómo os llamáis? —le preguntó entonces él, amablemente.

—Alice, milord. —Después de mirar preocupada a su marido, enmendó—: Alice de Montreg, milord.

—Sois bienvenida. Os alegrará volver a ver a Saura.

—Ah, todavía no la conozco, milord. Lord Theobald no le permitió asistir a mi boda.

—Alice —dijo Rollo en tono firme, desmontando.

La chica pegó un salto, se ruborizó y bajó la cabeza como una niña a la que han regañado.

Rollo la rodeó con un brazo.

—Alice, todos sabemos lo despreciable que es mi padre, pero no hablemos de eso aquí en el patio, delante de los chicos del establo. —La retuvo abrazada un momento y la soltó. Bien erguido y fuerte, le tendió la mano a William—. Como ha dicho mi hermano, es un alivio verte, de verdad.

—Me siento halagado —dijo William, irónico.

—No, no te sientas halagado. Preferirte a un viejo jorobado no es un cumplido.

Sonrió, y su sonrisa era la de Saura.

William contempló a los chicos reunidos, observando su pelo negro y su piel blanca y lozana.

—Ninguno de vosotros se parece a Theobald.

—No —dijo Dudley, fijando en él sus luminosos ojos—. Nuestro padre es un hombre débil, y no pasó nada de él a ninguno de nosotros. Todos nos parecemos a nuestra madre.

—Tal vez vuestro padre se casó con ella por algo más que por sus tierras.

—Ah, sí —concedió Rollo—. La amaba. Y la odiaba. Tal como a nuestra hermanastra.

—¡Rollo!

Todos se giraron hacia el grito y vieron a Clare saltar del caballo que compartía con Kimball. El niño atravesó el puente con pies alados.

—¡John! ¡Dudley! ¡Ah, y Blaise!

Los hermanos lo rodearon como una nidada de pájaros negros embelesados al ver romperse el cascarón y ver salir a otro pajarito. Con los sonidos de la dichosa reunión llenando el patio, Clare cogió al pequeño de los brazos de John y lo abrazó con una fuerza que revelaba nostalgia. Sus hermanos le revolvieron el pelo, le rodearon los delgados hombros con los brazos y le golpearon la espalda, y cuando se apartaron para dejarlo respirar, él estaba riendo y llorando.

Sucio y despeinado por la excursión en el bosque, Kimball se puso al lado de su padre y le tironeó la manga. Sin apartar la vista de esa fraternidad masculina, dijo:

—Todos son hermanos de Saura, ¿verdad?

No era una pregunta, sino más bien una afirmación, incrédula.

Mirándolo, William asintió:

—Hermanastros. El parecido es increíble, ¿verdad?

Entró en el patio lord Peter cabalgando, acompañado por Maud montada a la grupa, y le pasó las riendas a un mozo. Desmontó, ayudó a desmontar a Maud y la sujetó mientras ella ejercitaba las piernas. Juntos se acercaron al grupo, ella cogida del brazo de lord Peter, y William le sonrió, diciendo:

—¿Éstos son tus críos pequeños?

—Sí —contestó ella, con los ojos chispeantes de placer—. Les he cambiado los pañales a todos y cada uno de ellos.

Los chicos la rodearon entusiasmados, abrazándola y embromándola y ella les correspondió los abrazos afectuosa, y luego preguntó con su habitual sarcasmo:

—¿Milady Saura ya sabe que habéis llegado?

Ellos farfullaron y se movieron nerviosos y ella les golpeó vigorosamente los traseros.

—Subid, pues.

—¿Podemos ir sigilosos para darle una sorpresa? —preguntó Dudley.

—Bromeas —ladró Rollo—. ¿Alguna vez has conseguido llegar sigiloso hasta ella?

—Jamás —reconoció Dudley—, pero piensa en lo contenta que estaría.

Todos se quedaron pensativos y William sugirió:

—Iré a buscarla y la llevaré al jardín de hierbas. Si formáis un círculo y os estáis quietos y callados, yo la llevaré hasta el medio…

—Sí, si conseguimos que Blaise se esté callado —dijo John, con los ojos brillantes, encantado.

—Ve a buscarla —ordenó Maud— y yo los guiaré hasta el jardín.

Cuando William entró en la sala grande, Saura estaba sentada a la mesa con el cocinero y el panadero repasando todas las comidas y exquisiteces que se iban a servir a los invitados. Y ahí estaba Nicholas sentado en un banco, apoyado en un codo y mirándola con esos ojos intensos.

Al oír sus pasos ella se giró hacia él.

—William, estos hombres dicen que no te gusta el pastel de lampreas frío.

Se veía tan indignada que el guerrero comprendió que su amada acababa de descubrir un escollo importante para su matrimonio. Puso un pie en el banco del lado de ella y se apoyó en la rodilla levantada.

—La manera como me gustan las lampreas es hervidas, escurridas y envueltas en pasta para darlas a los perros.

—¡William!

—Las lampreas son unas cosas largas y resbaladizas que viven en el lodo. Las lampreas calientes, preparadas de la manera que sea, son una perspectiva horrorosa. Frías, mejor ni pensarlo.

—¿Con un jarabe de lampreas extra?

Él se cubrió el estómago con una mano.

—¡Por favor! Sólo de pensarlo me ataca una grave enfermedad.

—¡Ooh, William! —exclamó ella, decepcionada, mientras él la ponía de pie.

—Salgamos a caminar —la invitó, llevándola.

—No puedo —apuntó hacia la mesa—. Tengo mucho que hacer.

—Quiero enseñarte algo.

—Pero el cocinero…

—Cuidado con el peldaño.

Aminoró el paso para darle tiempo a localizar el peldaño con la punta del pie.

—Si no organizo…

—Estamos en el último peldaño. Hemos llegado a la puerta.

—¡No puedo caminar tan rápido como tú!

Adrede él continuó caminando con pasos largos y rápidos.

—El día está caluroso.

Ella se plantó sobre la hierba del patio.

—¡No voy a dar un solo paso más!

Él la levantó en los brazos y continuó caminando.

—¡Dientes de Dios, mujer! Qué muchacha tan lenta eres.

Ella no dijo nada, pensando. Después le tocó la cara.

—William, ¿vamos a estar solos?

—No, cariño. —Le dio un rápido beso en la cara vuelta hacia él y se detuvo—. Solos no. ¿Sabes dónde estamos?

Ella oliscó.

—En el jardín de hierbas.

Él la bajó hasta el suelo y ella volvió a oliscar.

—Saura, Saura —dijo el niño pequeño, corriendo hacia ella y abrazándose a sus rodillas.

Ella lo cogió en los brazos.

—¿Blaise? —Le palpó la cara y lo abrazó con fuerza—. ¡Ooh, Blaise, cuánto has crecido! ¿Cómo llegaste aquí?

La luz brilló en su cara y alargó la mano. Al instante se la cogieron y subió la mano por el brazo de John. Él la abrazó con una fuerza como para romperle los huesos y el abrazo fue interrumpido por el indignado grito de Blaise.

—Tienes que compartirla, muchacho —dijo John, y la giró.

—¡Dudley!

El abrazo fue tierno y dulce, dos personas tanto tiempo separadas.

—Mira aquí —le ordenó Dudley, y se encontró en los brazos de Rollo.

La superaron sus emociones y se echó a llorar. Los hermanos sonrieron de oreja a oreja y tragaron saliva, contentos de que su serena hermana les llorara encima, y azorados por su debilidad femenina. Le dieron palmaditas en los hombros y la abrazaron tocándole todas las partes que podían y la ayudaron a ponerse a Blaise bien firme en su cadera.

William observaba la escena a través de una luz rosada de sentimientos, y miró alrededor para ver si había otros igualmente afectados. Alice, la esposa niña se estaba frotando la nariz con la palma como si no quisiera dejar salir las lágrimas. Fue a situarse a su lado.

—¿No es dulce? —dijo ella.

—Me hace desear haber tenido hermanos —concedió él, mirando indignado a su padre, que estaba junto a Maud, hombro con hombro.

—Ah, yo los tuve —dijo Alice—. Lo único que hacen es tirarte del pelo y escupirte durante la cena.

Como para confirmar esas palabras, Dudley metió la mano por debajo del velo de Saura y le tironeó la trenza.

—No debes pasarte todo el día llorando. Hemos traído a una persona para que la conozcas.

—¡Ay! —gritó ella, cogiéndose la trenza—. ¿Quieres decir que hay una persona desconocida aquí?

—Sí, observándote lloriquear —dijo John, con fraternal amabilidad.

—Mi esposa —añadió Rollo, mirando tiernamente a la olvidada niña.

—¡Tu esposa! ¡Has traído a tu esposa y olvidaste decírmelo, tonto! —lo regañó Saura, dándole un fuerte tirón en la barba.

—¡Ay! —aulló él—. A ella no le importa.

—¿Que llevas casado sólo un año y te olvidas de su existencia? Eres más tonto de lo que creía.

Dejando a Blaise en el suelo alargó los brazos.

Alice vaciló, pero William le dio un suave empujón hacia esos brazos. Saura la abrazó, entusiasmada.

—Alice, cuánto he deseado conocer a mi cuñada.

La muchacha balbuceó, farfulló y se puso rígida en los brazos de Saura; parecía haber retrocedido a una infancia difícil. A William lo sorprendió ver la ineptitud de la chica; Saura se quedó inmóvil, y por su cara pasó una fugaz expresión de pena. La soltó y retrocedió unos pasos.

—Qué alta eres. Tienes mucha suerte —le dijo, sonriendo, expresando simpatía y amabilidad—. Bienvenida al castillo Burke. Si necesitaras cualquier cosa, dímelo, por favor.

William miró a Saura sorprendido por ese breve saludo. ¿Qué le pasaba a su amada? ¿Estaría celosa de la esposa de Rollo? No, seguro que no; la eterna compasión de Saura por los menos dotados era algo que lo atraía más que cualquier otra cosa. Eso era algo distinto, y cayó en la cuenta, desasosegado, de que se había encontrado antes con actitudes semejantes a la de Alice, durante el tiempo oscuro de su vida. Ceñudo, intentó recordarlo, pero no lo consiguió.

Entonces Rollo avanzó y con un brazo rodeó a Alice por el cuello, atrapándoselo en la curva del codo.

—Es terriblemente joven, hermana. Sólo tiene trece años.

Volviendo a mirar a Alice, William comprendió. La chica temía a Saura, sentía miedo por la diferencia entre ellas. Tal vez le repugnaba su ceguera, tal vez simplemente estaba asustada, temiendo meter la pata. Pero su cuerpo rígido y sus ojos recelosos, que no se desviaban de Saura, contaban su propia historia. Con su aguda sensibilidad a la atmósfera, Saura no podía dejar de notarlo.

—Está bien, hermano, lo comprendo —dijo ella a Rollo.

Alargó la mano hacia William, que estaba junto a ellos, y él se la cogió y la atrajo hacia sí firmemente.

Rollo aumentó la presión de su brazo en el cuello de Alice y luego la soltó, reprobador. La chica se quedó desconcertada, tan inmadura que no se daba cuenta de que se había delatado.

—Rollo, sé bueno con ella —dijo Saura, como si supiera lo que él hacía—. Está en una casa desconocida.

—Saura —gimió Clare, como un mendigo harapiento, tironeándole la falda—. Saura, a mí no me has saludado.

Ella se echó a reír con franco placer y cogió a su hermanito en los brazos.

—Pues, no. ¿Me perdonas?

—Supongo —dijo Clare, sorbiendo por la nariz con fingida tristeza—. Kimball también se siente dejado de lado.

El chico emitió un desgarrador gemido en un descarado intento de conseguir compasión, y ella lo rodeó con un brazo también.

—¿Qué debemos hacer para tranquilizar a estos dos jovencitos tan agitados? —preguntó a William.

—Se me ocurre algo —dijo él.

El tono de su voz alertó a Kimball, que intentó desprenderse del brazo de Saura, pero ella lo mantuvo firmemente sujeto hasta que William lo cogió por el cogote. Cogiendo de igual manera a Clare, los levantó en vilo a los dos, los puso bajo sus brazos y llevándolos así salió del jardín y entró en el patio.

—¡No, padre, no!

—¡Lord William, no, por favor!

Todos los reunidos en el jardín escuchaban en silencio los gritos de los niños que iban aumentando de volumen. El chapoteo sonó fuerte y satisfactorio, y los gritos salieron temblorosos por el frío.

—¿Dónde los tiró, hermana? —preguntó Dudley, sonriendo.

—En el abrevadero para los caballos. —Sonriendo con renovado ánimo, Saura pasó el brazo por el de él—. Vamos, entremos y os daré algún refrigerio.


—Sois una mujer excepcionalmente eficiente.

Nicholas había aprendido, pensó Saura. Ya no la elogiaba por su belleza, la elogiaba por aquellas cosas que ella consideraba importantes: eficiencia, capacidad, coordinación. Su voz le acariciaba el oído: suave, con las reverberaciones nasales del llano francés normando en su acento aristocrático.

—¿Porque sé preparar una comida rápida para mis hermanos mientras se lavan? —preguntó alegremente—. Con las provisiones que hemos reunido para la boda, esta comidita no es ningún problema.

—Sois maravillosa. Pensad en todo lo que podríais hacer si tuvierais vista.

—Si tuviera vista —contestó ella, desviando la cara—, tendría la libertad para ser ineficiente. Os aseguro, lord Nicholas, que no soy maravillosa.

—No, milord, sólo es humana.

Ella sonrió al oír la sonora voz de barítono del hermano que más se le acercaba en edad, desde la galería.

—Gracias, sir Rollo. Con elogios como ése, es un milagro que haya conservado mi modestia.

—De nada, hermana. —Se oyó el ruido de sus pasos al bajar corriendo la escalera de caracol, y entró en la sala—. Milord Nicholas, habéis llegado muy adelantado para las celebraciones de la boda.

Sorprendida, Saura deseó saber qué motivaba ese brusco y casi grosero saludo de Rollo.

—¿Conocías de antes a lord Nicholas?

—Hasta que William nos presentó, no nos habíamos encontrado, pero debe de ser un buen amigo de la familia, para haber llegado tan adelantado.

Nuevamente recalcó la palabra «adelantado», y Nicholas contestó con afable educación:

—Lo soy. Soy uno de los alumnos de lord Peter. —Se levantó del banco—. Y no he tenido oportunidad de hablar con mi maestro. ¿Sabes dónde podría encontrarlo?

—Está en el patio de armas, inspeccionando los corrales del establo con William. Le alegrará veros, no me cabe duda.

El alivio de Rollo era palpable, y ella lo pellizcó en el brazo. Él hizo un gesto de dolor, pero no se movió hasta que Nicholas salió de la sala.

—¿Qué hacía aquí a solas contigo? —preguntó entonces, con voz dura.

—Es raro, pero, Rollo, es un huésped.

—No huésped mío.

—No, es huésped de William, y no tienes ningún derecho a ofenderlo.

—Tienes razón. Pero no me gustó su manera de mirarte. —Al ver que ella hacía un mal gesto, preguntó—: ¿Te ha molestado?

—No, no, ha sido útil. Fue una ayuda cuando conté los barriles de carne y vino en el sótano. Me hizo inteligentes sugerencias sobre cómo preparar cerveza en gran cantidad para la boda. Me pareció asombrosamente entendido en los quehaceres domésticos.

—Pero ¿por qué? ¿Por qué no ayuda a William?

—William dice que no le gustan los trabajos caballerescos.

—Tienes razón, es raro. —Su masculino entusiasmo al manifestar su acuerdo la hizo reír—. Pero no te preocupes de que lo haya ofendido. Cuando fui grosero, puso esa expresión de paciencia y mucha superioridad que adoptan los adultos maduros cuando los jóvenes como yo somos pomposos.

Ella se rió de su vehemencia.

—Seguro.

Él le echó los brazos al cuello y le dio un sonoro beso en la mejilla.

—¿Qué hay para comer, muchacha maravillosa? Estoy muerto de hambre.

Azorada por ese sarcasmo, ella hizo un gesto indicándole la mesa llena de comida.

—Puesto que has querido pillarme desprevenida, tendrás que conformarte con comida fiambre. —Le golpeó la mano al sentir que él la alargaba hacia la mesa—. Espera hasta que lleguen los otros chicos, ¡cerdo!

—Sí, esperaré, pero no por buena educación. Necesito hablar contigo de otra cosa.

Percibiendo nerviosismo en él, Saura le cogió la mano y lo llevó a sentarse en un banco junto al hogar.

—Por supuesto, te escucho. —Al notar que le temblaba la mano, se la apretó con más fuerza.

—Siempre estabas por nosotros, ¿verdad? Mi hermana mayor con la que podíamos contar eternamente. Amable, siempre generosa con su tiempo y comprensión. —Calló un momento y luego preguntó, en el esperanzado tono de la persona que quiere dejar para después lo inevitable—: ¿Qué has hecho con Blaise?

—Maud le dio de comer y lo acostó a dormir una siesta —contestó ella, pacientemente.

—¿Para qué necesitaba una siesta? Ha ido de brazo en brazo desde el momento en que lo pasamos a recoger en Pertrade hasta que llegamos aquí.

Saura se rió, como supuso que debía, y pasó a lo importante:

—¿Rollo? ¿En qué dificultad estás, pues?

—No soy yo el que está en dificultades. Es… mi esposa.

Saura le soltó la mano.

Él suspiró.

—Temí que te sintieras así. Lo siento, cariño, debería haberme dado cuenta, pero simplemente supuse que ella seguiría mi ejemplo. Supuse que te querría como te quiero yo. Es
dócil, fácilmente manejable, y yo podría haber hablado con ella.
—Ella guardó silencio, así que volvió a intentarlo—: Buen
Dios, Saura, es muy niña. Les tiene miedo a los sirvientes. Si
no tuviera a la vieja Lufu para ayudar, no sé qué ocurriría en
esa casa. No se atreve a hablar con las mujeres casadas por temor a que se rían de ella. —Saura estaba inmóvil, rígida, con
la cara desviada; desesperado, le suplicó—: Saura, escúchame.
Alice todavía juega con sus muñecas.

Ella suspiró y bajó la cabeza.

—De acuerdo. No le haré daño.

Él la abrazó y le besó la coronilla.

—Ni se me ocurriría pensar que le harías daño. Simplemente necesitaba explicarte, tal vez conseguir que te sientas
menos agraviada. Le enseñaré, hermana, a apreciarte.

—¿Enseñarle? —rió ella, la risa teñida por cierta amargura—. ¿Por qué tendrías que enseñarle? ¿No puede ella darme
la misma oportunidad que le da a cualquier otra persona?
Tengo dos manos que sirven, una mente que razona, un corazón que ama. ¿Soy menos que otra mujer? Si fuera vieja y
ciega, si me pasara la vida sentada en una silla, las personas
me darían palmaditas en la cabeza y me arrullarían. Pero co-

mo no me paso la vida sentada, se desentienden de mí o hablan por encima de mi cabeza como si yo no estuviera ahí o me tratan como a una idiota.

—Tienen miedo. Temen que tengas poderes mágicos, porque las conoces por su olor y el sonido de sus pisadas. Temen que les veas el alma, porque sabes cuándo mienten.

—¡Eso es estúpido! ¿No se dan cuenta de que debo usar los oídos, el olfato y el tacto para ver el mundo que me rodea? ¿Harían menos ellas?

—Simplemente no piensan. Alice, sobre todo. Pero es una niña buena, deseosa de complacer, patéticamente insegura. Si pudieras verla, lo comprenderías. Es como un cachorro, toda piernas y brazos, pies y manos grandes. Mi esposa es muy inmadura, aún no está formada.

Saura detectó algo en su voz que le captó la atención.

—¿Tu esposa? ¿Lo es realmente?

Él se rió, una risa corta, irónica.

—Lo has adivinado, ¿eh?

—Son mis poderes mágicos —replicó ella—. Eso y tu frustración.

—¿Tan evidente es… que aún no es mi esposa?

—Sólo para mí. Te conozco muy bien. ¿Cómo lo llevas?

Él se levantó y comenzó a pasearse.

—Normalmente, no es un problema. Todavía no me han armado caballero y viviré con lord Jennings hasta que haya terminado mi formación. Alice vive en mi propiedad principal, Penbridge, y ahí aprende lo que debería haber aprendido de su madre. Cuando estoy en casa, dormimos en habitaciones separadas. El único problema llega cuando…

—¿Cuando qué?

—Cuando debemos ir de visita y la anfitriona tiene la consideración de ponernos juntos en una cama.

—¿Y?

—A Alice le gusta muchísimo. Dice que conmigo está más abrigada y cómoda que con sus muñecas.

Lo dijo con tanta desolación que ella no pudo evitarlo; se echó a reír.

—Uy, pobre Rollo, pobre, pobre Rollo.

Él le tironeó la trenza, fastidiado, y fue pisando fuerte hasta la mesa, cogió un trozo de pan y se lo echó en la boca.

—Esa risa es un sonido agradable —dijo Dudley desde la puerta.

—Sí, y me hace desear estrangularla —dijo Rollo mirando a su risueña hermana con una irritación nada fraternal.

—Me gustaría saber si su risa tiene el mismo efecto en William.

Los hermanos guardaron silencio pensándolo, hasta que Saura dijo:

—No todavía.

—Mmm —musitó John, y luego añadió, fastidiado—: ¿No podías haber tenido a este cerdo lejos de la comida hasta que llegáramos?

—No, fue imposible —contestó Saura, y soltó otra carcajada—. Muchísimas gracias, Rollo. He echado terriblemente de menos tu humor, y necesitaba un chiste.

Los hermanos se miraron largamente por encima de la cabeza de ella, y entonces Dudley cogió dos empanadillas y comenzó a lanzarlas al aire y cogerlas, con despreocupada habilidad.

—Estoy haciendo malabarismos con tus empanadillas de carne —avisó.

—¡Para! —exclamó ella, recuperando la seriedad—. Se te caerán al suelo.

—Primero dime por qué necesitabas un chiste.

—Dudley, pusimos esteras nuevas la semana pasada.

—Los perros les echan babas.

—Será mejor que se lo digas, hermana —sugirió John—. Se les está saliendo la carne.

—No puedo permitirme desperdiciar empanadillas —ladró ella.

—Después lo haré con palillos de tambor.

—¡Animal! ¡Para! Toda mi vida ha cambiado. Me voy a casar y el novio es mucho más de lo que habría esperado, soñado o merecido. ¡Tengo derecho a sentir cierta tensión, supongo! —El juego malabar se hizo más lento y paró—. ¡Y nunca serás un buen monje con esa horrible costumbre de chantajear!

—Todo lo contrario. Usado juiciosamente, el chantaje obliga a hacer confesiones a mujeres tercas que, si no, no dirían ni una sola palabra.

—Te contentas con poco —comentó ella.

—Escucho con mi corazón —contestó él.

Ella sintió un cierto desasosiego, pero la distrajo el ruido de fuertes pisadas en la escalera que subía del patio. Se levantó justo cuando los niños entraron en la sala.

—¡Yo se lo diré! —gritó Kimball.

—¡Tu padre dijo que se lo dijera yo! —gritó Clare.

—No escucharé a ninguno de los dos si no sabéis una manera más educada de entrar en una habitación. —Oyó tropezar a Clare; si fue por torpeza o porque Kimball lo empujó, no lo captó—. Venid aquí los dos —ordenó—, situaos delante de mí.

—Se adivinan problemas cuando ella habla en ese tono —canturreó John.

—A mí todavía me hace temblar —convino Dudley.

—Basta —les dijo ella, y luego a los niños—: Muy bien. Lord William me envió un mensaje. ¿A quién se lo dio?

—¡A mí! —dijo Clare, enérgicamente.

—Pero yo soy mayor —protestó Kimball.

—Y capaz de más responsabilidad —concedió ella—. Entonces debemos enseñarle a Clare esa misma responsabilidad, y así es como se la enseñamos. —Puesto que Kimball no dijo nada, le echó suavemente un mechón de pelo hacia atrás—. ¿No es correcto eso?

—Sí, milady.

—Dicho como un verdadero caballero —lo elogió ella—. Ahora, Clare, ¿cuál es el mensaje?

—Lord William pensó que te gustaría que te avisáramos. Sir Charles ha entrado en el patio con su séquito y se ve más polvareda en la distancia. Los invitados están llegando pronto.

—Ah, caramba. —Volvió a sentarse en el banco—. Tres días antes. Gracias a Dios, tengo adelantados muchos de los preparativos. Pero nada puede remediar una comida fría en la mesa, y las camas sin preparar.

Pero la verdad le produjo un escalofrío en el interior. El peligro se acercaba con la llegada de los invitados al castillo. ¿Quién mantendría a William a salvo del peligro en ese momento?

# Capítulo 13

Desviando la vista del joven semental que estaba evaluando, William miró hacia los jóvenes que estaban observándolo. Estaban en hilera fuera del corral: Rollo y Dudley, en los extremos, y John y Clare, en el medio, con Blaise entre ellos cogido de las manos. El dorado sol de la tarde les daba color a sus rostros blancos e iluminaba sus solemnes expresiones para su observación. Incluso Blaise, absolutamente ignorante de la misión de los hermanos, lo miraba fijamente sin pestañear.

Liberado de su rígido control, el destrero se encabritó e hizo unas cuantas cabriolas.

—Salgo, ¿verdad? —les dijo.

Afirmando una mano en lo alto de la puerta, pasó al otro lado de un salto. Al llegar al suelo les indicó que lo siguieran. En el rincón cubierto de paja, al lado del heno apilado, colocó dos bancos y una banqueta en el medio, más o menos formando un semicírculo y los invitó a sentarse. Ellos ocuparon los bancos, dos en cada uno, y él se sentó en la banqueta. Blaise se tendió en el medio sobre la paja.

Apoyando sus grandes manos en las rodillas, los miró uno a uno a los ojos.

—¿Queríais hablar conmigo?

Dado el permiso, los hermanos se miraron y Rollo asintió:

—Acerca de varias cosas, milord. La primera, y tal vez la más importante, es la historia que nos trae John.

William se volvió hacia John y éste enderezó la espalda bajo el peso de tantos ojos serios.

—No quiero que pienses que deseo darme importancia repitiendo cuentos, pero ésta es una historia muy fantástica. Creo que debo avisarte. Soy alumno de sir Hutton de Gent. No es un terrateniente rico y no puede proveer bien a los caballeros que contrata. —Dados los antecedentes, hizo una respiración profunda; la noticia que traía le pesaba en los hombros—. Uno de esos caballeros se marchó de Gent hace ocho días para ir a Londres en busca de fortuna, y llegó de vuelta sólo pasados cuatro días.

—Cabalgó como el viento —comentó William.

—Sí, porque traía una importante noticia. Ha muerto Eustace.

—¿Eustace? —William pareció perplejo un momento y de pronto enderezó bruscamente la espalda—. ¿El hijo del rey Esteban?

John asintió.

—Su hijo mayor y heredero. ¿Es eso el juicio de Dios por haber usurpado el trono de Inglaterra?

—Podría ser. Si es cierto. Muchas veces estas historias sólo son rumores que corren de lugar en lugar por canales ocultos.

—El caballero es honorable, milord, y vio lo suficiente para convencerse.

William movió tristemente la cabeza.

—Esteban tiene otro hijo, y el hijo de Matilda reclama el trono, con más derecho, creen algunos, que cualquier hijo de Esteban. Qué terrible es el torbellino en que nos encontramos… Gracias por decírmelo. Si un invitado hubiera traído la noticia, tal vez yo no habría sabido llevar la conversación con inteligencia. Con un hecho como ése, Dios lo sabe, habrá luchas entre los terratenientes, los caballeros, las mujeres.

Los chicos asintieron al unísono, incluso Blaise, que los miraba con los ojos agrandados por la perplejidad. William se rió al ver la grave imitación en la cara del pequeño, y le revolvió el pelo.

—Pero no es por eso que queríais hablar conmigo. ¿Qué otra cosa os preocupa?

Nuevamente los hermanos se miraron y nuevamente John fue el elegido para hablar:

—Cuando nuestro padre nos envió el mensaje diciendo que Saura se iba a casar, cada uno tomó el camino más rápido a Pertrade, y lo encontramos retorciéndose las manos y lamentando la pérdida de esas tierras, pero no logramos obtener más información de ese lastimoso… —no terminó la frase—. Aún no sabemos por qué deseas casarte con ella.

A William se le curvaron los labios en una leve sonrisa.

—¿Tan raro es que desee casarme con una joven hermosa?

—Que es ciega.

—¡Condenación! —exclamó William; ya había oído eso demasiadas veces—. ¿Tan importante es eso?

Asombrados, luego complacidos, los hermanos se movieron en sus asientos y volvieron a quedarse quietos, ya cómodos con la actitud de William.

—No, en absoluto —dijo John—. Pero es más vulnerable que otras mujeres. ¿Estás preparado para protegerla?

De la cara de William desapareció toda expresión, y sus ojos brillaron de intensa concentración.

—¿Qué habéis oído? —preguntó.

—Nada, pero es una mujer que necesita más protección que una mujer que tiene su vista. Sólo queríamos… Un momento. ¿Qué deberíamos haber oído?

—Que los secuestraron —soltó Clare.

Todos sus hermanos lo miraron. Se puso rojo y se encogió cuando William hizo una ruidosa carraspera.

—¿Los secuestraron? —repitió Rollo, en un tono de infinita paciencia.

Clare asintió, mirando a William y luego a su hermano mayor.

—Cuéntanos eso, Clare, muchacho —ordenó Rollo.

William observó atentamente al niño, esperando que decidiera de que lado estaba su lealtad, si con sus hermanos o con el caballero que lo estaba educando. Finalmente Clare le dijo a Rollo:

—Si milord William cree que debéis ser informados, él os lo contará.

Entonces bajó la cabeza, avergonzado y no del todo seguro de haber hecho la elección correcta.

Rollo le dio unas palmaditas en la mano y John le pasó el brazo por los hombros, abrazándolo. Observándolos, William decidió que el deber que le exigía querer a los hermanos de su mujer podía extenderse a tenerles respeto y simpatía.

—En la historia hay algo más de lo que podría explicaros Clare, y me alegrará contar con vuestra útil vigilancia.

Dejando eficientemente de lado ciertos detalles, les contó lo del accidente que lo dejó ciego, lo del secuestro y lo del continuado peligro proveniente de un misterioso personaje. Ellos lo escucharon en silencio, incrédulos, hasta que concluyó:

—¿Seguís aprobando mi plan de casarme con ella?

Ante su sorpresa, ellos se rieron, con diversos grados de ironía y asombro.

—Ah, no hay ninguna duda de nuestra aprobación. ¿De qué serviría que lo desaprobáramos? Ella ha decidido tenerte y te tendrá. No nos agradecería que nos entrometiéramos.

—¿Por qué, entonces, no desea casarse? —preguntó William.

—¿Por qué dices eso, milord? —preguntó Rollo.

—Ah, sí que se casará conmigo, pero de mala gana. Preferiría vivir en la sombra, aceptando trocitos de mi atención, según sea mi disposición y buena voluntad. —En su voz salió la amargura, y uno a uno los hermanos dejaron de mirarlo y bajaron los ojos; de esa reacción dedujo más de lo que ellos deseaban—: O sea que sabéis por qué. Explicadme este misterio, por favor, porque me duele este golpe a… a mi orgullo.

Los chicos miraron a Dudley, esperando que hablara él.

—Ése es el legado de mi padre —dijo amablemente.

—¿Cómo puedes decir eso? No le ha dado nada.

—Como el hada maléfica en el bautizo, mi padre nos regaló a todos algo vil.

William los observó. Ya no estaban sentados con indolente garbo, sino que se movían inquietos como si a los bancos les hubieran brotado astillas.

—Somos hombres, sin cicatrices, perfectos por fuera —explicó Dudley—, pero por dentro, Theobald nos ha influido. —Se tocó el sencillo crucifijo que llevaba colgado al cuello, primer gesto de nerviosismo que William le veía hacer—. John no bebe vino, en ninguna cantidad; tiene miedo del monstruo que mora dentro de cada hombre y espera una falta de autodominio para saltar. Rollo jamás golpearía a su esposa, por mucho que ella se lo mereciera; aborrece la crueldad con las mujeres. Yo, bueno, gracias a Dios, mi vocación me libera de las complejidades de la familia, porque llevo en mí un enorme miedo de herir a alguien de palabra o de obra.

—¿Y yo? —preguntó Clare, con inocente confianza.

Dudley le sonrió.

—Tú eres perfecto. —Viendo que el chico seguía mirándolo, esperando, añadió—: A veces creo que eres un poquitín tímido.

A Clare se le llenaron los ojos de lágrimas, como la repentina aparición de una tormenta de verano.

—¿De verdad crees que es tímido? —dijo William—. No lo había notado.

La sonrisa del niño apareció tan repentinamente como antes sus lágrimas, y Dudley le hizo un guiño a su futuro cuñado.

—Comprendo —dijo William, muy serio—. ¿Y este pequeño debe de llevar una cicatriz también?

—Tengo una costra en la rodilla —dijo Blaise, muy claramente—, y una en cada codo, pero mi mamá dice que no dejarán cicatrices.

William lo miró asombrado.

John se rió.

—¿Es la primera vez que lo oyes hablar?

William paseó la mirada por los hermanos, que estaban estirados de orgullo y diversión.

—Sí. ¿Lo entiende todo?

—Y dice poco —dijo John, asintiendo—. Pero cuando hable, será nuestro diplomático, en serio. Nuestro padre le tiene miedo, nuestra pequeña madrastra lo protege. Ella no vale nada como castellana, pero es fieramente protectora, como una madre.

William se frotó los ojos, diciendo.

—Ahora decidme cuál es la cicatriz de Saura.

—Su sentimiento de indignidad, de no valer nada.

Recordando las historias que le había contado Maud sobre los malos tratos de Theobald, William comprendió.

—Pero yo no soy un gran premio.

—Falsa modestia, milord. Eres muy rico, el único heredero de una gran familia. Eres el mejor guerrero de Inglaterra y muy admirado.

—Tengo un mal genio tremendo, soy tosco e inculto, no me interesa la política ni la vida en la corte. En invierno me siento junto al hogar y en verano cabalgo por los bosques. Me gusta luchar, folgar y comer. ¿Os parece que soy un gran premio en el mercado del matrimonio?

—Pareces un hombre sencillo.

William se encogió de hombros como para desmentir eso.

—Soy sólo un hombre, y uno al que le cuesta creer que Saura combate con los demonios en su interior. Es la mujer más tranquila que conozco.

—Cuando no te hace desear asesinarla —dijo Rollo en tono quejumbroso.

—Cierto. Es tozuda, francota.

—Resuelta, inteligente —aportó John.

—Mandona —añadió Clare, con tanto disgusto en la voz que todos se rieron.

Dudley juntó las manos en el regazo y se apresuró a decir.

—Esto nos lleva al tema que es mi deber jurado hablar contigo.

Como empujado por un muelle, Rollo se levantó y se quitó el polvo del trasero.

—Momento de marcharme.

John también se levantó.

—Ya pasó el tiempo. Ha sido un placer, milord.

Sorprendido, William los observó dirigirse a la puerta casi corriendo.

—Cobardes, volved aquí y sentaos —les dijo Dudley. Ellos se detuvieron en la puerta, dominados por la autoridad en su voz, pero renuentes a volver—. Sabéis que esto hay que decirlo. Os avergonzaría si una enfermedad fuera consecuencia de vuestra renuencia a intervenir entre marido y mujer. Lord William nos perdonará la intromisión y lo atribuirá a preocupación de hermanos.

Los dos hermanos entraron, pero su renuencia crujía en el aire. John se sentó en un extremo del banco y Rollo se quedó de pie detrás, cambiando el peso del cuerpo de un pie al otro. Clare los miró, extrañado por su desasosiego, y Blaise se echó un puñado de tierra en la boca y la masticó con evidente placer.

—Eso no es buena comida para ti, mi muchacho —le dijo William—. Levántate.

Blaise se puso de pie y él lo miró de arriba abajo.

—¿Qué edad tienes?

—Cuatro años, señor —contestó el niño al instante.

—¿Por qué comes tierra?

—Porque sabe bien.

William no se rió, y le agradó poder refrenarse.

—Cualquier muchacho que tiene edad para montar a caballo es muy mayor para comer tierra.

—¿Montar a caballo? —dijo Blaise, animado, pero enseguida preguntó, desconfiado—: ¿Quién me enseñará?

William se inclinó hasta dejar los ojos al nivel de los del niño.

—Yo, y nunca falto a mis promesas.

Blaise lo pensó.

—Como quieras, señor. No comeré más tierra, y no faltaré a mis promesas tampoco.

Se limpió los bordes negros de la boca, se sentó a los pies de William y se cruzó de brazos.

Él le apartó unos largos mechones negros de la frente.

—Lleva el pelo demasiado largo.

—Es un demonio cuando se enfrenta a las tijeras —se disculpó John.

—Yo me ocuparé de eso. —Le echó un puñado de paja encima de la cabeza y el niño lo cogió y se lo echó a él—. Ahora bien, ¿qué te preocupa, Dudley?

El joven monje volvió a juntar las manos, entrelazando los dedos con mucha precisión, y se aclaró la garganta.

—La Madre Iglesia nos enseña muchas cosas acerca de las mujeres. Son las descendientes de Eva, todas tentadoras, y por su pecado deben someterse a sus padres y después a sus maridos. Son frívolas y ligeras de cascos, y es el deber del marido disciplinar a su esposa. Una esposa indisciplinada es una que gobierna la casa en detrimento de todos. A las mujeres no se las debe golpear con demasiado vigor, ni con una vara más gruesa que el pulgar de un hombre. —Levantó el pulgar para ilustrar el punto y luego desvió la mirada de William y la fijó en su mano—. Nuestra hermana Saura es a veces una mujer difícil. Como hemos comentado, es resuelta y muy franca. Es sincera hasta el exceso y, lo peor de todo, es inteligente.

—Lo he notado —dijo William en un tono a rebosar de sarcasmo.

—De todos modos, es nuestra hermana y la queremos. Cuando nuestro padre le pegaba, ella no podía hurtarle el cuerpo ni correr, y siempre era un golpe horrendo. Me parece que es un acto de cobardía golpear a alguien que no ve.

—Lo que quiere decir —interrumpió Rollo, impaciente— es que si golpeas a Saura tendrás que responder ante nosotros.

William dejó de echarle paja en la cabeza a Blaise y los miró atentamente.

—Dado que no tiene padre que me aconseje, vosotros asumís ese deber, ¿eh, muchachos?

—Sí, señor —contestó John. Frunció el entrecejo, preocupado—. Es decir, no, señor. No lo decimos para aconsejarte, sino para explicarte que, en ausencia de la defensa de un padre, Saura tiene hermanos que la defienden.

—Sois hombres buenos —dijo William, y ellos se relajaron—. Permitidme que os tranquilice. Rara vez golpeo a mis criados. Tienen que hacer gala de una crueldad muy constante para merecer esa atención, e incluso en ese caso los golpes no curan un temperamento malvado. —Pensó en Hawisa, que seguía sembrando cizaña en la cocina, y suspiró—. Es débil el hombre que debe recurrir a la disciplina física. Es necesario que los sirvientes nos respeten por lo que hacemos y no sólo por lo que somos. Y nunca golpeo a mis mujeres, por mucho que se lo merezcan.

Los chicos sonrieron y se levantaron, y arrastraron los pies por el suelo.

—¿Hay algo en que podamos ayudar para preparar esta celebración, milord? —preguntó Rollo, al parecer nervioso—. ¿En preparar las cacerías o en el establo? Si nos quedamos dentro de la casa. Saura nos obligará a hacer trabajos de mujeres.

—Gracias. Puedo teneros ocupados en los preparativos de la caza de jabalíes, que será dentro de dos días, y para la contienda en la víspera de la boda. En realidad, vuestro trabajo fuera me dejará libre para velar por Saura dentro de la casa. Cuando un hombre se hace viejo, como yo, prefiere estar dentro y ayudar en los trabajos de mujeres antes que trabajar fuera limpiando de estiércol.

—Ah, no —dijo John—. Lo más probable es que desees vigilar a los invitados.

—Sí —suspiró William—. Este rumor de la muerte de Eustace me preocupa, no voy a mentir. ¿Qué le va a ocurrir ahora a mi pobre Inglaterra?


—Tal como yo lo veo, las cosas van a mejorar o van a empeorar —declaró Charles, moviendo su jarra con energía de borracho, y miró sorprendido cómo se extendía la mancha de cerveza en el mantel.

Fuera, el brillante sol de verano estaba alto en el cielo y calentaba a los sirvientes que estaban terminando los preparativos para la contienda, pero en la sala grande los hombres discutían.

—Si el rumor es cierto y Esteban ya no tiene un heredero formado —dijo lord Peter con expresión adusta y severa—, pardiez, ¿quién va a gobernar Inglaterra a su muerte? Estos últimos años negros de desorden serán nada comparados con el horror de una Inglaterra sin un rey.

—Está Enrique, el hijo de la reina Matilda, que exige el trono, y si no se lo dan habrá dos ejércitos marchando por nuestras tierras otra vez —pronosticó Nicholas con delicada precisión—. Cuando mis criados tengan que pasar su tiempo reconstruyendo sus cabañas quemadas y las cosechas sean pisoteadas por los caballos, mis cuentas caerán en malos tiempos.

—Lo único que te importa es el dinero —dijo Charles, despectivo—. Como un maldito comerciante.

Nicholas se levantó, con la cara roja, por el insulto.

—¡Eso es mejor que lo que haces tú! Borracho antes de la comida de mediodía, y sin un bacín para orinar ni una ventana para arrojar fuera la orina.

Los invitados reunidos en la sala grande, doscientas personas, estaban enzarzados en una cháchara a gritos de conflictivos optimismo y pesimismo. William se levantó y golpeó la mesa con el puño.

—¡Silencio! —rugió.

Deseaba de todo corazón que esa historia de la muerte de Eustace no hubiera llegado pisándole los talones a su anuncio de la boda. A los pequeños aristócratas rurales reunidos en su sala grande los había maravillado la noticia de que lord William de Miraval se iba a casar, y se apresuraron a hacer los preparativos para asistir a la boda. Entonces pasó como un vendaval el rumor de esa muerte y de la confusión generada por ella, y la prisa se convirtió en frenesí. Antes que se produjeran las consecuencias de la situación de Esteban sin heredero, galoparon hasta Burke a dar la noticia y a intercambiar opiniones. Con ellos traían jinetes de escolta que los protegieran en el camino, traían a sus criados, y todos llegaron antes de la fecha fijada, a darse banquetes, dormir y discutir.

Ante su imponente autoridad se fue acallando poco a poco el griterío, aunque continuaron algunos murmullos sibilantes.

—Las elucubraciones no nos servirán de nada. Menos de cien años atrás Guillermo el Conquistador se apoderó de esta isla y la dividió entre sus hombres, y este bastión no caerá.

—Bien dicho —dijo la animada voz de un polvoriento hombre desde la escalera—. Acabo de llegar de Londres, cabalgando a la mayor velocidad para asistir a tu boda, dejando atrás grandes sucesos.

—¡Raymond! —exclamó William; saltó por encima del banco y corrió hacia su amigo. Abrazándolo, susurró—: He estado preocupado.

—Todo está bien —contestó Raymond en un susurro, y luego añadió en voz alta—: Todo está bien, y mejor de lo que ha estado estos últimos años de oscuridad. Esteban reconocerá a Enrique como al futuro rey de Inglaterra.

Paralizados por la sorpresa, ningún criado se movió, ningún señor respiró. Por fin descendió el silencio sobre la sala.

Lord Peter bajó la copa que se llevaba a los labios.

—¿El cachorro angevino? ¿Le has visto?

—Sí, y es un gran hombre también —contestó Raymond, entrando. Sus espuelas tintineaban, detrás de él cojeaba su escudero cubierto de barro, y los ojos le brillaban de entusiasmo—. Es todo lo que Esteban no es: decidido, enérgico, vigoroso. Es un hombre con el que es fácil hablar, pero uno que no necesita hacer alarde de genialidad, porque lo rodea un aire de majestad, como una capa. —Su voz denotaba convicción, y gesticulaba con las manos revelando entusiasmo—. En estos momentos los amanuenses y sacerdotes están resolviendo y redactando las condiciones o cláusulas de la sucesión. Esteban habla de adoptarlo como su heredero.

—¿Su heredero? —dijo lord Peter—. ¿Es cierto, entonces, que Eustace murió?

—Absolutamente cierto. Se marchó de la corte resentido. Comprendió que a su padre lo obligarían a renunciar al trono en favor de Enrique y eso no le sentó bien. Dicen que por la mañana saqueó la abadía Bury Saint Edmunds, a mediodía se sentó a comer, se atragantó con un bocado de anguilas y murió asfixiado.

William reflexionó sobre esa muerte con lúgubre intensidad.

—Apropiado final para el impío Eustace «y» para las anguilas.

—Esteban tiene otro hijo —dijo lord Peter—. ¿Qué pasa con él?

—Su otro hijo se va a conformar con las tierras que gobernaba su padre antes de ser rey de Inglaterra, y Esteban salva la cara con esta adopción. Dice que Enrique lo va a suceder por designación de él. Yo digo que Enrique lo va a suceder por su madre, la legítima reina de Inglaterra. Va a recibir lo que le corresponde por derecho.

—¿Qué cláusulas están discutiendo? —preguntó lord Peter.

—Ésa es la espina. Enrique no quiere reconocer a los actuales propietarios el derecho a poseer las tierras que Esteban les otorgó por ser sus partidarios, porque lo considera un usurpador. —Se oyeron varias exclamaciones en la sala, y Raymond paseó la mirada por todos, con los ojos brillantes y divertidos—. Ah, sí, buena gente. Habrá cambios en Inglaterra.

William lo observó y le pareció que estaba embriagado con el narcótico del poder.

—Traed una copa de cerveza a lord Raymond para que calme su sed y acompañadlo a la mesa principal, donde… —miró y sonrió—, donde milady ya ha ordenado que le dispongan un lugar. ¿Puedes comer y hablar al mismo tiempo, Raymond?

—No debo llevar mi suciedad a la mesa —rió su amigo—. Llevo la mitad de Inglaterra en mis botas.

Saura dejó su lugar y se le acercó.

—He ordenado que lleven agua caliente a la habitación soleada; ahí podéis lavaros rápidamente y volver a estos oídos que esperan.

Aceptando con un gesto de asentimiento, él la siguió hasta su habitación. Todos los ojos fueron tras ellos, impacientes por oír historias sobre la monarquía a alguien que sabía la verdad.

Saura le indicó con un gesto las humeantes palanganas, las criadas y las toallas, y se disculpó.

—Perdonad que no os ayude a lavaros, milord, pero se me necesita en la sala. Os dejo a mi competente doncella, y si deseáis algo, dadle la orden, por favor.

—Esperad. —Raymond se le acercó y le levantó el mentón—. Así que vos sois lady Saura. No nos hemos conocido oficialmente.

A ella se le curvaron los labios en una leve sonrisa.

—Sí, lo había olvidado. Las cosas me han caído encima con tanta rapidez que descuido las cortesías.

—Sois hermosa —dijo él—. No había esperado eso.

—¿Hermosa?

Se sintió presa de una angustia horrorosa. Hermosa. Ésa era una palabra que no deseaba oír. Sólo la noche pasada, cuando atravesaba el patio desde la cocina, había creído oír una voz ronca susurrándole «hermosa». Le pareció oír pasos a su lado, más allá del largo de su brazo. Tuvo la impresión de estar acosada por un hombre peligroso, pero cuando se giró a enfrentarlo, no detectó a nadie.

—Sois hermosa —repitió Raymond, sacándola de sus imaginaciones.

—Y vos estáis cansado —contestó ella—, eso explica que el controlado y callado lord Raymond haya soltado las ataduras de su autodominio.

Le apartó la mano de su mentón y al instante él le puso las manos en los hombros, impidiéndole alejarse.

—Yo le hablé de vos a lord Peter.

—¿Qué? —preguntó ella, asombrada—. ¿Cuándo?

—Todas estas lunas atrás, cuando William quedó ciego y necesitaba a alguien que lo ayudara. Le hablé a lord Peter de Saura de Roget.

Ella buscó en su memoria.

—¿Habéis estado de visita en Pertrade?

—No. —Le friccionó los hombros y a ella le pareció que estaba sonriendo—. Pero había oído historias a un caballero que sí estuvo de visita. Historias fantásticas sobre una hermosa joven ciega que lo sabía todo, que caminaba sin ayuda y le llevaba el gobierno de la casa a su ruin padrastro. Cuando vi la desesperación de lord Peter, le conté esas historias. Yo soy el responsable de vuestro matrimonio.

—Ah, así que vos sois el hombre culpable. —Desentendiéndose de las manos que le friccionaban los hombros, puso escarcha en su voz—: ¿Por qué no me hablasteis la última vez que estuvisteis de visita?

—¿Hablarle a la misteriosa lady Saura que había mejorado la comida en Burke? Si vos no queríais mostraros, ¿quién era yo para hablaros?

A ella le giraban los pensamientos en la cabeza. Él sabía de ella, pero no dijo la verdad a sus amigos. Había profundidades en Raymond, profundidades que no entendía. ¿Debía fiarse de él?

—¿Estabais escondida en el rincón? —bromeó él.

—Era más cómodo —explicó ella.

—Y ahora, pobrecilla, William os ha obligado a actuar delante de todos.

—Pago el precio del matrimonio —repuso ella tranquilamente.

—El matrimonio en que toda mujer insiste.

—No mi mujer —dijo William entrando, bloqueando la vista desde la sala. Muy pausadamente apartó las manos de Raymond de los hombros de ella—. Preferiría ser mi meretriz.

—Pero William es infinitamente honorable —bromeó Raymond—, insiste en el matrimonio. —Movió el cuello para aflojar la tensión del cansancio, y un leve matiz de pesar entró en su voz—: Buen Dios, debo de estar cansado.

William pasó un brazo por la cintura de Saura y la giró para llevársela.

—¡Un momento! —exclamó Raymond. Avanzando el paso, se situó delante de ella y la miró atentamente—. Dame un paño mojado —ordenó a la criada. Cogió el paño y suavemente lo pasó por el mentón de Saura—. Os ensucié la cara.

Ella se rió, una exquisita risa musical de placer, y él la miró como si estuviera hechizado. Se inclinó hacia ella y le besó suavemente la mejilla.

—Bienvenida a mi corazón, lady Saura.

—Muchas gracias, milord —contestó ella, haciendo una reverencia.

—Quítale la suciedad de la mejilla, Raymond —ordenó William hoscamente—, para que podamos salir a terminar nuestra comida.

Sonriendo, Raymond obedeció, limpiándole la mejilla. Entonces William le cogió la mano y entrelazando los dedos con los de ella contempló la piel blanca de su cara matizada por un leve rubor. Sí que era hermosa, debía comprender que Raymond se fijara en su belleza. Pero prefería esos días pasados cuando ella era de él, la tenía para él, para mirarla sólo él.

¿Había sido de él realmente? Le parecía que había pasado tanto tiempo que no lo recordaba. Parecía una princesa, intacta, pura; y generosa con las curvas de su cuerpo para tentarlo. La instó a dar un paso hacia él y ella se le acercó bien dispuesta, apretando la cadera contra su muslo. El contacto hizo salir el pensamiento que tenía guardado en un recoveco muy al fondo de su mente: besarla y demostrarle a Raymond de quién era ella. La acercó más, le puso la mano en la espalda a la altura de la cintura y arrimó a él su arrebolada cara. Ella le cogió los brazos para mantener el equilibrio y levantó la cara con dulce disposición. Lo invadió un repentino y halagüeño placer ante el calor de sus cuerpos tocándose, y la levantó hasta dejarla de puntillas. Con voz suave y dorada como la miel musitó:

—Eres baja para mí, pero me gusta eso. Me gusta levantarte hacia mí, me gusta sobrepasarte en altura. Me hace sentir que sólo yo puedo protegerte y mantenerte a salvo de todo mal.

Era cielo e infierno. Cerró los ojos para dejar fuera al mundo y con su instinto de búsqueda le encontró los labios. Los tenía entreabiertos, invitándolo a darse un festín de locura, incitándolo a introducir la lengua y crear fantasías para los dos. No lo hizo. La besó en los labios, con un suave roce, raspándole ligeramente la boca con la barba, impulsándola a aferrarse a él con estremecimientos de dicha. Deseó llevarla a la cama, que estaba tan cerca, pero la parte de conciencia que le quedaba se negó, por motivos que no logró recordar.

Aquel recoveco de su mente, el que primero le sugirió esa locura, continuó insistiendo en que debía darle placer en ese mismo momento, pero la parte noble no le hizo caso y lo sacó de ese foso.

Ella continuó abrazada a él, y del fondo de su garganta salía un ronco gemido, y con una mano en su cintura lo retuvo apretado contra ella. Él cerró los ojos al mundo otro momento más, saboreando el sonido y su contacto, luego la soltó, bajándole los talones al suelo, y abrió los ojos. Eso fue casi un error. Ella tenía echada hacia atrás la cabeza, todavía pidiéndole atención. Tenía los labios hinchados, las mejillas casi rojas y guedejas de pelo negro pegadas en la frente.

Por Nuestra Señora de la Fuente, ¿podría esperar otro día más?

—Convincente demostración.

La voz de Raymond interrumpió su intenso examen; levantó la vista y lo miró sin comprender.

—Los curas dicen que es mejor casarse que arder, pero me parece que vosotros haréis ambas cosas.

William se dio una sacudida para despejarse la cabeza. Ése era Raymond, era Raymond quien los embromaba, era Raymond el que lo observaba con amable interés mientras él babeaba sobre su mujer. Echó una mirada hacia la puerta abierta y vio los cuellos alargados de los curiosos sirvientes y las caras sonrientes de los que ocupaban la mesa principal. Poniendo la mano en la nuca de Saura, volvió a acercarle la cabeza y se la apoyó en su camisa, escondiéndole la cara. Le acarició el pelo, en gesto tranquilizador y le contestó a Raymond con tosco humor:

—Si esto fuera el fuego del infierno, los pecadores saltarían a las llamas.

Raymond se rió, sin dejar de mirar a Saura.

—Típico de ti robarte a la bella heredera antes que los demás tuviéramos una oportunidad.

Acuciado por el tormento del deseo insatisfecho, William deseó golpear a su más querido amigo por mirarla con tanto aprecio, pero se limitó a cambiar el tema con admirable serenidad:

—Después de la comida tendremos una contienda. ¿Estarás demasiado cansado para participar?

Raymond se quitó la sucia capa, se la pasó a su escudero y levantó los brazos, desperezándose.

—Hoy mataría a un jabalí sólo con las manos.

—Ayer cazamos jabalíes —dijo William, sarcástico.

—¿Comemos uno hoy?

—Sí, ven a comer una tajada.

—Podría comerme el jabalí entero.

Saura los interrumpió apartando la cara del pecho de William.

—Daos prisa, entonces, milord. Os esperamos en la sala grande.

Se soltó de la sujeción de William y apoyó la mano en su brazo.

—Te ves bien besada —le dijo él—. ¿Estás preparada para enfrentarlos a todos?

—Me enorgullece que todos sepan que mi señor me desea.

Levantó el mentón y movió la cabeza desdeñando las opiniones, y pensando que la alegraba que todos supieran que él la protegería. Nuevamente recordó el espeluznante susurro que oyera en el patio y se apretó más a William. Él la llevó de vuelta a la bulliciosa sala atiborrada de gente charlando y cotilleando.


Había visto el abrazo; estaba observando cuando su amigo cogió a esa mujer en los brazos, la levantó y la besó hasta que los dos estaban sin aliento, y sintió furia y deseo. Lo enfurecía

William, poderoso señor de todo lo que él deseaba. Deseaba a Saura, tan delicada y tan equivocada al desear a William. La primera vez que la vio sólo deseó aplastarla, pisotearla en la tierra por haber reavivado en William el apetito por la vida. Ahora la deseaba tanto como la deseaba él, la deseaba porque ella era de William; deseaba saborear su belleza; la deseaba porque William la deseaba.

Apretó los puños. La cortejaría, sería su admirador secreto, la aseguraría de su belleza cuando nadie pudiera oírlo. La acariciaría también, le calmaría el miedo que ella sentía cuando él la llamaba hermosa. Se la arrebataría a William antes de matarlo. Entonces quedaría satisfecho. Una vez que William fuera humillado y luego asesinado, sin duda estaría satisfecho.

# Capítulo 14

Raymond ya estaba sentado a la mesa contestando las preguntas gritadas entre bocado y bocado. Su admiración por Enrique se manifestaba en todas sus palabras.

—Tiene veintiún años, lo bastante joven para ser enérgico. Agota a sus socios con su incansable vigor. Rara vez se sienta, siempre está con todos los sentidos alertas. Pero gobierna con sabiduría sus tierras en Francia.

—Ser duque no es ser rey —señaló William.

—Entre las tierras que heredó de su padre, los condados que gobierna en nombre de su madre y los condados que adquirió con su matrimonio con Leonor, rige una parte de Francia más extensa que la que gobierna su señor feudal, el rey Luis. Es capaz de asumir la responsabilidad de la realeza en Inglaterra.

—¿Y Esteban? —preguntó lord Peter.

Raymond negó con la cabeza, desalentando delicadamente cualquier esperanza que hubiera sobre la salud del rey.

—Esteban es un hombre quebrantado. La muerte de su hijo puso punto final a sus esperanzas. Las inútiles campañas, la traición de los barones, en fin, nunca podría afirmar sus derechos al trono.

—Es traición lo que dices —insinuó Nicholas.

Raymond se giró a mirarlo, pensativo.

—Ya ni siquiera sé qué es traición. Si mis palabras estimulan el desarrollo de una Inglaterra sana, pues, que estas palabras se propaguen. —Sonrió a Nicholas, enseñando todos los dientes—. Si algún señor desea robar, matar y saquear, será mejor que lo haga ahora, y lo haga bien. La ley volverá al país. Enrique la traerá, y ay del hombre al que se le ocurra interponerse en su camino.

Miró a Charles y volvió a mirar a Nicholas, y pareció transmitirles un mensaje.

A Saura la estremeció su tono. Como se había prometido, había escuchado los discursos y éstos la preocupaban y confundían.

Raymond quería decir más de lo que decía. Nicholas decía muy poco y Charles simplemente farfullaba por el exceso de bebida. Su miedo por William le obnubilaba sus agudos instintos, y desde la noche anterior, temía por ella.

Lo encontraba muy raro, pero su inquietud había ido aumentando a lo largo de esa semana. Un instinto la prevenía diciéndole que había traición y furtividad. En realidad no se sorprendió cuando esa voz ronca le dijo que era hermosa, pero sí se asustó. Y le entraron dudas. Tal vez fue su imaginación la que la hizo percibir peligro. Y ahora su imaginación la hacía percibir una voz y una presencia. Y aumentó su perplejidad, porque seguía percibiendo ese peligro. Se encogió de miedo; alguien la estaba mirando. Aunque esa persona no hablara, aunque no oyera ese ronco susurro, sentía sus ojos sobre ella, y la hacía desear retorcerse.

—¿Saura? —dijo William muy cerca de su oído, poniendo fin a su turbación, aliviándole el miedo como un bálsamo—. Es la hora.

Estuvo un momento sin comprender, hasta que recordó e hizo un mal gesto.

—¿Para la contienda? Ah, sí.

Él la ayudó a levantarse y apartarse de la mesa y ella le retuvo la mano.

—Te ayudaré a armarte.

—Mi escudero está aquí para eso.

—Como si no lo supiera. —Lo tironeó—. Ven, no encontrarás mejor ayuda que yo.

—Me persuades con demasiada facilidad, milady —gruñó él, siguiéndola como un corderito.

—Eres un farsante —bufó ella—. Me dices que estoy al mando cuando sólo haces lo que sugiero si te conviene.

—Que yo me vea reducido a estas triquiñuelas —se lamentó él con falsa tristeza. Miró hacia atrás; el joven Guilliame lo seguía pisándole los talones. Los tres entraron en la habitación soleada y vio su ropa extendida sobre la cama—. ¿Los dos vais a ser mis escuderos?

—No eres el primer hombre al que he vestido para la batalla —contestó ella, cerrando la puerta.

Encontró la banqueta que estaba a un lado de la cama y la llevó al centro de la habitación, donde esperaba William. Subiéndose encima le quitó la sobreveste y se la pasó con sumo cuidado a Guilliame, que la dobló y la dejó sobre un arcón y volvió con la túnica acolchada que se llevaba debajo de la cota de malla. Trabajando en equipo, bien coordinados, entre Saura y el escudero lo desvistieron y volvieron a vestir, le pasaron la cota de malla por la cabeza y le hebillaron el cinto con la espada. La cota de malla resplandecía, limpia de óxido, y su espada estaba bien afilada. El cuero de sus botas brillaba, bien aceitado, y el cuero de sus guantes estaba flexible y le permitía un buen movimiento de las manos. Las espuelas doradas tintineaban al caminar él por la habitación, complacido por su vuelta al mundo del caballero.

—Pero no tengo yelmo —dijo, ceñudo—. El que tenía quedó aplastado en el accidente. ¿Envió uno el armero?

—Pensamos que podrías probar con este primero —repuso Saura tranquilamente. Del arcón de ella sacó un hermoso yelmo con bandas de hierro y una prolongación para proteger la nariz—. Era de mi padre. Éste es el único recuerdo que he conservado de él. Cómo lo salvó mi madre, nunca lo sabré. Era un hombre grande, me han dicho, y tal vez te quedará bien. Si no, hay otro esperando.

Sujetándolo con las dos manos se lo pasó y él lo cogió con sumo cuidado.

—El armero lo examinó —continuó ella—. Dice que está en buen estado, aunque es anticuado. ¿Esta parte cónica se llama bacinete, creo?

Él le escrutó la cara y la vio serena, sólo esperando su aprobación. Sus labios, rojos y exuberantes como una manzana en otoño, estaban curvados en una dulce sonrisa. Tenía las manos juntas delante, como en oración, y esperaba con delicada expectación. Al ponerse el yelmo descubrió sorprendido que le quedaba bien. Manos grandes, pies grandes, cabeza grande, bromeaba su padre, pero al parecer el padre de Saura calzaba con esa descripción también.

—Gracias, milady. Es un honor para mí usar el yelmo de tu padre.

—¿Estás seguro de que te queda bien? ¿No te queda tan ancho que se te mueva ni tan estrecho que te apriete?

—Es perfecto —la tranquilizó él.

—En ese caso, es mi regalo de bodas para ti. —Una sonrisa le iluminó la cara como un rayo de sol—. Llévalo como mi prenda de favor.

Él avanzó y la cogió en sus brazos, y ella le echó los brazos al cuello en un desesperado abrazo. Los eslabones de la cota la pincharon, pero ella lo estrechó en los brazos con ardor, y luego se apartó.

—Estaré esperando que me traigas los premios.

Volvió a sonreírle y le temblaron los labios. Él se inclinó a besarla para tranquilizarla. De necesidad, el beso fue ligero, insignificante. El protector de la nariz le golpeó las mejillas, y estaban conscientes de la presencia de Guilliame, que estaba esperando. Pero antes que él saliera ella le tocó los labios con las yemas de los dedos, apreciando la prenda de favor que él le dejaba a cambio.

Maud entró en la habitación casi antes que saliera William.

—Vamos, milady, te llevaré a tu asiento en la tribuna. Siendo la novia tienes el lugar de honor.

—Donde todos puedan mirarme, supongo —dijo ella, lúgubremente—. Tendré que aparentar confianza y tranquilidad.

—William es un gran guerrero —la tranquilizó Maud—. Puedes estar confiada y tranquila. Él no te decepcionará.

—Tiene enemigos.

Se mordió el labio. ¿Debía confiarle a Maud esa sensación que la había ido invadiendo cada vez más esos últimos días? ¿Esa sensación que se intensificaba en la medida en que crecía la multitud que los rodeaba? ¿Esa sensación de malignidad, el sonido de un susurro en la oscuridad?

—Tiene más amigos. Vamos, te has vuelto ridícula —la regañó Maud.

La regañina le disipó la preocupación. El sentido común de su criada la convenció de que se estaba engañando, y escucharla la consolaba y tranquilizaba.

—Lord Peter va a luchar, y me aseguró que no perdería de vista a su hijo. Ni siquiera un tonto le haría daño a lord William en su propio patio de armas rodeado por sus familiares y amigos.

—Un tonto no —dijo Saura, seria—, pero un loco sí.

Maud la cogió por los hombros y le dio una buena sacudida.

—Fíate de lord William, dale el honor que se merece. No te va a dejar viuda antes de que seas su esposa. —Le alisó el vestido, le enderezó el cinturón y le arregló el velo—. Eres digna de ser el centro de atención de todos los ojos. Estás preciosa con esta ropa que te regaló lord Peter. Ahora vamos y hazlo sentirse orgulloso. Eres la anfitriona. Eres la novia, eres la invitada de honor. Recuerda quién eres y no bajes el mentón por ningún motivo.

Asimilado el severo aliento de Maud, Saura asintió y se cogió de su brazo.

—Estoy lista.

Acompañada por su criada llegó hasta la tribuna donde las damas presenciaban la contienda, y sí parecía una reina. Varias invitadas le envidiaron el vestido de lino azul ceñido en el talle y de mangas largas flotantes, que le daba a sus ojos el color de jacintos. La sobrefalda rojo escarlata, abierta por delante, le acentuaba el color negro del pelo, y el cinturón, tejido con hebras rojas, azules y doradas, atraían las miradas de todos al movimiento de sus esbeltas caderas. Joven, hermosa, y ciega, se había ganado un inmenso premio con su matrimonio. Se sentó en su lugar en el banco sobre la plataforma como si pudiera ver los combates, dando la impresión de ser muy altiva, porque no sonrió ni saludó a nadie.

No tenía amistades entre esos vecinos. La anarquía de esos últimos catorce años había limitado los viajes. Los bandidos imperaban en los caminos, y los señores deshonestos devastaban las tierras y cogían lo que querían. Era necesario un acontecimiento importante para hacer salir de sus casas a la gente, y cabalgando rápido, rodeados por guardaespaldas y armados hasta los dientes. Ninguna dama respetable visitaba el infame castillo de Theobald, gobernado por un señor cobarde y disoluto.

Sus años de aislamiento la situaban lejos de la sociedad noble, y muchos de los asistentes a la boda de William eran de la más elevada nobleza. Condes se codeaban con barones terratenientes. Sus esposas se conocían por haber asistido a bodas o a funerales. Se intercambiaban los hijos para formarlos. Sintió intensamente esa enorme brecha al oír a las mujeres saludarse con la camaradería de conocidas de muchos años. Por todos lados oía noticias de nacimientos de bebés, de embarazos recién comenzados, de abuelos enfermos y maridos descarriados. Deseó conocer a alguien, aunque sólo fuera una persona con la que pudiera hablar y sonreír sin sentirse una fresca cara dura si intervenía en una conversación.

Nunca se había sentido tan insegura. Lo estaba haciendo mal como anfitriona. Sabía alimentar a un ejército hambriento, sabía aprovisionar un castillo, pero nunca se había visto obligada a alternar en un grupo de mujeres desconocidas. Sentía torpes las manos, y metió los pies bien debajo de la falda.

¿Por qué tenía que ser en ese momento? Necesitaba angustiosamente que alguien le dijera lo que estaba ocurriendo en el campo de batalla que tenía delante. No podría soportar estar sentada ahí como una estatua de mármol mientras su amado luchaba para recuperar su habilidad y su orgullo, y ella sin saber lo que ocurría.

La envolvió la ansiedad mientras oía los ruidos de los equipos al formarse en los extremos opuestos de la liza. Los sonidos metálicos de lanzas, los apagados bufidos de los caballos, el olor de la hierba calentada por el sol y del polvo que se iba elevando lentamente le indicaban los preparativos de los caballeros. La tribuna estaba situada junto a la muralla de piedra exterior, protegida del sol y de forma que no estorbara. Sabía que una pared baja de madera protegía las hileras de bancos de incursiones accidentales de caballos y caballeros. Las contiendas eran peligrosas, tan peligrosas que la Iglesia intentaba restringirlas con prohibiciones, pero para los caballeros que combatían por premios, gloria y práctica eran gloriosas imitaciones de batallas, habiendo tan pocas reales.

Lord Peter gritó pidiendo silencio y anunció el premio. Al guerrero que fuera juzgado el más merecedor se le regalaría un caballo de guerra, un destrero no domado de su propio establo. El destrero bufó e hizo cabriolas, exhibiendo su fiero temperamento. Entre risas y abucheos, lord Peter les aseguró que él y su hijo quedarían fuera de la competición porque todos sabían que nadie podría derrotar a unos caballeros como ellos.

Saura oyó los jadeos de los mozos por el esfuerzo de llevar al destrero de vuelta al establo. Oyó la cabalgada de lord Peter hacia su extremo de la liza, y entonces alguien le puso un pañuelo en la mano y le susurró:

—Levantadlo bien alto y dejadlo caer.

Ella lo hizo y entonces, con un estruendo de cascos de caballos y gritos de guerra, comenzó la contienda. Oyó los primeros choques de las lanzas al golpear los escudos y oyó el tintineo de las espadas de aquellos que luchaban a pie. Las mujeres que la rodeaban se pusieron de pie a gritar los nombres de sus hombres para alentarlos.

—¡Wilfred, levántate y abate a ese sinvergüenza!

—¡Buen golpe, Jourdain!

—¿Viste que se rompió la lanza de Phillip? Ah, ahora está enfadado.

Nadie gritaba el nombre de William; a Saura se le contrajeron los músculos, enroscándola en horrorosas imaginaciones. De pronto las damas dejaron de gritar, silenciadas por alguna circunstancia extraordinaria. Palideciendo, Saura preguntó:

—¿Qué pasa?

La mujer que estaba a su lado, esposa de conde e hija de conde, y franca por el privilegio de su rango, le dijo:

—Nunca había visto esto. Lord Nicholas no combate hoy, y viene aquí a sentarse con las damas.

El horror con que habló dejaba claro que eso era una indecencia.

—Dice que no cabalga ni combate bien —dijo Saura tímidamente, sin saber cómo reaccionar ante ese horror.

—Pues, entonces, debería entrar en la liza para que lo hagan caer del caballo —ladró otra dama cerca de ella—. ¿Creéis que todos estos caballeros que tenemos delante son guerreros? Algunos ya están tan borrachos que apenas logran mantenerse encima de sus caballos, como sir Charles. ¡Dientes de Dios, ya se ha caído! A algunos les iría mejor si sus mujeres llevaran sus armaduras.

Saura se rió, aliviada.

—¿Tan horrorosos son? Entonces tal vez no debería inquietarme, porque mi William es un gran guerrero.

El orgullo que sonó en su voz atrajo la atención de lady Jane, que se giró a mirarla, pero no alcanzó a hablar, pues se le adelantó Nicholas, con su suave voz:

—¿Me permitís sentarme a vuestro lado, lady Saura?

Habló con amabilidad y educación, pero no esperó el consentimiento de ella para sentarse en el extremo del banco, empujando hacia un lado a lady Jane. Saura oyó farfullar a la dama, y deseó de todo corazón que Nicholas no la hubiera hecho blanco de todas las miradas. Entonces él le cogió la mano.

—Os vi tan sola sentada aquí que se me oprimió de lástima el corazón. Sabía lo preocupada que teníais que estar. Deseé deciros todos los peligros que está enfrentando William. Pensé que eso sería mejor que dejaros con vuestras imaginaciones.

—¡Sí, ah, sí! —exclamó ella—. ¡Gracias!

Le apretó la mano; se sentía ridículamente agradecida, olvidada de las reacciones negativas de las mujeres, olvidada de todo lo que no fuera la oportunidad de «ver» a su amado en acción.

Él estuvo un momento observando en silencio y de pronto chasqueó la lengua, afligido.

—Combate con mucha imprudencia, y su pericia se ha oxidado con el desuso. Lo van a matar, de seguro. Exceso de seguridad, querida señora, exceso de seguridad.

Le dio una palmadita en la mano con la palma mojada y ella hizo una inspiración profunda.

—Si eso es todo lo que me vais a decir, podéis...

Él le apretó la mano, haciéndole doler los dedos, y se levantó de un salto gritando:

—¡Cuidado, William! ¡Cuidado con el espadachín que tienes detrás!

William contempló a los seis caballeros que galopaban hacia él y aulló de risa. Empuñando bien la espada, pensó cómo pudo haber dudado de su habilidad para combatir. Algunos de sus amigos lo habían abordado con cautela, dándole tiempo para cogerle el tino a su espada, pero no tardaron en aprender la lección. Estaban tendidos en el suelo escupiendo tierra y maldiciendo.

Dirigiendo a su destrero hacia el inminente ataque, desarmó a un caballero al tiempo que su caballo dio coces hacia atrás desmontando a otro. Se agachó evitando el salvaje golpe del más joven y lo sacó de la silla con un golpe en el escudo. Entonces viró el caballo y se alejó brincando blandiendo la espada. El largo alcance de su brazo los mantenía a raya mientras la agilidad de su enorme cuerpo le permitía escapar de sus tajos por un pelo. Los caballeros fueron cayendo bajo sus golpes como hojas de hierbas llevadas por un torbellino. Una y otra vez desarmó a sus contrincantes hasta que los pocos que quedaban en la liza lo evitaban, con la esperanza de conservar sus reputaciones.

Todo en vano. Embriagado por la alegría de combatir, él los buscaba y los derrotaba. Finalmente quedó él solo, y levantando la espada lanzó un grito de triunfo. Los que habían luchado como enemigos entraron en tropel en la liza a felicitarlo, golpeándole la espalda y gritando insultos que sonaban como exclamaciones de admiración. Se sacó el yelmo, dejando a la vista el pelo mojado por el sudor pegado en la frente, y se quitó los guantes. Apareció el joven Guilliame a coger esos avíos, sonriente por el gozo de la gloria ajena.

Estaba encantado, disfrutando de los elogios y adulaciones, de los que había hablado con desprecio y luego echado de menos sin darse cuenta. Continuó ahí hasta que vio a Saura, de pie y sola en la tribuna, con la expresión quieta que indicaba que estaba escuchando atentamente. Apartándose de los hombres, caminó en línea recta hacia su dama, sin mirar ni a la derecha ni a la izquierda, y cuando estaba cerca, vio que lady Jane la cogía de la mano para llevarla hasta él. Saura opuso resistencia al principio, pero entonces lady Jane le dijo algo que la alegró y la hizo apresurarse. Corrió los últimos pasos y lo empujó hacia atrás al chocar su pequeño cuerpo con el de él. Complacido por su desesperado abrazo, la levantó, pasando un brazo bajo sus rodillas y rodeándole los hombros con el otro, y comenzó a girar con ella.

—¡Los he derrotado a todos! ¡A todos! —exclamó, exultante, y ella chilló, con exasperación y placer a partes iguales.

Finalmente dejó de dar vueltas y ella le cogió las orejas.

—Por la Virgen, William, no vuelvas a asustarme tanto nunca más. Se me paraba el corazón con cada batalla que luchabas. No sé si darte una bofetada o amarte.

—Ah, ámame —dijo él, con traviesa intención.

Ella le pasó las manos por la cara.

—Tienes marcados los hoyuelos, y no noto ninguna señal de pesar por la preocupación que me has causado —declaró—. ¿Por qué habría de amar a un sinvergüenza como tú?

Volviendo a pasarle las manos, le arregló los rasgos en una expresión que imitaba aflicción y, cogiéndole el cuello, le sacudió la cabeza con todas sus fuerzas. Fue como intentar mover una columna de piedra, lo único que consiguió fue acercarle la cara hasta que sintió su aliento mezclado con el de ella. Eso era mucho menos de lo que deseaba y, sin poderlo soportar, lo besó ávidamente.

Ese beso no le supo a él como si ella sólo lo deseara para poder entrar en posesión de sus tierras. No le supo a simple deseo ni a un afecto moderado; le supo a un miedo profundo y desesperado por su vida, y por primera vez lo esperó todo. Ella movió la boca poniéndola oblicua a la de él, como si quisiera absorber su esencia; enredó las manos en su barba y se la tironeó para acercarle más la cara. Arrastrado por la pasión de ella, le deslizó las piernas por su cuerpo, y la dejó abrazada a él como una niña, rodeándole la espalda con un brazo y con el otro los muslos, y los pies colgando. La sintió estremecerse y pasó por todo él una sensación de poder, no igualada por el placer de combatir. Al levantar la cabeza con la intención de encontrar la cama más cercana, cayó en la cuenta, sorprendido, de que estaba en el campo de batalla. El sol de la tarde brillaba desde el oeste, el polvo levantado por la contienda se había asentado y estaban rodeados por todos lados por personas que los miraban con descarada curiosidad, o con apetito. Mientras él paseaba la vista por el grupo, los hombres lanzaron silbidos lujuriosos, dándose codazos y riendo, divertidos al ver a ese poderoso guerrero derrotado por un arma tan dulce. Las damas de la tribuna los miraban con ojos de fría evaluación.

—¡Hijo! —gritó lord Peter, y William sospechó que llevaba un buen rato llamándolo—. Hijo, si dejas a lady Saura en el suelo, daremos el destrero prometido como premio y así todos podremos prepararnos para la comida de la noche.

William lo miró pestañeando.

—Tenemos más invitados para saludar —dijo lord Peter, pronunciando lentamente cada palabra, como si supiera que a su hijo aún no le funcionaba la cabeza—. Durante el combate llegaron los vasallos de Saura, y se impresionaron muchísimo por tus proezas sobre la silla de montar.

William siguió la dirección de su gesto y vio a tres hombres no muy lejos de donde estaban ellos, con ropa de viaje y mirándolo con seria desaprobación. Saura apartó la cabeza de su hombro y él le miró la cara; parecía aturdida, con los labios hinchados por los besos y la piel arrebolada. Verla así lo distrajo, desviándole la atención hacia la sensual promesa contenida en su expresión, pero lord Peter le dio una fuerte palmada en la espalda, diciendo:

—Entreguemos el premio «ahora».

En la cara de Saura aparecieron señales de que se había despabilado; de mala gana él la deslizó por su cuerpo hasta dejarla con los pies en el suelo. La sujetó con una mano bajo el brazo hasta que ella dejó de mecerse, agradeciendo a Dios que la cota de malla le protegiera el cuerpo de ojos exploradores.

—¿Quién gana el destrero? —preguntó.

—Supongo que sir Osbert de Carraville debería reclamar el premio —sugirió lord Peter—, ¿no te parece, lady Saura?

Ella asintió.

—Todos los elogios que oí eran para sir Osbert de Carraville, así que no puede haber duda. Es sir Osbert de Carraville.

Osbert lanzó un grito de alegría, y William sonrió de oreja a oreja ante esa desbordante manifestación de felicidad. El premio venía de maravilla a su mala situación económica y creaba nuevos mercados para sus servicios caballerescos. No tenía ninguna importancia que hubiera quedado segundo en la contienda; quedar en segundo lugar tras William no era una vergüenza en absoluto.

Mientras los demás caballeros y damas se agrupaban en el campo para felicitar al campeón, William hizo señas a los vasallos de Saura. Inmediatamente se acercaron, haciendo una venia al señor y luego cogiendo la mano de Saura, uno a uno.

—¿Me recordáis, milady? Sir Francis de Wace.

—Sir Francis, por supuesto que os recuerdo. Nunca olvidaré cuando jugaba con vuestra hija Elly. Tenía mi misma edad. ¿Está bien, espero?

—Casada, con tres hijos pequeños —se jactó sir Francis.

—¿Me recordáis, milady? Sir Denton de Belworth.

—¡Sir Denton! —Le cogió la mano, se la estrechó y se la torció hacia atrás.

—¡Milady! ¡No puedo echar un pulso con vos ahora!

—¿Por qué no?

—Sois mi señora, eso sería falta de respeto.

Ella suspiró y aflojó la presión de la mano.

—Sí que os recuerdo, pero no erais «sir» Denton la última vez que nos vimos.

Ante los ojos de William, se evaporó la dignidad del joven y sonrió con adoración a Saura.

—Me han armado caballero.

—Me siento orgullosa de vos. Ése era vuestro gran sueño. —Volvió los ojos hacia William—. Este caballero me permitía seguirlo cuando yo era pequeña. Me embromaba, se reía de mí, y me enseñó a echar pulsos.

La rubicunda cara de Denton se puso más roja y, mirando alarmado a William, protestó:

—Vamos, no le aburramos con nuestras historias, milady.

—No, claro que no. —Sonrió—. Tal vez más tarde podríamos encontrarnos para conversar. ¿Me permitís que os pregunte por vuestro padre?

—Murió, milady, en el sangriento disturbio de hace dos inviernos.

—Cuánto lo siento. —Le dio una palmadita en la mano y se la soltó—. Era un hombre bueno y un leal servidor.

El tercer hombre le cogió la mano, vacilante, y se presentó:

—Soy sir Gilbert de Hartleburg.

Ella lo miró sorprendida.

—¿De Hartleburg? ¿Dónde está sir Vachel?

—Murió, y lord Theobald lo reemplazó con mi humilde persona.

Nadie dijo ni una palabra. Era una afrenta a Saura que no la hubieran informado del cambio, pero la presencia de sir Gilbert ahí para asistir a su boda era una propuesta de amistad. Ella tenía el poder de decisión para reemplazarlo o aceptarlo, y su comparecencia ante ella era un gesto de fe por su parte. El que su padrastro lo hubiera nombrado no significaba que fuera incompetente o cruel. Saura sabía eso; también sabía que las tierras de Hartleburg estarían mejor mantenidas bajo la firme mano de un hombre.

—Bienvenido, sir Gilbert. Tendré mucho gusto en recibir vuestro juramento de lealtad y el rendimiento de cuentas de las cosechas.

—Sí, milady, y ése mi deseo.

Entonces ella volvió la cara hacia el castellano de Wace:

—¿Dónde está sir Frazer? ¿Viene detrás de vosotros?

La expresión del hombre dejó claro que no lo entusiasmaba responder a esa pregunta.

—No exactamente, milady. Sir Frazer...

Ella arqueó una ceja ante su vacilación.

—Sir Frazer rechazó la invitación.

—¿La rechazó? —preguntó William, cogiendo despreocupadamente un rizo escapado de Saura y metiéndoselo bajo el velo, como si estuviera muy poco atento a conversación—. ¿Estaba tan enfermo que no podía viajar?

—No, lord William.

—¿Su esposa estaba en la cama de parto, sus hijos en la cama con fiebre, y llegará tan pronto como se curen?

—No, milord.

—¿Se niega a prometer lealtad a su señora? —Levantó la vista y su mirada no tenía nada de despreocupada, perforaba a los vasallos, los que, incómodos, cambiaban el peso de un pie al otro—. ¿Sir Frazer le niega a mi señora Saura, mi esposa, lo que le es debido?

—Sí, milord.

Apareció escarcha en los ojos azules de William.

—Pues que se prepare para un asedio.

# Capítulo 15

—Tengo un poema, dedicado a mi dama del amor.

Los criados terminaron de despejar la mesa de la comida fría y volvieron a llenar las jarras de cerveza y los jarros de vino. Los combatientes de esa tarde estaban comparando magulladuras y laceraciones, escuchando relatos de combates y riéndose de los derrotados, sin hacer el menor caso a Nicholas, que estaba de pie sobre su banco hablando sobre un poema. Él perseveró, hasta que lady Jane dio unas palmadas pidiendo silencio, y ante su autoritaria prestancia se callaron los de la mesa principal, por cortesía, aunque exasperados.

Entonces Nicholas se aclaró la garganta y comenzó a recitar una serie de versos dirigidos al corazón de la novia.

Todos lo escucharon educadamente. ¿Podían hacer menos teniendo los severos ojos de lady Jane fijos en sus caras? William escuchaba educadamente; ¿podía hacer menos por su huésped? El amor por una dama era un asunto que estaba de moda, recién llegado de las cortes de amor de Aquitania: un caballero elegía una dama y le dedicaba canciones, languidecía por ella y llevaba su prenda de favor en las batallas. Decían que la esposa de Enrique, Leonor, alentaba a los trovadores con su gusto por la poesía.

Esos vulgares versos no significan nada, pensaba William, sólo el afecto de un joven. Nicholas nunca había hecho el ridículo por una mujer. En realidad debería sentirse divertido y orgulloso por esa adoración de Nicholas por Saura.

Esos malos versos no significaban nada. Que él deseara a Saura sólo para él no era motivo para recurrir a la violencia. Si se levantaba y le rompía la crisma a Nicholas, como deseaba, sus invitados echarían las tripas riéndose y no pararían de embromarlo jamás.

Esos manidos versos no significaban nada. ¿Por qué, entonces, tenía miedo de girar la cabeza para mirar a Saura y ver el rubor de placer en su dulce cara?

—Descríbeme a lady Jane, por favor.

El interés práctico que detectó en la voz de su amada dio justo en el centro de su tormento. Ella no parecía estar a rebosar de admiración, más bien parecía interesada en otra cosa. Giró la cabeza y la miró. El escudero de sir Peter estaba inclinado sobre su hombro y ella le estaba susurrando órdenes. El chico hizo su venia y se alejó. Entonces ella le cogió la manga y se la tironeó.

—Descríbeme a lady Jane, por favor —repitió.

Saura tenía una ventaja sobre los invitados, comprendió él; no veía la severa mirada de Jane. Había escuchado a Nicholas hasta que el aburrimiento derrotó a sus buenos modales y volvió la atención a dirigir discretamente a los criados y a pedirle información a él en voz baja.

—¿Lady Jane? —Buscó con los ojos a la mujer, dando capirotazos a las migas de pan dispersas en la mesa—. ¿Por qué? ¿Ha sido maleducada contigo?

—Noo, nada de eso. Es el tipo de mujer que desea hacer lo correcto por mí, pero no sabe cómo.

—Y no te lo preguntaría tampoco —dijo él, hablando entre dientes, exasperado, fastidiado a más no poder por esa ridícula pasión que exhibía Nicholas por su novia. Controlándose, continuó—: Conoce al dedillo todas las sutilezas y detallitos de la etiqueta, y en ninguna situación reconocería que se siente insegura.

—No te cae bien.

Aparentando que miraba hacia Nicholas, podía observar atentamente a la susodicha dama.

—No, no es eso. Es un poco mayor que yo, lo bastante para recordar la época anterior a la muerte del buen rey Enrique, y jamás me permite olvidarlo. Lo único que desea es la paz, para poder ocupar su puesto en la corte. —Apretó con fuerza los dedos alrededor de su copa, oyendo a Nicholas desarrollar sus fantasías.

—Hablas como si no te cayera bien —dijo ella, dudosa, interpretando erróneamente el motivo de su furia.

—No, no. Me cae bien. Es rígida en sus modales y se mantiene firme en sus convicciones. —Bebió un trago de vino y su atención se desvió de Nicholas, dirigida por el duro pinchazo de un recuerdo penoso—. Tiene buen corazón. Cuando un joven hace algo cruel o estúpido, lo desolla vivo hasta que él grita de arrepentimiento. Entonces le cura las heridas, oculta las pruebas y no se habla más del asunto.

Con su intuitiva comprensión, ella adivinó:

—Te salvó de un terrible error.

—Cuando era escudero y estaba lejos de mi casa. Era demasiado joven para manejarme solo, y tenía la engreída arrogancia de un hombre que acaba de terminar su educación. —Acercándole la boca al oído, susurró—: No hay nada peor que una mujer que siempre tiene la razón. Sobre todo cuando de verdad siempre tiene la razón.

Saura se rió fuerte, contenta de que con sus preguntas le hubiera disminuido la tensión que ella había detectado en su voz. Esa voz suya era seducción pura: cálida, dorada, cuya ronca sonoridad masculina le vibraba muy al fondo de su interior. No le gustaba cuando se le colaban las notas más altas de tensión; sorprendida, cayó en la cuenta de que prefería la tarea de darle placer a William a cualquier otra. ¿Cuándo ocurrió eso?

Le puso la mano bajo el mentón para mantenerlo cerca, consciente de que debería estar dirigiendo a los criados, pero sin poder resistirse al atractivo de su piel. La proximidad de su enorme cuerpo la calentaba más que el calor de fuera, y a medida que se acercaba el día de la boda, iba quedando más lejos en el tiempo el día de la última vez que copularon. Le resultaba difícil esperar pacientemente la noche del día siguiente cuando su cuerpo cantaba «Ahora, ahora». Apretándose al duro banco, con la esperanza de que eso la distrajera, le preguntó:

—¿La amabas?

Él pegó un salto y luego se echó a reír, asombrado.

—¿A Jane? —Se frotó los ojos entre el pulgar y el índice, para despejárselos y miró nuevamente hacia la dama—. No. Es alta y flaca, y tiene una cascada de papadas colgando debajo de la barbilla, que le queda hundida en la cara. Tiene la cara huesuda y su velo no permite jamás que se le escape una guedeja de pelo, por miedo al castigo. Sus criados caminan temerosos de ver su ceño fruncido, y su marido está tan dominado por ella que ni siquiera lo sabe.

—La adoras.

—Sí. —Pasándole el brazo por la cintura la acercó más, hasta que el reborde de piel que le adornaba el hombro le hizo cosquillas en la mejilla; a ella le pareció que el contacto con su cuerpo le aflojaba esa extraña tensión que se había apoderado de él—. Viví en su casa, donde me eduqué, hasta que ideé un plan para fugarme con su hija.

Ella se apartó, pasmada.

—¡William!

—Su hijastra, en realidad —se apresuró a decir él—. Lady Jane era la esposa joven cuando llegué a la casa. Lord Nevil me enseñaba las artes de la guerra y ella me enseñaba buena conducta.

—¿Fugarte con la hija de tu señor es buena conducta?

—¡Dientes de Dios! —exclamó él, tapándole la boca con la palma—. Nadie lo sabe, aparte de lady Jane y yo, y no es una historia que yo desee airear.

—Entonces, cuéntamela —dijo ella, con la boca tapada, y amenazó—: Si no, me subiré en el banco y lo proclamaré a gritos.

—¿Que es el momento de que me lleves a tu habitación?

Ella le besó la palma, le pasó la lengua por los callos y él apartó la mano.

—Lo gritaría.

—Chismosa.

Ella acercó la cara y lo besó suavemente en la boca.

—Si no hubieras insistido en el matrimonio, en este momento yo estaría en tu cama.

—Tus hermanos me previnieron acerca de ti, milady —Movió los labios mientras hablaba y su aliento le hizo cosquillas—. Dudley me dijo…

Ella deslizó la boca hasta su cuello y él se quedó inmóvil, expectante.

—¿Dudley te dijo…?

—Dudley me dijo que eres Eva.

Harta de ese baldón oído ya tantas veces, ella apartó bruscamente la cara.

—Eso no otra vez —dijo, y añadió en otro tono—: Esto no otra vez.

Los chiflidos de aliento de los invitados la sacaron bruscamente de su cielo personal. Aunque por qué consideraba cielo una conversación con un hombre estúpido, no lo sabía. Eso tenía que ser una rareza femenina de la que su madre nunca la advirtió.

William puso fin al abrazo lentamente.

—No te marches de un salto —le gruñó—. Deja claro que paramos porque queremos, no debido a sus tonterías.

—Reduce la marcha, hijo —se mofó su padre—. La tendrás pronto. Sólo falta un día más.

—Sólo una noche más —replicó William, fingiendo pesadumbre, y girándose a coger su olvidada copa de vino.

—Deja de tentarlo, Saura —dijo lady Jane—. Se desespera si no come.

—No es el único que se desespera —contestó Saura, buscando su copa.

—Aquí, cariño —dijo William acercándole la copa de él a los labios, y se la sostuvo mientras bebía.

Cuando ella terminó de beber, él se inclinó a lamerle el vino que le quedó en los labios y las comisuras de la boca, mientras el público manifestaba su aprecio riendo.

—Tu poesía inspira a los tortolitos, Nicholas —dijo Charles, burlón.

Saura sintió en la mano el brusco movimiento del brazo de William, y la sorprendió; movida por su muy afinado instinto le friccionó firmemente los músculos tensos para aflojárselos. Él se desentendió del masaje, pero al mismo tiempo se relajó lo suficiente para bromear:

—No necesito ninguna inspiración. La sola presencia de Saura basta para llevarme a la culminación

—Haz tus propios versos, William —le aconsejó Nicholas. Pretendía hacer una broma, pero en su voz se coló la seriedad de su consejo—. Haz oír a Saura lo que sientes por ella.

—Los versos de William son magníficos —alardeó la dama—. No tiene ninguna necesidad de demostrarme nada.

William se giró a mirarla.

—¿Dónde oíste eso? —farfulló.

—Tú me lo dijiste. —Le deslizó la mano por el brazo hasta el hombro—. ¿Te acuerdas, ese día en el arroyo Fyngre? Me dijiste que hacías los mejores versos.

—Mentí —confesó él, muy francamente.

El bullicio de los invitados riéndose ahogó las risas de ellos. Con su muy perfeccionado sentido de la oportunidad, ella esperó a que se acallara el ruido para decir:

—Gracias a Dios. Creía que tendría que ser amable para comentar tu poesía.

Nuevamente alentados por las risas de ellos, los invitados volvieron a caer en la hilaridad, y rieron y rieron hasta que les corrían las lágrimas y se borró todo recuerdo del horrendo poema de Nicholas y de su inoportuna dedicatoria.

La inclinó sobre la mesa hasta dejarle la cara apoyada en la tosca madera y le levantó la falda hasta cubrirle la cabeza. Sin ninguna preparación le separó las nalgas y la penetró. La penetración no era como para causarle dolor, porque los bastardos que había parido la habían ensanchado y su miembro no era grande. No era grande como el de lord William; Dios sabía que había mirado esa verga y deseado que le hiciera cosquillas a ella.

Aun así, la enfurecía la desconsiderada indiferencia de ese señor, y cada vez que le golpeaba los muslos con las piernas, susurraba un improperio más contra esa mujer. Pasado sólo un instante, él eyaculó, retiró el miembro y se lo limpió en el delantal de ella.

—Levántate —ordenó él, dándole una palmada en las nalgas—. Sal de aquí y ve a ayudar a tu señora.

Hawisa se enderezó y se giró.

—Ya no es mi señora.

—Haz lo que ella te ordene.

—Esa bruja…

Él levantó la mano y le asestó una palmada en la mejilla, arrojándola hacia atrás y haciéndola chocar con la mesa.

—No hables así jamás. —Bajó la cabeza hasta dejar los ojos al nivel de los de ella; sus ojos parecían arder de intensidad—. Es una dama y tú no eres digna de pronunciar su nombre.

Recuperándose, ella cerró fuertemente los puños, a los costados.

—No es tan maravillosa. —Hizo un gesto hacia la mesa—. Has venido a mí para «eso».

Él esbozó una desagradable sonrisa:

—Pero te he colocado de forma que no podía verte la cara. No eres más que una perra con la que puedo fornicar. Todo el tiempo he imaginado que eras «ella», pero ella sería mejor.

Con los labios apretados, Hawisa se dio media vuelta y salió corriendo de la habitación, con el semen de ese hombre bajándole por las piernas y la mejilla ardiendo por la bofetada.


—¿Has visto cómo la mira?

Las palabras de la mujer pasaron silbando por el aire de primera hora de la mañana entre el grupo de mujeres que se dirigían a preparar a Saura para la boda.

—¿Viste cómo le tenía cogida la mano durante la contienda? —dijo otra, con una maliciosa ceja arqueada, insinuante.

—Yo lo encuentro horrible. Su futuro marido, y su compañero de cama, si es cierto lo que dicen, luchando en la liza, y ella aferrada a otro hombre, escuchándolo sólo a él.

—¿Viste cómo se portó? Fíjate en lo que digo, William no se da cuenta de la perfidia de esa mujer.

—Su padre no debería haber rechazado a nuestra hija para William. Ahora lo lamentará.

Apretujada en medio de las mujeres, lady Jane escuchaba y observaba. Sarcástica, franca, con mucho sentido común, cultivaba su imagen arisca y mantenía bien escondido su lado amable. En esos momentos estaba indecisa: lady Saura sí había dado aliento a un hombre al estar pendiente de sus palabras. Ella había sentido una vaga sensación de culpa mientras escuchaba la morbosa descripción del combate que le hacía Nicholas a Saura. Según él, y con su ágil lengua, a William casi lo habían hecho polvo una y otra vez, escasamente lograba levantarse de las cenizas para volver a la lucha. ¿Qué intriga se propondría Nicholas con esa mala información tan bien expresada?, pensó.

—¿Habéis visto cómo la mira Nicholas, como un cachorro adorador? ¿Lo habrá hechizado con algún sortilegio? A él ni siquiera le interesan las mujeres.

—¿Crees que es bruja? Ella tiene la culpa de que Nicholas la ame.

—No. Es como Eva. Lleva a los hombres por los senderos del pecado con su cuerpo y su cara.

Eso ya fue demasiado para lady Jane.

—¡Qué tontería! —explotó—. Sir Nicholas no es otra cosa que una verruga en la piel del honor. Mientras que ella no se daba cuenta del escándalo que causaban, él sí lo advertía.

Lady Bertha posó sus manos en sus anchas caderas y se detuvo. Todas las demás se detuvieron, como en ristra en medio de la sala grande.

—¿Cómo puedes decir eso? ¿Por qué tenía que estar pendiente de su conversación, resollando?

—Porque no veía lo que estaba ocurriendo en el combate, y él se lo estaba contando. Estaba pendiente de cada palabra, y no es de extrañar, la historia que él inventaba ponía a William en un peligro horrible. ¿Te ofreciste a describirle la acción?

—No —contestó lady Bertha, cerró la boca y pareció pensativa.

Recorriendo con la mirada a cada una de las mujeres, lady Jane continuó:

—Lady Saura ha sido nuestra amable anfitriona y le pagáis con la hediondez de pescado podrido. Es una novia, y nadie debe arrojarle una sombra a su dicha.

Reanudó la marcha con paso majestuoso, y de pronto sonó un feo susurro, como salido de la nada:

—Lady Saura no vería la sombra, en todo caso.

Jane se desentendió del susurro, esperó hasta que la criada que rondaba por ahí abriera la puerta de la habitación soleada y entrara. Y todas entraron detrás. Saura estaba sentada en un sillón como en un trono, y tenía delante una bandeja con pan y vino. La cubría una bata de lana marrón que la aplastaba con su tamaño; era evidente que la bata era de William; las anchas mangas, remangadas, y los hombros caídos la hacían verse pequeña y menuda, como una niña. Ella arqueó una ceja, interrogante.

—¿En qué os puedo servir?

—Venimos a ayudarte a vestirte para la boda —explicó lady Jane. Consciente de sus faltas el día anterior, le presentó a las mujeres—: Han venido lady Bertha, lady Edina y lady Duana, Mary, Earlene, Isolde, Loretta, Valerie, Melbia y Juletta. Yo soy lady Jane.

—Os recuerdo. Bienvenidas, señoras.

—¿Tu doncella ha dipuesto tu ropa?

—En la cama, milady —contestó Maud, haciendo una reverencia, y cerró firmemente la boca para no decir lo que deseaba decir.

El tono de Maud captó la atención de Jane y se giró a mirarla atentamente. Una criada fiel, concluyó, celosa porque le han usurpado su lugar este importantísimo día. Con una paciencia de la que pocos la suponían capaz, explicó:

—Es la tradición que las señoras vistan a la novia. Eso le distrae la mente de la terrible experiencia que la espera. Por algún motivo, pensar en la boda y en la noche que la sigue le produce temblor en las extremidades —cogió la temblorosa mano de Saura— y le quita el apetito. ¿Has terminado de comer?

—Todo lo que he podido tragar —reconoció la joven, mordiéndose el labio.

—Muy bien, entonces. —Cogió la bandeja y la puso en otra parte—. ¿Ha venido ya el sacerdote? Estupendo. Si te has confesado y comido, procederemos. —Vio cómo el color abandonaba la cara de Saura y miró alrededor buscando una distracción; encontró una en su franca y sencilla amiga—: ¿Te acuerdas, Bertha, lo asustada que estabas antes de tu primera boda?

—Tenía doce años y mi marido once. A saber por qué me asustaba tanto esa cosita tan pequeña.

Se echó a reír divertida, y las demás mujeres se relajaron. Unas cuantas se rieron de la bien conocida historia, y en la cara de Saura jugueteó una sonrisa.

Jane la puso de pie.

—Es angustioso estar delante de cientos de testigos y jurar someter tus propiedades y tu persona a un hombre, pero por lo menos William no es un desconocido.

—Anoche conocí a tu padrastro —dijo Bertha—. Debes de estar danzando ante la idea de dejarlo.

—¿Theobald? —preguntó Saura—. ¿Theobald está aquí?

—Llegó tarde, escoltado por los hombres de lord Peter. —Chasqueó la lengua—. ¡Qué horror de hombre! Debe de haber venido a legalizar vuestra unión, pero no sé cómo podría una mujer vivir con esa crueldad.

—¿Lo has visto una vez y sabes que es cruel? —preguntó lady Duana, con un gesto de incredulidad en la cara.

—Me recuerda a mi segundo marido —contestó Bertha secamente—. Pasado un tiempo uno los reconoce. Matones que beben demasiado vino y golpean a sus mujeres por deporte. ¿Viste el moretón en la mejilla de su esposa?

—¿Dónde está lady Blanche, mi madrastra? —preguntó Saura—. ¿No quiso venir?

—No lo sé —repuso Jane—. Theobald no la dejaría salir de debajo de él. Durmieron en la sala grande, envueltos en una manta, y él resopla y gruñe como un toro para demostrar su virilidad a cualquiera que quiera escuchar.

—Oooh, estoy impresionada —dijo Bertha—. ¿Vosotras no, señoras?

—Oooh —canturrearon todas, y una de ellas dijo—: Me ha impresionado especialmente su rapidez. Es rapidísimo.

—Oooh —canturrearon otra vez, y se rieron.

Jane le quitó la bata a Saura, dejándola tan desnuda como Dios la echó al mundo. Las mujeres se agruparon en círculo alrededor, mirándola boquiabiertas.

—¡Bueno! —exclamó Jane enérgicamente—. Ahora vemos por qué William insiste en casarse contigo.

—Ah, bueno —suspiró Bertha—, todas fuimos así una vez.

—¿A los diecinueve? —espetó Jane.

—A los diecinueve ya tenía tres hijos —replicó Bertha— de dos maridos.

—Por favor, señoras —dijo Saura, suplicante—, estoy húmeda por el baño de bodas y el aire frío de la mañana.

—Vistamos a la chica, no sea que se congele —aconsejó Bertha.

Una de las otras cogió el vestido azul de mangas flotantes de la cama y se lo pasó por la cabeza.

Jane tocó la sobrefalda de lanilla rosa, el tejido más fino que había visto en su vida, y suspiró:

—Qué suerte tienes, lady Saura, por poder usar estos colores tan preciosos.

Ella sonrió dejándose atar el lazo delantero de la sobrefalda.

—Dejádsela bien ceñida —ordenó Bertha—, y me encargaré de tener vigilado a mi marido. No ha visto una cinturita tan estrecha desde hace años.

—Frederick no se atrevería a mirar a ninguna otra mujer —dijo lady Duana— por miedo a tu lengua afilada.

Eso dio pie a una pelea ya bien perfeccionada en el tiempo; Bertha se giró hacia Duana indignada:

—Frederick…

Un golpe en la puerta la interrumpió. Jane hizo un gesto a Maud y la mujer fue a abrir la puerta y recibió dos paquetes envueltos en lona.

—¡Obsequio de bodas! —exclamó Jane.

—¿Obsequio de bodas? —repitió Saura, perpleja. Entonces cayó—: ¿Un regalo?

—De William —dijo Jane—. ¿Quieres que te lo abra?

—Oh, no. Ponedlo en la cama, yo lo abriré. —Con ávidas manos echó hacia los lados la tosca tela del paquete rectangular, comentando—: No he recibido un regalo desde que murió mi madre.

Apareció un rollo de tela; palpando encontró el extremo y lo desenrolló con sumo cuidado. Era una brillante tela de color púrpura real.

El púrpura ondulaba a la luz, haciendo visos móviles, y sacando suspiros y gemidos de placer.

Pero Saura no tenía dirigidos los ojos a la tela, lo que destrozaba la ilusión de que tenía vista, ilusión que ella creaba con su eficiencia y garbosos movimientos. Con la cabeza levantada y una arruguita de concentración entre las cejas pasaba las yemas de los dedos por la tela, a lo largo y a lo ancho, con el sensual placer de una gata.

—Nunca en mi vida la he tocado, pero sé qué es. Seda.

—Tu madre nunca tuvo algo tan fino —dijo Maud.

—No son muchas las mujeres que la tienen —dijo Jane, irónica—. Ese color se reserva para las princesas y para los muy pocos ricos que pueden comprarlo. Sabe Dios cómo encontró William esta seda. No puede haber otro rollo de esa tela en esta isla. Esto demuestra su riqueza y valía, y lo mucho que te quiere.

—Mirad, hace juego con sus ojos —observó Bertha, apuntando el lugar donde la brillante seda tocaba la cara de Saura.

Era cierto que la tela daba un matiz púrpura al color violeta, proporcionándole brillo a los ojos.

—Sería una tonta si escuchara poemas pudiendo tener esto —dijo Duana, con voz clara y agudizada por la envidia.

—La poesía me aburre —dijo Saura—. Muchas veces es el resultado de arduo trabajo, mucho artificio y nada de talento. —Levantó la cabeza, apartando la cara de la tela y esos ojos púrpura parecieron mirar directamente a Duana—. No es otra cosa que una canción sin música.

La dama quedó con la boca abierta y Jane emitió una risita de triunfal diversión.

—A Duana la corroe la envidia porque nadie le dedica versos y ella los descarta como un aburrimiento. Ahora tiene otra cosa para envidiarle. —Alargó la mano y tocó la seda, como si no pudiera resistirse—. Pero hay otro paquete.

—¿Más? —preguntó Saura.

Pasó las manos por encima de la cama hasta que encontró el otro paquete. Al presionarlo se hundió la superficie, pero estaba atado con bramante y no revelaba fácilmente su secreto. Jane sacó su cuchillo, cortó el bramante y se aflojó e hinchó la lona, empujada por el contenido.

—Santísma Madre de Jesús —exclamó la mujer.

Exquisitas pieles negras como el ébano captaron la luz y Saura las palpó sintiendo su tacto. Hundió las manos en ellas, dispersándolas sobre la seda.

—Qué suaves —suspiró. Girando sobre sus talones, puso una muy cerca de la cara de Jane—. Sentidla.

Asombrada, la dama apretó la mejilla a la piel.

—Es preciosa —dijo, con la voz ahogada, emocionada por la alegría que veía en la cara de Saura, la de una niña ante un regalo inesperado.

—Decidme cómo es —pidió la joven novia, poniéndola delante de la siguiente dama.

Bertha alargó la mano, acariciando la piel y lanzando exclamaciones, y las otras se agruparon alrededor esperando su turno.

—Son negras —dijo Jane, sin saber qué más decir.

Bertha la miró poniendo en blanco los ojos, y Jane comprendió lo poco que veía con su bendita vista. Serenándose, pensó qué desearía saber la chica ciega, y se lanzó a describir:

—Las pieles son pequeñas, pero el pelaje es exquisito. Son de marta cebelina, y se asemejan a tu pelo en brillo y color.

Con un vestido hecho con la seda púrpura y adornada con pieles negras, serás la mujer más hermosa en la nueva corte.

—Hay veinticuatro pieles aquí —dijo Duana, revisando el paquete con la indignada expresión de una avara—. ¿Quiere cubrirla entera con pieles?

Se oyó el rugido de William procedente de la sala grande:

—¿Le gustan?

Bertha hizo un gesto con la cabeza hacia la voz.

—Al parecer sí desea cubrirla con ellas. Podría haberle enviado oro o joyas para demostrar su aprecio ante la gente, pero le envió regalos que a ella le gustarían. Nunca habría sopechado esa amable consideración en ese guerrero lleno de cicatrices.

Saura apretó la piel a su pecho, con la cara arrebolada de gratitud.

—Es el hombre más bueno y amable que conozco.

Las mujeres recordaron el desastre que quedó en el campo de batalla el día anterior y arquearon las cejas colectivamente.

—Y eso se lo debe a lady Jane —continuó Saura—. Ella le enseñó buena conducta.

La mujer se rió a carcajadas.

—Siempre fue amable y considerado, aunque un poco pagado de sí mismo por su posición. Has sido buena para él, lady Saura, lo has sacado de su desdicha.

—¿Está lista? —tronó la voz de William en la sala grande. Y añadió en voz más baja, aunque todas lo oyeron—: Condenación, ¿qué están haciendo esas mujeres ahí?

Las damas intercambiaron sonrisas, y Bertha cogió las medias largas de la cama. Jane le hizo un gesto, negando con la cabeza, descartándolas, y preguntó:

—Lady Saura, ¿te sientes bastante abrigada?

—Sí —contestó, sin sospechar la estratagema.

—En ese caso, dejaremos aquí las medias y sólo te pondremos los zapatos. Después de la ceremonia, procura que William se entere de que no llevas nada debajo del vestido, y vuestro primer apareamiento esta noche no será el último.

—Vamos, Jane —cacareó Bertha—, te has vuelto muy pícara.

—Las casadas tenemos que tener inventiva —replicó la dama—. Eso despierta el interés masculino. Además, las señoras tendrán el placer de verlo sufrir.

—Como digáis —dijo Saura—. De todos modos, no me haría feliz que se enteraran los otros hombres.

—No se enterarán —dijo Bertha, y alargando el brazo le pellizcó una oreja a Duana con sus regordetes dedos—. ¿Verdad, querida?

—No, no —contestó Duana, intentando apartarse—. No se lo diré ni a un alma.

Las demás mujeres afirmaron lo mismo y Saura metió los pies en los zapatos.

—¡Pardiez! ¿Dónde está esa mujer?

El grito de William sonó más agudo, y las damas se rieron.

—Será mejor que salgamos antes que comience a echar abajo la puerta a golpes —dijo Jane.

—Sí, y ya sabes con qué golpearía —dijo Bertha en voz baja, y haciendo un guiño travieso se dirigió a la puerta.

Maud abrió la puerta y la mujeres salieron a la sala grande bloqueándole a William la vista de su novia.

—Déjale el pelo suelto —ordenó Jane a Maud, ya en la puerta—. William me detuvo un momento para insistir en que Saura llevara el pelo suelto. Dice que no le importa que no sea virgen en su noche de bodas, que fue él quien cogió la flor, y que no se le debe negar el honor a ella.

—Sí, milady. —Haciéndole una reverencia, cerró la puerta. Cogió un cepillo, sentó a Saura en una banqueta delante de ella y le cepilló el lustroso pelo—. No es tan antipática una vez que la conoces. Y tu lord William es un hombre hermoso. Hermoso a los ojos y tiene dulzura en el alma. El matrimonio con él será tu rescate. Él te mantendrá segura y a salvo, te dará bebés y llevarás la vida de una dama refinada. Tal vez si este príncipe Enrique del que hablan trae la paz, irás a la corte y harás tu reverencia ante el rey. Que Dios apresure el día. —Le arregló artísticamente dos guedejas en los hombros—. Ya está, tienes el pelo casi seco, con unos rizos que no se pueden domar. Levántate y sal ahí a hacer realidad mi más acariciado deseo.

Saura no se movió. Maud la abrazó, y echó a caminar hacia la puerta.

—Venga, vamos. No es momento para nervios de novia.

—No puedo —dijo Saura, con una vocecita débil.

Maud se detuvo en seco.

—¡Por supuesto que puedes!

—No puedo —repitió Saura, y añadió con voz más firme, por el pánico que le debilitaba el valor—: ¿Cómo se me pudo ocurrir que podría?

—Esto no es asunto de si puedo o no puedo, milady. Tienes fuera un novio, un sacerdote, tu padrastro y un montón de gente esperándote. Tienes que ir.

—Toda esa gente mofándose de mí por haber soñado que podría casarme y ser feliz —dijo Saura, desconsolada. Apretó con tanta fuerza los bordes de la banqueta que se le pusieron blancos los nudillos—. Lo siento, pero ¿cómo puede una chica fea y ciega casarse con un señor rico como William? ¿Has dicho que iría a la corte? ¿Donde podría caerme de bruces y dejarlo en vergüenza? No soy una dama refinada. No puedo casarme con él.

—Has demostrado que sabes conducirte con estos señores con título. Vamos, tienes a esas señoras comiendo de tu mano. Has planeado las comidas a la perfección, has demostrado ante todos elegancia y dignidad.

—Simplemente tendré que explicárselo a William —dijo Saura, como si no hubiera oído ninguna de esas palabras tranquilizadoras—. Podemos hacer como tú y lord Peter, compartir una cama, sin estar casados.

—Lord William debe tomar esposa, milady. ¿Adónde irías cuando ella llegara?

—Tendré que salir ahí a decírselo —insistió Saura, apretando con más fuerza los bordes de la banqueta, inmóvil.

Irritada por ese obstinado miedo de su señora, Maud ladró:

—Yo soy una criada y Peter es un señor. Me hace feliz compartir su cama; me ha dado un placer que creía que nunca volvería a experimentar. Pero tú eres una dama, la hija de un barón, normanda purasangre. No hay comparación entre tú y yo. No puedes continuar aquí compartiendo la cama con William como si fueras una mujerzuela de humilde cuna.

—No puedo casarme con él.

—Hay otra diferencia entre nosotras, Saura. Yo soy vieja y ya no tengo mis ciclos lunares. Tú eres joven, fecunda, tienes tus ciclos regularmente. Podrías estar embarazada.

—No lo estoy.

—Pues entonces lo estarás el próximo mes o el siguiente. ¿Vas a condenar a tu hijo a una vida como bastardo porque su madre es una cobarde?

Saura se cogió la cabeza entre las palmas y gimió:

—Uy, Maud, ya no sé qué es correcto ni qué es incorrecto.

Su doncella le cogió las dos manos y se las retuvo.

—Bueno, yo sí lo sé. Hacer esperar a ese hombre maravilloso mientras te cueces en tonterías, haciéndolo pensar si lo vas a dejar en vergüenza delante de medio país rechazándolo, eso es incorrecto. Ésa es una mala manera de agradecerle la seda y las pieles de regalo y su amabilidad. —Le pellizcó las mejillas para darles color, le alisó el vestido de novia y la levantó—. Eres la mujer más hermosa aquí —la tranquilizó—. Ahora sal a casarte con él.

—¿Estás lista, Saura? —preguntó William, en el umbral de la puerta, su voz dorada alentadora—. Nuestros invitados esperan. ¿Vas a salir ahora a casarte conmigo?

# Capítulo 16

Sin decir palabra, Saura avanzó y alargó la mano; William se la cogió y se la llevó a los labios. Poniéndole la mano en la curva de su codo, la llevó hasta la tarima donde estaba el sacerdote. Los padres de ambos se situaron a los lados. Maud se asomó a mirar y vio que la cara de Saura continuaba con expresión decidida; después se sentó en la banqueta y se limpió el sudor de la cara.

Saura y William hicieron sus juramentos delante de todos los testigos, y en la presencia del hermano Cedric se convirtieron en marido y mujer. Theobald entregó a Saura sin el menor estremecimiento; su buen talante fue tal vez estimulado por la visión de la mano de lord Peter firmemente colocada en la empuñadura de su espada. A la mitad de la ceremonia, Maud salió de la habitación soleada y se detuvo a mirar con una mano en el corazón. Nadie presentó ninguna objeción a la unión cuando se hizo la pregunta, y cuando terminaron las promesas, todos los presentes lanzaron vivas. Entonces se separaron en grupos pequeños que se turnaron para besar a la recién casada y dar palmadas en el hombro al recién casado.

El festín que vino después fue el mejor de todos, porque los criados de la cocina ya no tenían dudas respecto a sus lealtades. Con ese matrimonio, William y Saura se habían unido, eran uno.

William ayudó a su flamante esposa a ponerse de pie y la acompañó a dar la vuelta a la mesa para conversar con los invitados.

Cuando Theobald vio que la pareja avanzaba hacia el grupo en que estaba él, se llevó su copa a los labios y bebió, sin apartar sus ávidos ojos de ella.

—Saura es Eva —masculló—. Una tentadora que lleva a los hombres al desastre.

La joven se detuvo detrás. Su fino oído había captado las palabras y por fin se le encendió el genio ante ese baldón que había oído tantas veces. Por ella y por su sexo, replicó:

—¡Eva! ¡Eva! Pardiez, el mundo debería estar agradecido de que fuera Eva la que cogió la manzana. Si hubiera sido Adán, se habría aferrado a su pecado con tanta devoción y obstinación que la humanidad no se habría salvado jamás.

Dándose media vuelta, se alejó, dejando atrás un pasmado silencio, el que no tardó en llenarse con las carcajadas de las mujeres.

Detenido a un lado del grupo, William sonrió de oreja a oreja al ver la cara del padrastro, boquiabierto de sorpresa.

—No has mejorado a esa zorra con que te casaste —se quejó Theobald—. En mi casa no habría dicho jamás una palabra en contra de un hombre. Respetaba a sus superiores.

—También los respeta en mi casa —dijo William, divertido—. Dudley, los jóvenes se están reuniendo en el patio para practicar esgrima. ¿Te apetece practicar con ellos?

Al instante Dudley se levantó de la mesa.

—Sí, señor, gracias.

—¡Eres monje! —le gritó su padre cuando se alejaba, y luego masculló—: Chico tonto.

William hizo una venia y se alejó, y alcanzó a oír la queja de Duana:

—Te lo digo. Lo ha hechizado.

Con paso ligero dio alcance a Saura y rodeándole la cintura la giró acercándola a él.

—Pues sí.

Ella levantó la cara y él vio que en sus ojos ya no había lágrimas amenazando con salir. Su rabia conseguía lo que no lograba la ternura de él. Ya no estaba alicaída por la tristeza ni la incertidumbre.

—¿Sí, qué? —preguntó ella.

—Me has hechizado —contestó, levantándola en los brazos y dándole una vuelta en volandas.

—¡Cuidado! —exclamó ella, sujetándose bien el dobladillo de la falda—. ¿Quieres que coja un enfriamiento?

Él interrumpió el exuberante baile.

—¿Enfriamiento?

—Sí, esas vueltas me hacen subir una brisa por las piernas.

Él entrecerró los ojos y miró atentamente esa cara tan inocente.

—¿Qué has hecho?

—¿Yo? —chilló, fingiéndose ofendida—. Nada. ¿Por qué lo preguntas?

—Saura…

—¿Adónde van todos?

—Al patio, para unos juegos. ¿Saura?

—El sol brilla en el cielo, salgamos, milord.

Poniendo la mano en la de él, levantó la cara y le sonrió. Él ya había dado dos pasos en dirección a la cama de matrimonio cuando Rollo y Clare le cogieron los codos, gritando:

—¡William está en nuestro equipo!

Lo rodearon los demás miembros del equipo, empujándolo hacia la puerta y alejándolo de Saura. Prevaleció la cordura y se dejó llevar; no podía llevarla a la cama siendo tan temprano todavía y estando sus invitados pidiendo entretenimiento.

—¿A qué vamos a jugar?

—Al balón. Dudley trajo una pelota y conoce las reglas. Hay que patearla o golpearla con las piernas o el trasero, pero nunca tocarla con las manos. Es una buena refriega. Tenemos que celebrar tu día de bodas.

—Pues sí —dijo William, sonriendo con amable sarcasmo—. Lo había olvidado.

Cuando iban bajando al patio los invitados los rodearon, riendo y bromeando. Mirando atrás, vio a Saura caminando en medio de las mujeres, así que al llegar al pie de la escalera de caracol se separó del grupo explicando que se le había soltado una liga. Se situó en la sombra, se agachó y esperó. Su recompensa apareció arriba; Saura bajaba los peldaños con una mano apoyada en la pared, y él tuvo una clara vista de sus piernas hasta los muslos.

Le salió al paso al pie de la escalera.

—¡Dientes de Dios, Saura! ¿Qué juego pretendes jugar?

—No al balón —contestó Jane alegremente.

Él se mantuvo firme con las manos en las caderas y el mentón adelantado.

—No puedes salir así. Sube a vestirte.

Haciendo un viraje que él sólo pudo admirar, las mujeres hicieron pasar a Saura por delante de él y se la llevaron, dejándolo enfrentado a lady Jane.

—Vamos a dar un paseo —le explicó ella—. Veremos el partido y cogeremos flores, y Saura desea enseñarnos su jardín de hierbas.

—¡Su jardín de hierbas! Lo más seguro es que no es eso lo que va a enseñar.

Jane escapó por un lado mientras él protestaba.

—Ningún otro hombre sabe qué hay para mirar —le dijo alegremente—. No te preocupes, la acompañaré al interior de la casa si se levanta viento.

Eso no lo tranquilizó en absoluto.


William no estaba jugando bien al balón, le dijeron las mujeres a Saura, riendo. No paraba de mojarse un dedo para comprobar si soplaba la brisa, y la enorme y dura pelota lo golpeaba en los pies, haciéndolo caer más de una vez. Ella se reía en voz baja mientras las damas miraban por la puerta del jardín de hierbas y le explicaban cómo iba el partido, pero Saura percibía que estaban impacientes. Deseaban estar en el patio mirando el partido en lugar de acompañarla a ella, así que les sugirió:

—Vuestros hombres jugarían mejor si fuerais allí a animarlos.

—Deseas ir a ver a William —dijo Jane. Titubeó un momento y preguntó—: Maldita sea, ¿qué palabra empleas?

—Ver —contestó Saura, con firmeza.

—¿Deseas ir a ver a William jugando al balón?

—No. Si no os importa, señoras, querría estar sola. Sólo un momento. —Nadie dijo nada, así que añadió—: Para pensar.

—Es demasiado tarde para pensar —le advirtió Bertha, sólo medio en broma—. Lo hecho, hecho está.

—Lo sé. —Por primera vez desde hacía días, examinó sus sentimientos y descubrió que sí deseaba estar sola. La invadía un intenso deseo, la necesidad de estar en paz para pensar y resolver los desafíos de su vida—. Sólo quiero un rato para descansar.

Las mujeres parecieron comprenderla. Una a una fueron saliendo por la puerta hasta que se quedó sola. Caminó a tientas hasta el banco que estaba al sol. Estaba caliente y duro; era una piedra lisa colocada en posición horizontal para hacer de banco. No entraba la brisa en el jardín, protegido como estaba por un cerco alto de madera y una pared por la que trepaban rosales. El silencio impregnaba el aire; no era verdadero silencio, porque oía las voces, los gritos y las risas del patio. Pero era el tipo de silencio agradable y cómodo que últimamente rara vez sentía. Apoyó la espalda en el cerco y cerró los ojos. Aspirando el olor de las rosas y de la mejorana, absorbiendo la luz por los poros, le vino una especie de somnolencia. Se le vació la mente, se le relajaron los músculos, libres de la sutil tensión, y se quedó dormida.

Una tensión en los hombros la trajo de vuelta al jardín; pensó vagamente qué sería lo que la alarmó. Levantó la cabeza y aguzó los oídos. Una ligera arruguita rompió la lisura de su serena frente, y luego se acentuó. Se había dejado llevar por la pereza de la tarde. ¿Por qué habrían de perturbarla?

No había nadie en el jardín. Renovó la atención, pero no sintió ningún movimiento, nadie dijo nada. Estuvo a punto de preguntar, pero le pareció estúpido. En realidad no había oído nada; sólo fue un escalofrío que le subió por la columna, y ese desagradable hormigueo de sentir que alguien la estaba mirando.

Volvió a relajarse, aflojó los músculos y volvió al sueño ligero, y entonces lo sintió: el soplo errante de una brisa le rozó la mejilla y un ronco susurro pasó por el aire. Sobresaltada, despertó del todo y alargó las manos para tocar al fantasma, pero no había nada. Puso atención, escuchando con toda su capacidad, y oyó. Las suaves pisadas de unos pies con zapatillas, la respiración dificultosa, incluso resollante, de un demonio empeñado en la crueldad. Había oído esos ruidos antes, sabía quién se dedicaba a esos malvados juegos.

—Theobald, hijo de puta, para inmediatamente.

Guardó silencio y sólo oyó la respiración. La sentía más fuerte, reñida con la brisa que golpeaba los rosales trepadores y se llevaba el aroma. Su silencio la enfureció.

—Theobald, las comidas de mi cocinero te han producido dolor de estómago varias veces. Pueden volver a producírtelo.

Nada. No hubo respuesta, así que gritó la amenaza definitiva:

—Theobald, le diré a William lo que haces y él te golpeará hasta matarte.

Sólo le contestó una suave risita, y se le erizó el vello de los brazos. Tenía que ser Theobald, tenía que ser él. Pero Theobald no se reiría de la amenaza de violencia a su persona. Lentamente se puso de pie, sintiendo brotar gotitas de sudor en la frente.

—¿Theobald? —le tembló la voz.

—No temas, bella dama. Te amo.

La voz sonó apagada, casi inaudible, una voz conocida camuflada por un trapo tal vez. El corazón le dio un vuelco y comenzó a latirle tan fuerte que casi la ensordecía. Hizo respiraciones largas y lentas para calmarse y poder pensar, para ponerle una trampa, para oír la verdadera voz.

—No eres Theobald —dijo con seguridad.

—No.

La respuesta llegó con la brisa.

—¿Quién eres?

—Uno que ama.

La voz era sosa, sin expresión, aterradora por su falta de entonación. Tenía que producirle alguna emoción al hombre, conseguir las inflexiones que delatarían su identidad.

—¿Cómo puedes decir eso? Me asustas con tus trucos.

—Mientras viva William, tu miedo…

El hombre se interrumpió y entonces ella oyó la voz de Jane llamándola y los pasos de las mujeres acercándose. Maldiciendo, se abalanzó hacia el hombre, pero no podía igualarlo en velocidad. Sonaron rápidas pisadas y desapareció, dejándola toda descompuesta. Se volvió hacia las mujeres.

—¿Lo visteis?

—¿A quién? —preguntó Jane, sorprendida.

—Tenéis que haberlo visto. Un hombre que estaba aquí hablando conmigo.

—¡Jo, jo! —exclamó Bertha—. ¿Soñando con tu hombre?

—Había un hombre aquí y dijo cosas terribles. Dijo que me amaba y me llamó bella dama.

—Nadie ha salido del jardín —dijo Duana, despectiva—. Toda esa poesía se te ha ido a la cabeza.

—No, no. Es cierto.

Jane le puso la mano en el brazo para tranquilizarla.

—Duana tiene razón. Nadie salió del jardín cuando nos acercábamos a la puerta.

—Debe de haber otra salida.

—Estabas soñando.

—Imposible.

—Estabas dormida y sola la última vez que vinimos a verte —le dijo Jane—. Te lo prometo, estabas soñando. —Aumentó la presión de la mano y le dio un suave tirón—. Ven, subiremos a la habitación soleada y ahí podrás descansar bien.

Oyéndolas, Saura se desesperó. No le creerían jamás; sólo creían lo que veían con sus propios ojos. ¿Cómo podría convencerlas si escasamente se lo creía ella?

Ya sola en su habitación, se metió en la cama, obedeciendo la orden de Jane de que se relajara. Desnuda entre las sábanas, reflexionó sobre el extraño incidente en el jardín. En realidad, podría no haber ocurrido; había algo raro en ese incidente, algo como de otro mundo. Ojalá pudiera convencerse, convencerse de que no se estaba volviendo loca. Tranquilizarse del terror de esa mañana.

No era nada, se dijo. Nervios de novia. Bueno, había oído historias de novias que lloraron durante toda la ceremonia. En realidad, no era una mujer insegura. ¿Y si William fornicara con una criada y trajera a una parienta pobre a ocupar el puesto de ama de llaves para reemplazarla a ella del todo? Era a ella a quien deseaba él, era a ella a quien mimaba. Él lo decía y era un hombre de honor. Entonces, ¿qué, si él encontraba un nuevo amor cuando ella estuviera con el vientre abultado por un bebé? Todos los hombres acostumbraban a tener una mujer para pasarlo bien y una esposa para tener sus hijos. A ella no le importaría, ¿verdad?

Oyó un ruido al pie de la cama y levantó la cabeza, como un conejo listo para echar a correr. Sintió el miedo con toda su potencia. Por su mente pasaron los recuerdos: el ruido de pasos, una risa ronca, una expresión de amor susurrada. Levantó la mano lentamente, cautelosa, temiendo que alguien la estuviera mirando, temerosa de… ¿de qué? No lo sabía, y eso era lo peor. Con la mano temblorosa se friccionó el cuello hasta que se le aflojaron los tendones.

—¿Quién está ahí? —preguntó en un susurro, y luego repitió en voz más alta—: ¿Quién está ahí?

Nadie contestó. Le dio un vuelco el corazón, como si se le fuera a salir del pecho. Era él otra vez, sabía que era él. Ese hombre se las había arreglado para entrar en su habitación. Entonces oyó una tos y se relajó. No era él, y ni siquiera era un hombre, así que podría enfrentar a la intrusa con cierta cordura.

—No puedes engañarme —dijo calmadamente—. Estoy entrenada para saber escuchar, y sé que estás ahí.

Sintió pasos arrastrados; se sentó, afirmándose las mantas bajo los brazos. Volviendo la cabeza hacia el sonido, se tensó; identificó a la intrusa.

—Hawisa, ¿cómo entraste aquí?

—*Te cree' muy a'tuta con tu güen oído que lo sabe too, toa creía po tu belleza y con too' lo' hombre' oli'cándote el culo.*

Saura guardó silencio, intentando calibrar la furia de Hawisa por la hostilidad de su tono.

—*Cree' que e'conde' tu maldá,* pero la gente habla. Dicen que *ere'* bruja. Dicen que tu ceguera *e' un ca'tigo.* Dicen...

—Un montón de tonterías, me parece —interrumpió Saura—. Hawisa, no entraste aquí para decirme lo que dicen personas de mal espíritu. ¿Cómo entraste aquí?

—Me *e'condí detrá' del tapí* cuando te trajeron *la' señora'.*

—¿Qué haces en nuestra habitación soleada?

—«Nuestra» habitación —la remedó la chica—. *Somo' importante',* ¿no? *Tan segura' y confiada',* ¿no? *Casá e'ta* mañana y ya la dueña del *ca'tillo.*

—¿Qué estabas haciendo?

—¡Poniendo veneno en tu vino! —gritó Hawisa—. Te *libra'te* de mí, ¿no? Me *arroja'te* como *menudillo'* en el montón de mierda. Lord William habla de *dame* a cualquiera que me quiera *tomá,* pero me crié aquí, aquí *e'tán mi' raíce'.* Dejaré todo lo que *cono'co.* Donde sea que me ponga, *e'taré* por debajo de *toos,* una intrusa.

Alarmada por la desmedida violencia que detectó en su voz, Saura intentó tranquilizarla:

—Estoy segura de que lord William hará lo mejor que pueda por ti.

—Yo no le impoto, sólo le *impota'* tú. Si no *hubiera'* venido yo no tendría que *ime*. Seguiría en lo alto del montón, con los *criao'* sirviéndome, dándome *lo' primero' sabore'* de la cocina y mi *e'pita pa sacá* la cerveza. Todo *e'* culpa tuya.

Hawisa ya hablaba a gritos, y eso tranquilizó a Saura.

—No tienes derecho a esas cosas.

—¡Me *la' gané*! *Ha'ta* que *llega'te* y *cambia'te* la cerraura de la bodega de la que yo tenía la llave poque me la gané.

—¿Te las ganaste?

—*Tumbá*, igual que una dama importante se ganó un marido *tumbá de e'parda*. ¿No *sabe'* lo que dicen *too'*? Que William te sigue como un perro que ha olido a una perra en celo. Dicen que *tiene'* que ser muy buena entre *la' manta'* pa que él se case con una ciega inútil…

El pesado jarro de peltre se estrelló en la pared detrás de Hawisa y saltó el agua desparramándose por el suelo. La criada saltó hacia un lado, interrumpiendo los gritos, por la conmoción.

—¿Cómo lo *hici'te*? —preguntó en un susurro, temblando, como si sólo entonces se diera cuenta de su grave infracción—. ¿Cómo *supi'te* dónde arrojalo?

Saura echó atrás la mantas y para no caerse avanzó a gatas por la cama, con el pelo todo revuelto, los labios estirados, enseñando los dientes, en un gruñido, olvidada de que su cuerpo estaba magníficamente desnudo.

—No soy ciega. He perjurado. Sé de todas las cosas repugnantes que has hecho. Sé de cada vez que has traído a esta cama a uno de tus amantes. Sé de todos los desprecios que nos has dirigido a William y a mí. Te retendré aquí, no podrás marcharte jamás, y desearás…

Se abrió la puerta e irrumpió Maud.

—Milady, ¿qué…?

Retuvo el aliento al ver la escena.

—Oímos los gritos —dijo lady Jane entrando detrás.

Tampoco pudo continuar.

Hawisa retrocedió hacia ellas canturreando:

—*E'* una bruja, no *e'* ciega, *e'tá* loca, le tengo miedo. —Al ver a Saura levantar la manos con los dedos flexionados como garras, y gruñendo, se dio media vuelta y salió corriendo, gritando—. *E'* una bruja, ve, *e'* una bruja.

—¿Qué le hizo a tu seda? —preguntó Jane.

Saura bajó de un salto de la cama.

—¿Dónde está? —preguntó, feroz, y el sonido de su furia llegó hasta la sala grande—. ¿Qué le hizo? La mataré, mataré a esa arpía.

—Está fuera del arcón, milady, y el cuchillo…

—La mataré.

Lady Jane cerró la puerta de un golpe.

—Te has exhibido para todos, y eso tenía que esperar hasta la noche de bodas. —Le cogió el brazo para impedirle que continuara avanzando—. Deja que tu doncella la mire primero. —Le cogió con fuerza el codo y se lo sacudió, impidiéndole seguir tironeando para soltarse—. Cálmate. Deja que tu doncella vea lo que le hizo a la seda y luego puedes comprobarlo tú.

Sonó el frufrú de la tela, luego el ruido al caer el rollo sobre el arcón, y entonces Maud dijo:

—Cortó un trozo de un extremo y partes del flequillo del borde, pero por lo demás está intacta. No es nada que un poco de costura creativa no pueda arreglar, milady.

—Déjame ver. —Tironeó y Jane la soltó. Maud le guió las manos hacia la parte destrozada, y Saura se sintió hervir de furia—. Esa loba —siseó—. Gracias a la Virgen que me trajisteis a descansar en ese momento preciso, si no, a saber qué habría hecho. Esa imbécil.

—¿Qué te dijo? —preguntó Jane, curiosa y sorprendida.

Saura estaba tan furiosa que sólo logró recordar una cosa:

—Dijo que el único motivo de que William se casara conmigo es que soy buena en la cama.

—¡Bueno! —exclamó Jane, casi riendo—. Alguien debería insultarme así a mí.

Saura movió la boca hasta que se echó a reír.

—He sido desmedida —se lamentó, y volvió a reírse—. Chillo como una pescadera por sus comentarios cuando debería ordenar que la azoten por destruir posesiones ajenas. —Se pasó la palma por la frente—. No podré volverme a dormir. Vísteme, Maud, y me prepararé para los juramentos.


Uno a uno los vasallos de William se arrodillaron ante él y, colocando las manos juntas en las de él, pronunciaron sus juramentos de lealtad. Ya los habían hecho antes, eso era una repetición, una repetición que resultaba conmovedora por su preocupación por William. A sir Merwyn le corrían las lágrimas por sus arrugadas mejillas mientras hacía el juramento, sir Raoul no paró de sonreír, sir Egide y sir Dillan temblaron de emocionado entusiasmo; pero todos pronunciaron su juramento de lealtad con orgullo, por lo que sus palabras se oyeron hasta en los más apartados rincones de la inmensa sala.

Después los vasallos de Saura se arrodillaron ante ella. Cada uno colocó las manos juntas en sus manos y juró ante Dios que mantendrían y defenderían sus tierras. También ellos hicieron los juramentos con voz alta y clara, pero cuando terminaron no se levantaron.

Entonces el caballero mayor, sir Francis de Wace habló en nombre de todos. Muy serio, porque el asunto requería mucha reflexión, dijo:

—Con placer damos nuestra lealtad a lady Saura de Roget. De todos modos, necesitamos la respuesta a una pregunta, para nuestra protección y por la protección de sus tierras. Lord William estuvo ciego durante un periodo. ¿Va a volverle esa ceguera?

A Saura se le hinchó el pecho con doloroso resentimiento.

—¿Es tan importante la ceguera?

William le tocó la mano.

—En un guerrero, lo es. Ellos deben saber si soy o no capaz de rescatarlos en caso de asedio.

—Sí, milady, no es nuestra intención faltar al respeto —explicó sir Denton—, pero si lord William tiene fallos en la vista o en la mente, debemos saberlo.

—Lo comprendo —los tranquilizó William—. Pensaría menos bien de vosotros si temierais preguntarlo. Pero os aseguro, mis nobles caballeros, que no he tenido ningún problema desde que lady Saura me rescató con su toque curativo. Os lo demostraré cuando vayamos a someter al rebelde sir Frazer.

Sir Francis se incorporó y los demás lo imitaron, musitando palabras de aprobación.

—Estaremos orgullosos de seguiros, milord. ¿Iremos pronto?

Saura rechinó los dientes ante el placer que detectó en sus voces, y más aún cuando William contestó sin vacilar:

—Muy pronto. Seríamos tontos si le diéramos tiempo para aprovisionarse para un asedio.

Los hombres retrocedieron y William le dio un codazo a Saura.

—¿No es la hora de la cena?

Ella pegó un salto, evaporados sus pensamientos.

—Ah, por supuesto, milord.

Él notó una máscara de frialdad en sus rasgos cuando se giró a ordenar que montaran las mesas. No la retuvo y, aunque ella no lo sabía, entendía su preocupación. ¿Acaso su Anne no era igual tratándose de combates? Por alguna razón inexplicable, las mujeres temían que una pequeña pelea blandiendo armas les robara a sus maridos. Cualquiera diría que en lugar de eso sería más lógico que se preocuparan por todas las prostitutas que existían en el mundo. Él no lo entendía, pero ya no trataba de explicarse esa tontería.

Lo que sí hizo fue prepararse para otro ataque a sus oídos. Vio que Nicholas estaba consultando un pergamino lleno de notas. Ése era su día de bodas, se dijo, y se merecía un descanso de esos interminables poemas. Trató de ser justo con Nicholas. Sin duda era la primera vez en su vida que se enamoraba. Lo comprendía, porque ¿cómo podría cualquier hombre no amar a Saura? Pero cuando lo oía declarar su amor por Saura, por su esposa, por «su mujer», deseaba golpearlo hasta convertirlo en una sanguinolenta papilla. Le costaba recordar la amistad y la generosidad cuando se enfrentaba a un cazador furtivo en sus tierras. De hecho, la adoración de Nicholas daba pie a tantas habladurías que se preguntó si no sería conveniente hablar con él. Sabía que Saura era indiferente a Nicholas; cualquiera que tuviera la mitad de un ojo podía ver que no la impresionaba. De todos modos, había gente deseosa de propagar rumores y calumniar a sus superiores, y el matrimonio ponía a Saura en una precaria posición de eminencia. Se encontraba, pues, ante una elección: ¿debía prohibirle a Nicholas que le dedicara versos a Saura y dejar que la gente hablara de su poca confianza en su dama? ¿O debía encargarse de que Nicholas se marchara pronto llevándose con él sus molestos afectos? Tanto lo uno como lo otro aceleraría los rumores de una desavenencia entre él y su amigo, y entre él y su esposa. En cuanto guerrero, su instinto lo impulsaba a la acción; en cuanto pensador, suponía que una afable manifestación de aburrimiento serviría mejor a sus fines.

Sentado al lado de Saura en la mesa principal, escuchaba las bromas y mofas de sus amigos acerca de la noche de bodas y sonreía cuando era el momento adecuado. El insinuante humor de las damas llevaba rubor a las mejillas de Saura y la hacía olvidar su resentimiento con él, y eso lo agradecía. Pero no paraba de observar a Nicholas. Éste comía con ganas. Nicholas siempre comía con ganas, y ni siquiera un amor no correspondido iba a cambiar eso. Pero cuando terminó de comer, comprendió que había llegado el momento de decidir: ¿debía levantarse a hacer una declaración o debía resignarse a sufrir una noche más?

Le arrebataron la decisión por el momento. Raymond, que estaba sentado al otro lado de lord Peter, se puso de pie. Tenía una prestancia que pocos hombres poseían; él la tenía, y lord Peter también; eran capaces de imponer silencio en una bulliciosa sala.

Cuando se hizo el silencio en la sala grande, Raymond hizo una venia hacia la pareja, y luego otra hacia Saura. Acto seguido se subió en el banco, colocó un pie sobre la mesa y apoyó los brazos en la rodilla. Su escudero le pasó un laúd, y él lo cogió diciendo:

—La novia es la reina del día, la esposa es la reina de la noche, y tengo una canción que declara lo que siento por la reina más hermosa de todas. Saura, nuestra Saura, reina de la salida del sol y del anochecer.

Entonces comenzó una canción de impresionante dulzura. Verdadero músico que era, cantó una balada acerca de Saura que hacía brotar las lágrimas. Incluso la joven escuchaba, dejándose llevar por la melodía, desentendiéndose de sus deberes de anfitriona en esos momentos.

William se alarmó al comienzo, pero poco a poco se fue relajando. Eso no era la traición de otro camarada; era una canción ante cuya letra los patéticos versos de Nicholas no resistían un examen minucioso. No lograba entender su exaltación ante el giro de los acontecimientos. ¿Por qué la declaración de amor de Raymond le calmaba los temores? Pero se los calmaba, y al pasear la mirada por los señores y señoras, por los criados y siervos, comprendió por qué. Estaban desconcertados, confundidos. ¿Cómo podrían decir que Saura daba aliento a Nicholas «y» a Raymond? Claro que podían decirlo, pero las acusaciones perdían credibilidad al ampliarse. Nicholas había llegado antes que todos ellos, así que podían elucubrar acerca de lo ocurrido antes que llegaran. Pero ¿y Raymond? Llegó mucho después que el último invitado, y nadie lo había sorprendido escondido en algún rincón con Saura.

Terminó la canción y él sonrió, inmerso en su satisfacción, y cuando se apagaban los aplausos, se levantó otro caballero.

—Yo también tengo versos para lady Saura, la mujer más hermosa que me han robado bajo mis narices.

Sin dar tiempo para algún comentario, se lanzó a recitar un poema sobre los injustos caminos del destino que lo llevaron hasta Saura demasiado tarde. Ya su belleza sola la ponía muy por encima de su alcance; eso y, no menos importante, que estaba casada con el guerrero más corpulento y fuerte de Inglaterra.

Cuando se acabaron las risas, se levantó otro caballero, inspirado por una canción espontánea; y después otro, otro y otro. Todos cantaron alabanzas a Saura, con diversos grados de talento y variados mensajes. Esto no tardó en pasar de ser una oportunidad para exhibirse a una manera de retener a William y a Saura en la mesa, como anfitriones. William aguantó hasta que concluyó que aquel recital de «poetas» ya había hecho un daño importante a los rumores acerca de Nicholas y su amada. Entonces se levantó y cogió a Saura en los brazos.

—Hora de ir a la cama —dijo, categóricamente.

Eso produjo las risotadas más fuertes de la noche, y lady Jane se levantó y las demás mujeres la siguieron:

—Nosotras la prepararemos, milord.

William contrapuso la firmeza de ella al deseo de él, y deslizó a Saura por su cuerpo hasta dejarla de pie en el suelo.

—Como queráis. Pero no tardéis mucho.

Esta recomendación provocó tantas risotadas que Saura supuso que todos se habían excedido con la cerveza y el vino. Se apresuró a entrar en la habitación acompañada por las señoras, y obedientemente se estuvo quieta mientras la desvestían y le arreglaban el pelo disponiendo mechones aquí y allá cubriendo lugares estratégicos; eso no era por recato o pudor, porque después la exhibirían para garantizar su perfección física, sino más bien para incitar el interés. Entraron los hombres llevando a William en vilo entre varios, como si en lugar de estar deseoso de comenzar esa noche no estuviera bien dispuesto. Lo dejaron de pie en el suelo, lo desvistieron sin ningún miramiento ni arte y lo pusieron ante Saura.

Entonces las mujeres, con una incitante lentitud, le apartaron el pelo a Saura echándoselo atrás por los hombros. Los hombres silbaron y arrastraron los pies, riéndose a carcajadas de la dolorosa expectación que se veía en William.

—Si usas esa lanza tan bien como usaste tu lanza en la contienda —exclamó lord Peter—, Saura estará muerta por la mañana.

—No —le aseguró Jane—. Ella derrotará a su lanza. Las mujeres siempre ganamos esa batalla.

—Hasta que la lanza resucita —dijo lord Peter, en tono simpático.

—Eso rogamos —gritó Bertha.

Cumpliendo con su deber, el hermano Cedric dijo:

—Lady Saura es físicamente perfecta, con la excepción de sus ojos. ¿Lord William va a renegar de ella por esa discapacidad?

—Jamás —declaró William—. Ella es la salvadora de mi vista, la esposa de mi corazón.

—Pero ¿cómo va a ver ella el cuerpo de William? —preguntó Jane—. Tiene el derecho a verlo para verificar su disposición a continuar casada con él.

Saura avanzó y colocó las manos en los brazos de él.

—Eso lo puedo resolver. Lo único que tengo que hacer es...

Deslizó las yemas de los dedos por su pecho de una manera que hizo suspirar de placer a los hombres. La caricia tuvo su recompensa inmediata, pues William la levantó en los brazos y la llevó hacia la cama.

—Por la mañana le preguntaremos si está satisfecha —dijo Jane decidida, encabezando la marcha de todos hacia la sala grande.

Mientras la risita de Saura flotaba en el aire, se cerró la pesada puerta, y William la dejó caer sobre la cama de cualquier manera y se giró.

—¡William! —exclamó ella. Se incorporó apoyada en los codos y se apartó el pelo de la cara—. Déjame verte.

—Espera —gruñó él—. Voy a asegurarnos una soledad permanente.

Saura sintió el ruido de la banqueta raspando el suelo al trasladarla él. A eso siguió el ruido de la mesa de coser que estaba junto a la ventana.

—¿Prevés la entrada de visitantes?

—Prever es una palabra muy drástica. —Gruñó empujando la pesada mesa hacia la puerta—. La sospecho. En varias ocasiones he dirigido yo la interrupción de un momento íntimo, y «sospecho» que mis amigos tienen planes inicuos.

—Entonces será mejor que pongas ese arcón grande también —aconsejó ella.

Riendo él empujó el arcón de ella hasta que su peso dejó firme la barricada. Sólo había dado un paso hacia la cama cuando cambió de opinión. Hincando una rodilla en el suelo, abrió el arcón. Ella aguzó los oídos para oír lo que estaba haciendo, pero él cerró el arcón casi al instante. Entonces recordó sus regalos.

—No te he agradecido los regalos de boda. Bendito seas por hacerme importante a los ojos de todos.

—Tú te has hecho importante a los ojos de todos —contestó él—. Yo simplemente expresé con estos regalos cuánto te aprecio.

La cama se hundió con su peso.

Ella entrelazó los dedos, repentinamente consciente del silencio de la habitación, de que estaban totalmente solos por primera vez desde hacía muchas semanas.

—Yo también te tengo mucho aprecio.

Qué torpe, pensó, avergonzada de su falta de elocuencia. Sentada ahí desnuda la invadió de azoramiento. Apartó las mantas para meterse debajo y subió lentamente la sábana, cubriéndose las rodillas, luego la cintura, el pecho y por último los hombros, sin dejar de pensar en qué momento él le detendría el movimiento. Pero él no hizo nada.

Varias veces abrió la boca para hablar, pero no se le ocurrió nada chispeante. Él no decía nada, así que pensó si no estaría ofendido. ¿Tal vez esa travesura que hizo al no ponerse las medias lo había molestado tanto que no quería tener nada que ver con ella? Entonces él se aclaró la garganta, y ella comprendió que no era así.

Por primera vez en toda una luna estaban realmente solos, y se sentían tontos. Todas sus demás uniones habían sido decisiones del momento, el deseo los hacía caer de la posición vertical a la horizontal. Esa noche no había necesidad de desvestirse a toda prisa, ni de hacerlo en secreto ni de recurrir a seducciones especiales. Eran marido y mujer. Tenían todo el derecho a estar juntos en la cama.

—¿Te he dicho lo hermosa que estabas hoy? —le dijo él con voz ronca, profunda.

—Gracias. —Sonrió algo tensa, buscando en la mente qué más podía decir—. ¿Incluso sin mi ropa interior?

Al instante se sintió tonta por haberle recordado eso.

Él cambió de posición en la cama.

—Ah. Bueno, sí. La falta de algo bajo tu vestido me recordaba… Me gustó, sí.

Nuevamente se hizo el silencio, hasta que ella recordó preguntar:

—¿Ganasteis en el juego del balón?

—Sí, mi equipo ganó por un poco. Al comienzo íbamos perdiendo, pero después que entraste en la casa jugué bien y ganamos.

Volvió a cambiar de posición, acercándosele más, y ella sintió subir una burbuja de alivio.

—Me gustó conocer a tus amigos.

Él se rió en voz baja.

—¿A todos?

—A la mayoría —concedió ella, con los ojos solemnes.

Él apartó las mantas y se metió debajo.

—A ellos les gustó conocerte a ti.

Ella se sentó, él se sentó, se tocaron sus muslos, se tocaron sus brazos.

¿Debía moverse hacia un lado? ¿Él creería que era para evitarlo o para hacerle espacio?

Él meneó las caderas y la movió hacia un lado sin que ella tuviera que decidir.

—¿Te gustan las pieles? —preguntó él, entonces, metiendo algo bajo las mantas.

Con el fin de ser afectuosa, ella sobrecompensó la respuesta ronroneándola:

—Las encontré fascinantes.

—Eso esperaba. —Acercó esas grandes manos y ella sintió un suave roce en la rodilla—. Puedes ordenar que te hagan un capotillo con esas pieles. Con todas, menos con una, y ¿adivinas qué voy a hacer con ésa?

Ella se quedó muy quieta, sin poder analizar el exquisito cosquilleo que le excitaba la pierna. No era la mano de él. La exquisita caricia subió por su muslo y ella acercó la mano para identificar qué era.

Él le apartó la mano.

—No. Ésta es mi parte del regalo a la novia.

La suave caricia subió y subió y una violenta sensación de placer le contrajo los músculos del abdomen. Se le pusieron de punta los pezones y sintió carne de gallina por toda la piel.

—William —dijo con la voz ahogada—. ¿Es una de las martas?

—Sí —contestó él, pasándole la piel por el cuello.

—¿Qué vas a hacer con ella?

—Acuéstate —dijo él empujándola por el hombro—, y te lo demostraré.


Un arañazo en la puerta la despertó. No deseaba levantarse. Buen Dios, después de esa noche no deseaba volver a levantarse jamás, y menos aún a la fría hora anterior a la aurora. Pero volvió a sonar el arañazo, largo, angustioso, y el deber, y saber que *Bula* no renunciaría, la obligó a levantar la cabeza, sacándola del caliente nido del pecho de William.

—Sí, *Bula* —susurró, poniéndose el vestido marrón de trabajo—. Ahora voy, perro estúpido. ¿Por qué te permití comenzar esto?

Con callados gruñidos y gemidos, empujó hacia un lado el arcón, la mesa de coser y la banqueta. Estuvo un momento atenta a la respiración de William; si lo había despertado, él fingía dormir con la perseverancia de un hombre bien servido.

Abrió la puerta, acogió el entusiasta saludo del perro y le rascó las orejas.

—Chsss.

Aguzó los oídos para oír los sonidos de la sala grande. Nadie se movía como si estuviera despierto. Algunos cuerpos cambiaron de posición dándose la vuelta sobre las esteras, o emitieron un gemido por estar inmersos en una pesadilla.

—Llévame fuera, perro.

Cogiéndose del pelaje del cuello, lo siguió por el laberíntico camino entre los cuerpos dormidos hasta la escalera del otro extremo de la sala. Quitó la tranca y abrió la puerta, haciendo chirriar los goznes. Encontró la pared para guiarse y comenzó a bajar; el aire ya estaba más frío y *Bula* bajaba trotando delante, oliscando el aire entusiasmado. La adelantó bastante, rascando los peldaños con las uñas hasta llegar abajo. Entonces se detuvo y ella esperó a oírlo arañar la puerta de salida. Pero él no arañó; hasta ella llegaba el sonido de sus fuertes respiraciones, oliscando, y de pronto emitió un ladrido, corto y afligido.

Extrañada, comenzó a bajar más rápido, pensando qué motivaría ese cambio en el perro. Cuando sólo le faltaban dos peldaños, las puntas de sus pies chocaron con un obstáculo pesado, algo blando que se hundió un poco con el choque, pero no se movió. Entonces se le fue el cuerpo y, lanzando un grito, cayó de cabeza sobre el suelo de piedra; le crujió una mejilla con el fuerte golpe, se le deslizó una mano y cayó con todo su peso sobre el codo. Las rodillas fueron las últimas en estrellarse contra el suelo de piedra, que le arañó la piel, casi arrancándosela.

El dolor pudo con ella; se le cerró la mente, pero cuando despertó oyó el eco de su grito todavía resonando en la escalera. Le protestó el codo, dolorido por el golpe, y mientras se incorporaba notó hinchada la mejilla.

—Dios mío —gimió—. ¿Qué era?

*Bula* se le acercó a olfatearla, gimiendo afligido.

Girándose hacia la escalera, buscó a tientas hasta encontrar el obstáculo. Tocó tela casera basta y, palpando más, descubrió que era un cuerpo caliente envuelto en ropa de una criada. Ya desesperada, continuó palpando, en círculos, tratando de encontrar una señal de vida en la mujer. No percibió nada, ni el más mínimo movimiento, y cuando llegó a la cara comprendió por qué. La mujer tenía quebrado el cuello, por un golpe en un ángulo raro.

Oyó ruido de pasos en la sala grande y luego más pasos bajando la escalera; levantó la cara hacia ellos, horrorizada. La asaltaron voces, voces que no lograba identificar, voces que debería reconocer.

—¿Quién es? —exclamó—. ¡Decidme quién es!

Las voces callaron y de pronto Charles dijo en tono frío, adrede:

—Es Hawisa. Hawisa, la guarra que os llamó bruja. Hawisa, la criada que ayer amenazasteis con matar.

# Capítulo 17

—Es Charles.

—No es Charles, te lo digo.

—¿Quién es, entonces? —preguntó William—. Insistes en que no es Charles, pero ¿quién es?

Sintiéndose fatal, Saura se paseaba de un lado a otro con la mano apoyada en la mesa para guiarse.

—No lo sé. Pero la voz no es la de él.

William golpeó la mesa con su copa.

—¡No es la de él! Dientes de Dios, prácticamente te acusó de asesinar a Hawisa cuando les recordó a los invitados tu amenaza.

Saura abrió la boca y la cerró.

En los últimos días de verano se habían marchado los invitados. Se habían marchado comentando los extraordinarios acontecimientos de la celebración de la boda y ampliando su repertorio de historias para contar en el invierno que los aguardaba.

Los dos les desearon buen viaje y agitaron las manos hasta que se perdieron de vista, y entonces se giraron a mirarse y se rieron con descarado alivio. A William lo contentaba hacerle la corte a su flamante esposa, ayudarla en sus quehaceres domésticos, pasear con ella por el bosque y amarla en todas las oportunidades que se les presentaban. Pero ya había llegado a su fin ese tiempo de miel, y William pareció despertar para hablar de asedio y batalla.

En esas dos semanas de encantamiento ella no le había dicho nada sobre el peligro en el jardín, sobre el hombre que le habló con la boca tapada con un trapo, que la acarició y le declaró su amor. Temía que él se enfureciera; se lo imaginaba saliendo furioso declarando que encontraría al cabrón que se atrevió a abordar de esa manera a su mujer.

Más que eso, temía que no le creyera. Las damas no le creyeron, ni siquiera lady Jane. Lo descartaron como un sueño, y con buen motivo. Habían ido a verla y estaba durmiendo y sola. Habían visto la puerta del jardín cuando se acercaban, y no vieron salir a nadie por ella. Incluso ella estaba de acuerdo en que el fantasma no salió por ahí, pero no sabía «cómo» salió. Cuando ya se habían marchado los invitados, volvió al jardín y, sintiéndose estúpida, exploró todas las paredes, palpándolas. Lo único que consiguió con su curiosidad fue un buen puñado de espinas de los rosales.

Pero debía decírselo. Se lo diría. Girándose hacia él, dijo valientemente:

—¿Qué te apetece para cenar?

Pestañeó. No era eso lo que había querido decir, y William se dio cuenta.

—¿Qué te pasa, cariño? —Se levantó, dio la vuelta a la mesa, le cogió los hombros y la atrajo hacia sí—. Dímelo.

Ella bajó la cabeza y apoyó la cara en su pecho.

—Ooh, William, qué cobarde soy.

—¿Tú? —Se rió y ella sintió el retumbo de su risa en la mejilla—. Eres la mujer más valiente que conozco. Golpeando cabezas con una piedra, enfrentando a Arthur, obligando a esas damas nobles a respetarte, casándote conmigo. —Le levantó la mano y le besó el dedo meñique—. Ojalá yo tuviera el valor que tienes tú en este dedo meñique.

—Eres el guerrero más valiente de toda la cristiandad. —Acercó las manos entrelazadas de los dos a su cara y besó el dorso de la de él—. Eres bueno, amable, generoso y un fabuloso luchador. Eres tan astuto como un zorro.

—Y debo ir a enfrentar a Charles. No podemos vivir con este peligro cerniéndose sobre nuestras cabezas.

—¡No! No. —Le cogió la barba y se la tironeó hasta dejarle la cabeza al nivel de la de ella—. No.

—Entonces iré a quitarle tu feudo a sir Frazier.

Ella bajó el mentón.

—Debe hacerse —dijo él.

—Lo sé —concedió ella, de mala gana—. Pero no te puedes marchar todavía. Me prometiste enseñarme a defenderme.

Él la miró sorprendido.

—¿A defenderte? ¿Qué necesidad tendrías de defenderte? —Los dos sabían que ésa era una pregunta tonta—. Sí, te lo prometí, ¿verdad? Pero la enseñanza no llevará tanto tiempo como el que esperas, cariño. —Cogiéndole la mano la llevó hasta los sillones junto al hogar y la sentó. Acercó el sillón de él, hasta quedar tocándose las rodillas, y comenzó—: Escucha. Mi padre enseña esta primera regla de combate a sus alumnos, y se aplica a todas las situaciones de lucha.

Ella enderezó la espalda.

—¿La primera regla de combate? Te he oído decir eso.

—Sólo un tonto la olvida. Escucha atentamente. No existe lo que se llama batalla limpia. Las batallas se luchan para ganarlas. He participado en guerras desafiando, si fracasaba, el castigo de la confiscación de mis propiedades y la muerte de mi hijo. He estado en enfrentamientos en que me rodeaban una veintena de hombres, tratando de matarme con el filo de sus espadas. No es la fuerza la que da el triunfo en esos combates, sino una combinación de habilidad y astucia. Si tu contrincante espera que ataques, retírate. Si tu contrincante te cree débil, aplástalo con tu osadía. Tú, Saura, tienes una gran ventaja.

Ella arqueó las cejas, incrédula.

—Ah, pues, sí, cariño. Eres mujer; las mujeres son todas idiotas. Eres hermosa; las mujeres hermosas tienen menos inteligencia que las mujeres corrientes. Eres pequeña; un hombre puede derrotarte con el músculo de su dedo meñique. Y eres ciega.

Ella levantó la mano y siguió la forma de su boca con las yemas de los dedos. Estaba sonriendo. Le correspondió la sonrisa.

—Cualquier hombre que se enzarce en una pelea contigo supone que te va a aplastar impunemente. Usa tu debilidad para confundirlo.

Ella asintió lentamente.

—Comprendo. Para ser un buen caballero, tienes que tener fuerza y destreza. Para ser un fabuloso caballero, tienes que ser inteligente y terco.

Él se rió.

—Le haces bien a mi orgullo.

—Eres un caballero fabuloso, pero si debes ir a sitiar mi feudo, necesito tu promesa de que no quedarás herido.

—¿El más fabuloso caballero de la cristiandad? ¿Herido? —Se rió y la besó en la mejilla—. ¿Este fabuloso luchador bueno, amable, generoso? ¿Herido?

—William. —La debilitó la lengua de él deslizándose por la sensible piel de su mentón—. William, no me has hecho tu promesa.

Él le movió hacia un lado el mentón con la nariz y le besó el cuello.

—¿Este astuto zorro? ¿Herido?

—¿William? —musitó ella, mientras él le mordisqueaba la clavícula—. Tu promesa. —Un afilado diente le pinchó la piel del hombro a través de la tela del vestido—. William. —Tragó saliva y perdió el hilo de sus pensamientos—. William, los siervos.

—Al diablo los siervos.

—La cena. Tu padre y los niños van a aullar si se retrasa otra vez.

Exhaló un suspiro cuando él la levantó del sillón, la sentó sobre sus muslos y le mordisqueó suavemente la oreja.

—Al diablo la cena.

—Podemos retirarnos inmediatamente después de la cena.

—¿A hacer qué? —susurró él.

—Yo te lo demostraré —contestó ella, también en un susurro, presionándole la nariz con la de ella.

Emitiendo un gruñido, él la puso de pie.

—Tenemos todas las provisiones para el caso de asedio. —La sujetó hasta que ella estuvo bien equilibrada—. Marcharé con los hombres mañana por la mañana. No será necesario que te levantes a despedirme.

Ella le cogió la manga y le preguntó:

—¿He sido manipulada? ¿Mi astuto caballero se retira del campo con todo lo que que quería ganar?

—No con todo. Todavía no te fías de mí lo bastante para decirme lo que te preocupa. —Esperó, pero ella no dijo nada—. Siempre estaré presente para ti, cariño, cuando estés preparada para hablar.

Estaba sentada en el banco del jardín de hierbas, exuberante con las plantas ya crecidas que esperaban ser recogidas. Al fresco del atardecer estaba esperando que viniera William a decirle que se marcharía a luchar otra vez.

Él ya estaba recuperado de la herida recibida en el asedio a su feudo. Ella no se había recuperado del sentimiento de culpa. Todas esas semanas enfermo sólo por ir a recuperar un castillo que a ella no le importaba. La herida no fue gran cosa, le habían dicho todos, pero con la típica irresponsabilidad masculina, él no se la limpió bien, no le dio importancia. Y llegó de vuelta a Burke delirante, llevado en una camilla hecha con ramas.

Asustada, ella había ayudado a Maud a atenderlo y cuidarlo, aplicándole hediondos emplastos y lavándolo con un paño cuando le subía la fiebre. En esos días no pensó en el futuro, sino sólo en devolverlo a la vida. Pero pensaba en eso, amargamente, sin cesar. ¿Ésa era su recompensa? ¿Curarlo para enviarlo a luchar otra vez?

No debería haberlo dejado ir, aunque cómo podría habérselo impedido, no lo sabía.

Con la espalda apoyada en la pared de su asiento de piedra favorito, hervía de furia y disgusto. Él había entrado en el jardín junto con ella y, situándose delante, le explicó, con esa voz dorada y profunda de él, que tenía que lanzarse otra vez al camino del peligro. Y ella lo escuchó, haciendo los sonidos adecuados de descontento, y luego, como una buena esposa, nuevamente aceptó que fuera.

Haciendo rechinar los dientes, oyó los sonidos de sus botas en la parte de atrás del jardín. Ahí venía, caminando para dar la vuelta a la pared en dirección a la puerta abierta.

Pero no continuó caminando. Un instante estaba fuera de la pared del otro extremo y al siguiente estaba en el jardín, maldiciendo, quejándose de las espinas.

Se levantó de un salto y gritó:

—¿Cómo lo has hecho?

Lo oyó girarse, como si estuviera desconcertado, y luego girarse otra vez.

—¿El qué?

—¿Cómo entraste a través de la pared?

—¿Qué? Ah, ¿eso? —Se rió, su risa como un dorado rayo de sol que nunca dejaba de calentarla—. Hay una puerta en miniatura en la pared de atrás. Está oculta por los rosales y bien protegida por las espinas, te lo aseguro. La usaba cuando era niño, pero ahora se me hace estrecha.

—¿Quién sabe de esa puerta?

—Toda la gente del castillo, supongo. No es un secreto. —Avanzó hacia ella por entre las melgas de plantas—. ¿Por qué?

—El día de nuestra boda estuvo un hombre aquí, pero las señoras insistieron en que yo lo había soñado, porque no lo vieron salir. —Reanimada, le cogió el brazo y se lo movió—. Llegué a creer que estaba loca, pero es cierto, el hombre estuvo aquí. Estuvo aquí.

—Seguro que estuvo. ¿Qué hizo?

—Me acarició, creo. —Se estremeció al recordar esas palabras de amor, siseadas a través de un trapo—. Y me habló.

—¿Por qué no me lo habías dicho?

—Esa sensación de peligro, de ojos que seguían todos mis movimientos, desapareció con la marcha de los invitados. Ya no oigo ese ávido susurro. —Recordando, añadió en voz más baja—: Ya no oigo las pisadas de pies escurridizos con zapatos de suela blanda.

—¿Por qué no me lo habías dicho? —repitió él.

Ella se movió inquieta; William hablaba en tono peligrosamente neutro, y deseó saber qué estaba pensando.

—Me sentía tonta. Nadie me creyó. Muchas personas creen que porque soy ciega soy estúpida.

Notó en la palma la tensión del brazo de él.

—¿Y me incluyes a mí en ese grupo?

—No, no, claro que no. —Se mordió el labio—. Lo que pasa es que…

Él exhaló un suspiro. Ella comprendió que estaba decepcionado, pero él le levantó la cara y le dio un ligero beso.

—Dame una oportunidad, Saura, eso es lo único que te pido. Una oportunidad. Te creo cuando dices que alguien estuvo aquí contigo. —Le cubrió la mano con la de él y la estrechó en un fuerte abrazo—. Por eso debo ir a buscarlo.

Se desvaneció la animación de ella al volverle un helado miedo.

—¿A quién?

—A Charles. Tiene que ser Charles —dijo él con triste certeza, instándola a sentarse nuevamente en el banco.

—¿Por qué tiene que ser Charles? ¿Por qué no Nicholas? ¿O Raymond? ¿O alguien que no sospechamos?

Colocando un pie en el banco al lado de ella, él se apoyó en la rodilla y dijo:

—Lógicamente, tiene que ser Charles.

—¡Ah, lógicamente! —exclamó ella con sutil desdén.

—Sí, lógicamente —afirmó él, desentendiéndose del desdén—. Charles es el único que necesita los beneficios que podría acarrearle mi muerte. Nicholas ya posee la mitad de Hampshire. Raymond no necesita la tierra. Su familia posee tierras repartidas por el continente y por toda Inglaterra.

—¿Raymond posee alguna?

—¿Qué?

—¿Raymond tiene tierra propia?

Él emitió un bufido de desdén.

—No. Sus padres no le darían ni un solo acre antes de morir ellos. Lo hacen depender de su buena voluntad, lo hacen pasar hambre para poder dominarlo.

—Entonces podría ser Raymond.

—No —dijo él, categóricamente—. No. Raymond es mi amigo.

En cierto modo extraño, eso la tranquilizó. William estaba equivocado respecto a Charles, de eso estaba segura. Había percibido envidia en la voz de Charles, había percibido la infelicidad por su situación, pero nunca había logrado discernir nada más, aparte de desdicha y el deseo de ocultarse de sus problemas.

Raymond. Raymond no le resultaba tan fácil. Capas y capas de complejidad matizaban su voz. También él le tenía envidia a William, no de su riqueza, sino de su satisfacción. Raymond era un hombre impulsado por su ambición y su familia, escéptico y receloso.

Por lo tanto, eso sólo dejaba a Nicholas, su viejo amigo.

—Nicholas —dijo.

William vaciló.

—Lo he considerado. Sólo que hay una cosa, él jamás habría matado a Hawisa.

—¿Por qué no?

Moviéndola suavemente hacia un lado, se sentó junto a ella y le pasó el brazo por los hombros.

—Se ofreció a quitárnosla de nuestras manos y yo se la di. Ella era de su propiedad, y nunca destruiría algo de valor que poseyera. Todavía guarda el primer penique que le regalaron una mañana de Navidad.

—Hawisa me enfureció a mí.

—No, cariño, lo siento, pero conozco a Nicholas. Mantiene a sus campesinos con alimento y vino para que no se enfermen y falten a su trabajo para él. Lleva meticulosamente sus cuentas. Jamás se las confía a un mayordomo o administrador. —La abrazó—. Tendría que estar loco para haber matado a Hawisa.

—Su muerte no fue un accidente, estás seguro.

Ella deseaba la respuesta contraria, pero él no podía dársela.

—Se resistió al hombre que la empujó. Tenía moretones en el cuello en forma de yemas de dedos.

—¿Nadie creyó de verdad que fui yo?

—No seas ridícula. Ni siquiera Theobald pensó que podrías ser tú. Como dijo lady Jane, tú no podrías haberla hecho caer por la escalera. Era alta y maciza, en altura te sobrepasaba por cabeza y hombros, y en peso por casi medio quintal.

Ella se apoyó en él y él la inclinó hasta dejarla recostada en su regazo.

—¿Te molesta la herida?

—No. Incluso tu dragona Maud me declara curado. —La abrazó con más fuerza—. Pero aún me queda una enfermedad, una que sólo tú podrías curar.

Levantando la rodilla le acercó la cabeza a la de él, y ella cerró los ojos cuando él posó su boca en la de ella. Él la exploró con la delicadeza de un músico, pero no era eso lo que ella deseaba.

Antes del matrimonio había sido una mujer caída, feliz gozando de la disipación; después, para asegurarle respeto, él la privó de sí mismo. Se casaron, y había vuelto a gozar en la cama de matrimonio, bendecida por el contrato y por la Iglesia.

Y entonces él se marchó, sólo para volver herido e inconsciente. Cuando lo trajeron a casa, delirando por la fiebre causada por la infección de la herida, ella sólo deseaba curarlo, hacerlo recuperar el conocimiento, devolverlo a la vida y luego rodearle el cuello con las manos y asfixiarlo hasta que prometiera que nunca más volvería a luchar.

No se habían unido en el acto de amor desde el día en que él partió para el asedio, y ahora venía a declarar que volvería a marcharse. En su pecho hervía una mezcla de frustración y de furia contra él, contra las circunstancias y contra sí misma. ¡La peste se lo lleve! Se iba a marchar otra vez, a combatir ese peligro invisible que los acechaba. Y ella no podía impedírselo. Deseaba cubrirlo con una capa protectora, porque, con una horrorosa falta de lógica, le parecía que ella tenía la culpa de sus desgracias. Eso no era cierto, claro. Él ya estaba ciego cuando llegó ella, y se curó cuando estaban secuestrados. Pero de todos modos, la iba a dejar sola.

Apartando los labios de los de él, le preguntó, vehemente:

—¿Maud dice que estás sano?

Él siguió el movimiento de su boca con la de él, buscando su dulzura.

—Sí.

Ella lo apartó empujándolo por el hombro.

—Échate en este banco. Quiero verificarlo.

—Corazón mío —le cogió la mano y le besó la palma—, este jardín está protegido sólo por una puerta. No puedo tenderme aquí.

Cediendo a su furia, ella le cogió la cara entre las manos y ordenó:

—Échate.

—Los criados...

—No necesitan que se les enseñe a golpear la puerta. Les he inculcado que éste es mi lugar privado, así que vamos a aprovechar eso «ahora».

Desconcertado por el arrebato de cólera que detectó en su voz y por la enérgica insistencia de sus gestos, él la miró boquiabierto, con la sorpresa de uno que jamás ha recibido órdenes.

—Por lo menos déjame...

—¡No! —Volvió a empujarlo, con fuerza—. Quiero examinar tu cuerpo teniéndolo debajo del mío, antes de dejarte partir.

Él le miró atentamente la cara a la luz del sol poniente. Tenía la piel sonrosada; tal vez era efecto de la luz, tal vez estaba ruborizada. Con los labios firmemente apretados, sus ojos brillaban de ardor. Estaba más delgada, por la preocupación, y absolutamente resuelta. Cedió. Mientras ella cambiaba de lugar para dejarle sitio, deslizó el cuerpo hasta quedar con la espalda apoyada en el banco de piedra y los pies en el suelo. Ella pasó la pierna por encima de él y comenzó a palparle el cuerpo enérgicamente, buscando señales que le confirmaran que estaba sano. Él comprendió lo mucho que ella había echado en falta el consuelo de «mirarlo» para comprobar el progreso en su recuperación, consuelo que muchas esposas daban por descontado. Emitió un gruñido cuando ella le tironeó los lazos de la camisa para soltarlos. Cuando le abrió esa parte, pasó con más lentitud los dedos por la cicatriz de la herida que había abatido a tan fabuloso guerrero.

—No fue gran cosa, ¿verdad? —dijo—. No te la había tocado para no causarte dolor, pero pensé que podrían haberme mentido, que podrían haberme dicho falsedades para tranquilizarme.

—Fue una herida superficial —contestó él, con la voz ronca.

Ella movía los dedos con menos habilidad que de costumbre al explorarle la piel todavía enrojecida alrededor de la herida, pero soportó el dolor porque comprendía por qué lo hacía. Quería asegurarse por sí misma, y su desesperada preocupación lo alegraba.

¿Lo amaba? Tal vez lo que estaba viendo era el nacimiento del amor, y esa idea le produjo un ardiente deseo en el corazón. No sólo deseo de su cuerpo, sino un verdadero deseo de ella, de toda ella. Ella tenía detrás años de dificultades, preocupación, miedo y sufrimiento con Theobald, y esos años le habían generado una desconfianza que él deseaba hacer trizas. Deseaba exigirle su confianza, obligarla a dársela, obligarla a decirle sus pensamientos. Ni las palabras ni el rigor tenían poder contra ese muro; solamente prevalecería la lenta demostración de que era digno de esa confianza. Comprendió eso mientras ponía cerco a la necesidad. Lo único que mantenía firme su propósito era el placer de ella cuando estaba con él y al gozar de su cuerpo. Tal vez cuando le hubiera demostrado que ella merecía ser su esposa, vería el nacimiento de la confianza pura que señalaría su victoria.

Sintió la presión cuando ella se instaló encima con todo su peso. Lo montó como a un caballo, con la falda arrollada debajo de ella, sin darse cuenta todavía de la disposición de él a copular. Ella deseaba esa unión, lo sabía, pero estaba claro que su necesidad de explorarlo tenía prioridad. Pidiendo sin palabras, ella le friccionó los hombros, bajó las manos por sus brazos hasta llegar a sus manos y le examinó cada dedo, cada uña, cada línea de la palma, y la seguridad con que tocaba, presionaba y deslizaba los dedos le distrajo la atención, desviándosela de ella. Concentrado con penosa intensidad en sus sentidos, cerró los ojos y se abandonó al disfrute de los aromas y sentimientos del jardín que ella le construía alrededor.

Saura habría sonreído cuando lo sintió relajarse, pero hacía tanto tiempo que no sonreía que sentía los labios tiesos, por falta de práctica. La rabia la tenía en sus garras, la rabia y las ansias de conocerlo una vez más. Le levantó las manos hasta su cara, le acarició la piel de los dorsos, le mordisqueó la palma y le chupó un dedo. Su deseo era tranquilizarse, pero el gemido de él la alentó a proseguir, buscando sensualidad. Incorporándose un poco le desató los demás lazos de la camisa y le pasó las manos por el abdomen. A él le gustó eso, porque se arqueó bajo ella; entonces, de repente a ella se le formó la sonrisa falta de práctica. Si él la hubiera estado mirando, se habría preocupado, porque la sonrisa no era de felicidad, sino la dulce curva de la venganza.

Le haría pagar la preocupación, el miedo, la rabia y la dolorosa madurez a que la estaba obligando. Sería una venganza temporal, pero venganza de todos modos. Pasó las manos a los lazos del cordón que le ataba las calzas, y tirando lentamente lo desató y estiró la tela al máximo por el cordón. Metió las manos en la abertura, y desde ahí las subió por el esternón, acariciándole otra vez el pecho, notando los fuertes latidos de su corazón. Entonces sonrió.

—No lo puedo soportar —dijo él, alargando las manos para cogerla.

—Sí que puedes. —Levantó el cuerpo y pasó por entre ellos el aire fresco del anochecer; estaba oscureciendo, comprendió, y no tenía tiempo para complacerlo—. Dame tus manos —ordenó, y dócilmente él las puso en las de ellas. Colocándoselas en su cintura, le dijo con severa autoridad—: No las muevas.

Tembló con el esfuerzo que le exigía ese lento y firme asalto. Deseaba saquearlo, satisfacer el deseo que ardía dentro de ella, poseerlo sin pensar en el placer de él, aunque sabía que ese placer se encontraría irresistiblemente con el de ella. Sólo deseaba que él comprendiera que no podía negarse a ella tal como ella no podía negarse a él. Tal como él hiciera una vez, lo embromó:

—Tú, milord William, eres el hombre que me va a purgar de la frustración. Ahora. Inmediatamente.

Él se rió, gimiendo. Preparada, ella le cogió las manos cuando él las quitó de su cintura y se las volvió a colocar ahí, firmemente.

—Has tenido tu turno, William, ahora dame el mío.

Él volvió a gemir. Ya tenía claro cuál era el propósito de ella, pero siendo un hombre justo, la dejó hacer a su manera.

Ella le rozó la boca con los labios abiertos, mezclando sus alientos; él trató de introducir la lengua, pero ella se lo impidió; apartándose, emitió una risita burlona.

—Bruja —dijo él, con menos calor de lo que pretendía.

Ella percibió su tormento y respondió deslizando lentamente el cuerpo por el de él. Bajó del banco, le desató las ligas de las medias e introdujo los pulgares bajo la cinturilla del calzón interior. Respondiendo a su tácita petición, él levantó las caderas y ella le quitó al mismo tiempo calzas, medias y todo.

No supo qué la impulsó, tal vez una pura curiosidad, pero se inclinó sobre él y le lamió el miembro. Notó que él se quedaba inmóvil. Al no sentir ninguna señal de vida, ningún movimiento que indicara placer, se alarmó y retiró la boca.

—¿Estás bien? ¿William?

Un largo suspiro le contestó.

A William nunca lo habían atormentado de una manera tan deliciosa. Deseaba moverse, gritar, mantener a Saura donde estaba y al mismo tiempo apartarla. Retuvo el aliento, apretó los dientes y se aferró al banco como si éste fuera a empujarlo y hacerlo caer, y cuando ya no pudo soportar más, farfulló:

—¡Saura!

Esbozando su sonrisa vengativa, ella se irguió y se levantó la falda, preguntando:

—¿Es esto lo que deseas?

—Condenación, Saura, ven a mí si valoras tu placer.

Ella no hizo ninguna pregunta, simplemente montó sobre él con la falda levantada. Metió una rodilla entre él y la pared, dejando el otro pie en el suelo y con infalible instinto encontró su miembro. Deseó bajar de golpe introduciéndoselo en ella, satisfacerse con una rápida carrera hacia la compleción, pero más que eso deseaba torturarlo. Dominándose, levantó el cuerpo dándose impulso con la pierna apoyada en el suelo; comenzó a bajar con el miembro dentro y, experimentando, meneó las caderas. Él ahogó una exclamación y trató de arquearse, y esto le aceleró el pulso de excitación a ella. Ah, ¡a él le gustaba eso! Volvió a subir, a bajar y a subir, lentamente.

Él le apretó con fuerza la cintura, la bajó bruscamente y la levantó.

Ella lo combatió con las manos y el cuerpo; no lo bastante como para poner fin a la unión, pero sí lo bastante para que él gruñera:

—¡Basta, muchacha malvada!

Claro que él podía dominarla si quería; podría haberla sometido en cualquier momento. Decía muchísimo de su paciencia que la escuchara maldecirlo, mantuviera el ritmo y la alentara con su creciente entusiasmo.

Jadeando, ella continuó luchando; oyó los grititos que se le escapaban de la garganta como por voluntad propia. Y cuando volvió a subir el cuerpo y sintió estallar dentro la sensación, él estaba con ella. Él disfrutó de los estremecimientos que la llevaban al borde de la locura y cuando dejó de estremecerse se arqueó y la obligó a volver a ese borde con su potente eyaculación.

Entonces se desplomó sobre él, debilitada, ya no tensa de furia y resolución. Él le levantó una muñeca, la soltó, y se rió cuando ésta cayó. Le levantó el cuerpo, acomodando sus posiciones para estar cómodos y abrigados. Ella hizo lo que él le ordenaba con las manos, fláccida por el placer posterior a la pasión. Con una percepción que la sorprendió, él esperó a que ella estuviera bien acurrucada sobre él con la cabeza apoyada en su pecho, por debajo de su mentón, para preguntarle:

—¿Sigues enfadada?

—Sí —contestó, arrastrando la voz, debido totalmente a la gratificación—, pero me falta la fuerza para expresarlo.

—Recordaré esta placentera manera de someterte —prometió él.

Un pelín de ánimo de lucha cobró vida en ella; levantó la cabeza y comenzó a apartarse, pero él se lo impidió poniéndole una mano en la cabeza y obligándola a apoyarla otra vez.

—Ya no estás activo —dijo ella, indignada.

—Mi capacidad de recuperación es extraordinaria —le recordó él. Puesto que ella guardaba un hosco silencio, continuó—: Estabas lista para mí. ¿Atormentarme te excitó?

—Por supuesto —contestó ella, echándole el aliento en el cuello—. Cuando disfrutas tanto, todo mi cuerpo deja salir el amor que siento.

—¿Amor? —preguntó él, en tono indolente, peinándola con los dedos.

—El amor que siente una esposa obediente por su marido.

—El amor que ordena la Iglesia —dijo él, tocándole la cabeza con el mentón al asentir, como si lo entendiera.

—Sí. —Se le cortó la voz por la incertidumbre. Sentía el autodominio de él, que lo modelaba convirtiéndolo en un firme madero debajo de ella, y pensó que sabía por qué—. Sería una tonta ingrata si no te agradeciera que me correspondas ese amor.

—¿Qué te hace creer que te lo correspondo?

Ella emitió una suave risa gutural.

—Eres bueno y amable conmigo. Tienes paciencia con mi ignorancia. Nunca me recuerdas que soy una carga ni me golpeas cuando me lo merezco.

Él se sentó bruscamente, haciéndola caer del nido de su pecho.

—¡Dientes de Dios! ¿A eso le llamas amor?

Desconcertada por esa repentina furia, ella intentó bajarse de su regazo, pero él se lo impidió. Sujetándola y apretándole el pecho contra el de él, gruñó:

—Eres una tonta si crees que eso es amor. ¿Tan poco vales que te conformas con esa aguada versión del amor?

—Es la que tienen todos los demás.

—¿Todos los demás? Podemos tenerlo mejor que todos los demás.

Sorprendida por su vehemencia y perturbada por el brusco retorno de la saciedad a la realidad, ella preguntó:

—¿Qué quieres decir?

—Yo te diré qué es amor. Es estar cogidos del brazo contra el mundo y saber que juntos podríamos gobernar el país. Es luchar entre nosotros con uñas y dientes sin temer jamás represalias ladinas ni brutales. Es ir a la guerra contra todo el mundo, pero sabiendo que la paz vive entre nosotros en la cama.

—Hablas de lucha, de gobierno y guerra, ¿y tratas de decirme qué es el amor?

—Soy un caballero. ¿Cómo quieres que lo diga? —Le puso las manos en los hombros para mantenerla quieta. Estaban envueltos por la oscuridad, nadie podía verlo hacer el idiota, y se le ensanchó el corazón de guerrero. Sacando las palabras de algún lugar oculto de su alma, explicó—: Es saber que Dios creó a Eva de una costilla de Adán, del lugar que protegía su corazón. Es saber que, sin esa costilla para protegerlo, un hombre es vulnerable. Es saber que fuiste creada para estar a mi lado, no bajo mis pies. Es saber que somos un cuerpo, una mente.

Furiosa otra vez, y temiendo su elocuencia, Saura se apartó de un salto y él no se lo impidió. Se bajó la falda, se la arregló alisándola, como para protegerse.

—Eso es ridículo. Los poetas cantan esas tonterías, pero esto es la realidad. ¿Esperas que crea que ningún hombre aprecia la gratitud?

—¿Gratitud? —Se levantó, inmenso ante ella, atrapándola en su emoción—. ¿Porque no te golpeo? Condenación, ¿cómo puedes ser tan inteligente y tan estúpida? No es gratitud lo que deseo de ti. Deseo que seas feliz conmigo.

—Soy feliz.

—¡Conmigo! —Se le acabaron las palabras y volvió al francés normando sencillo y sin adornos con que hablaba día a día—. Cuando comenzamos, tú y yo éramos iguales. Tú eras mi profesora, yo era un guerrero. Ahora quieres que yo sea tu padre, para que te proteja, y que me conforme con gratitud.

—No deseo un padre.

—¡Ah, seguro que no! El padre amoroso que nunca tuviste. Pero para eso te doy a mi padre.

Ella se rodeó el estómago con los brazos, apenada y confundida.

—No sé qué deseas.

Eso era un grito de perplejidad, así que él suavizó el tono:

—Deseo una esposa, Saura. Deseo una mujer que me ame, que se gloríe en mi amor por ella, que valore mi juicio lo bastante para saber que no amaría a un receptáculo indigno. Anne fue la esposa que me eligió mi padre; formamos un matrimonio y fuimos felices. No traiciono a Anne al decir que tú eres la esposa que he elegido yo. No hay ninguna necesidad de limar bordes ásperos; ya encajamos bien. Siempre encajamos. Podríamos tener el tipo de amor que brilla como una luz para que todos la vean, pero tú tienes miedo.

—¿Qué quieres decir con que tengo miedo?

—Tienes miedo de darme tu confianza. Miedo de que yo sea como Theobald y los otros y me ría de ti. Miedo de mirar en mi alma y ver el tipo de hombre que soy. Estoy abierto para ti, y tu tienes miedo de «verme».

Esas palabras de él le llegaron al núcleo de su ansiedad. Él había entrado en su mente, y por primera vez comprendió lo cobarde que era. No quería que él la conociera muy bien, no quería conocerlo como si él fuera la otra mitad de ella. Al captar la tristeza de William, no pudo mantener la rabia, así que cuando habló le salió la voz espesa por las lágrimas:

—No me crees acerca de Charles.

—No me has dado ninguna razón lógica para creerte. No me has dado a ningún otro para sospechar. Por el amor de Dios, dime tus pensamientos.

—No puedo —sollozó ella, ya llorando en serio—. No puedo.

Él no dijo nada, aceptando su negativa, y, apartándose de ella, se arrodilló en el suelo y soltó una maldición.

—Encontré las calzas, pero no logro encontrar el calzón ni las medias. Esto tendrá que bastar.

Saura oyó sus movimientos al vestirse, preparándose para alejarse de ella, y los sollozos la ahogaron. Recordó cuando lloraba delante de Theobald, en ese tiempo en que él todavía tenía el poder de hacerla sufrir. Recordó su desprecio, volvió a oírlo decir: «No me vengas con esos juegos. Lloriquear no te va a ganar mi compasión». Tapándose la boca con un trozo de falda para ahogar los sollozos, continuó ahí, desolada, mientras William se preparaba para alejarse, y mentalmente se azotó, por su cobardía. Él ya estaba vestido, se iba a marchar.

Pero él se le acercó y la envolvió en sus enormes brazos.

—No llores, cariño. Me vas a romper el corazón. Por favor, no llores.

Eso lo empeoró. Amabilidad cuando esperaba desprecio, cariño cuando se merecía una buena sacudida. Los sollozos la estremecieron y él la mantuvo abrazada, arrullándola.

Cuando pasó la tormenta, la acarició, diciendo:

—Ahora entremos. Está oscuro aquí, y empieza a hacer frío.

—¡No!, no. —Negó con la cabeza apoyada en él y se secó la cara con la falda—. Deseo quedarme aquí un momento para pensar. —Percibiendo que él abría la boca para decir no, suplicó—: Por favor, William, tengo que reflexionar sobre muchas cosas. Déjame sola, sólo un ratito.

Sorprendentemente, él aceptó. La dejó sola en la oscuridad, en la humedad, en un jardín que ya no le servía para refugiarse de sí misma. Cuando estuvo segura de que él ya no estaba, dijo al aire:

—Sólo deseo ser el tipo correcto de esposa. Sólo deseo ser una esposa normal.

—¡*Bula!* —llamó Saura, tirando a un lado el puñado de hojas secas que estaba triturando. Aguzando los oídos, oyó los sonidos que hacía el perro oliscando, tratando de asustar a otra ardilla. Volvió a llamarlo—: *Bula,* ven aquí.

Él protestó con un bufido, pero trotó hasta ella, trayendo con él su afecto y su necesidad de atención constante. Se defendió la cara del ataque de su lengua. Rascándole el cuello debajo del mentón, escuchó su gemido de éxtasis y arrulló:

—Sí, sí, eres un muchacho dulce.

Cogiéndose de su collar, se dio impulso para levantarse del banco, y buscó a tientas la cuerda que estaba fijada con clavos de árbol en árbol, marcando el sendero.

No deseaba estar sola, porque la soledad le dejaba la mente vulnerable a los miedos y pesares, pero ese día el sufrimiento la había echado del castillo. Tuvo que prometerle a Maud que no se alejaría mucho. Le prometió que llevaría a *Bula* para estar protegida. Cuando su doncella bufó desdeñosa, diciendo que el perro no era otra cosa que un cachorro grande, ella tuvo que concederle eso. De todos modos, su solo tamaño desalentaba a muchos, y su desbordante cordialidad actuaba como protección. Después de otros cuantos bufidos, finalmente Maud le permitió salir, aunque de mala gana. La mujer había visto el tormento que tenía atrapada a su amada señora, y confiaba en que los guardabosques de lord Peter la mantuvieran a salvo.

Y así, guiándose con las yemas de los dedos por la muralla del castillo salió al bosque, donde encontraría la soledad para pensar. Y pensar. Y maldecirse por sus inhibiciones y desear tener de vuelta a William.

Él se había quedado tres días después de esa noche en el jardín, abrazándola, acariciándola y preparándola para su marcha.

Había sido amable y alentador, alabando su sentido común y sus útiles manos. Había hecho todo lo posible por reparar el distanciamiento entre ellos. Le había dado todas las oportunidades posibles para decirle lo que él deseaba oír. Una y otra vez ella abrió la boca para decírselo; para decirle que sería su esposa en todo el sentido de la palabra, que le daría todo su ser, que no se guardaría nada. Pero su veracidad innata la refrenó; no podía entregarse tan totalmente, y saberlo le dolía.

¿Por qué no podía? ¿Qué la impulsaba a proteger su corazón, para tenerlo a salvo? No lo entendía. Nunca se había creído cobarde, nunca había creído que se conformaría con una unión que no fuera absolutamente completa. ¿Por qué, entonces, se apartaba del deseo de su corazón?

Habían **engañado** a los criados, habían engañado a todo el mundo. Habían aparentado llevarse muy bien, sentirse cómodos juntos, y sólo ellos dos oían los atroces silencios entre ellos cuando no sabían qué decir y se producían intervalos en la conversación.

Y entonces él se marchó.

Los quehaceres domésticos no le llenaban el vacío. Había atacado todos los deberes de la castellana con despiadada resolución. Había ordenado que fregaran bien el sótano, tiraran las frutas podridas del año anterior e hicieran una limpieza a fondo en todas las habitaciones. La carne salada de ese año pasado se colocó delante para usarla primero, y los barriles para encurtidos esperaban los primeros fríos y los alimentos que los llenarían. Las manzanas para comer se habían guardado en cajas de madera, protegidas con paja, y las pequeñas se prensaron para hacer sidra. Las hierbas se pusieron a secar colgadas de las vigas.

Todo había sido en vano, distracciones inútiles que no le impedían dejar vagar la mente. Y en ese momento iba caminando con *Bula*, buscando una solución para el sufrimiento que la consumía. Juntos continuaron por el sendero, envueltos por el aire fresco.

Quería llegar hasta el roble grande. Desde allí regresaría al castillo, se prometió. No estaba lejos y deseaba explorar la rugosa corteza con la palma. Deseaba sentir las formas de las letras que grabó William un día, durante el mes de miel, cuando recorrieron ese sendero; una uve doble y una ese entrelazadas, le explicó, guiándole las yemas de los dedos por las curvas de las letras. Deseaba encontrar las letras, insertadas entre letras grabadas por otros enamorados, y recorrerlas amorosamente con los dedos. Como una tonta, deseaba abrazar el árbol que guardaba el recuerdo de ese tiempo de felicidad.

Por primera vez desde que William se marchara, tocó fondo en su patetismo. Todo el mundo era injusto; sus hermanos no la necesitaban; el castillo Pertrade seguía en pie sin ella; su marido no estaba; su fiel criada había encontrado el amor. Tropezó con una piedra y sollozó fuerte. Apartó una rama que le golpeó la cara. Se cogió del collar de *Bula* y lo instó a continuar.

El perro intentó seguir por otro camino, apartándola de la cuerda que le servía de guía.

—No, muchacho —lo regañó—, vamos por aquí. Ya casi hemos llegado.

Él tironeó, insistiendo en adentrarse entre los árboles, pero ella volvió a encontrar la cuerda.

—Hay que dejar que las ardillas recojan y guarden sus frutos secos, y nosotros debemos ir hasta el árbol. Entre tus travesuras y mi pereza, no vamos a llegar allí muy pronto. —Apretó con más fuerza el collar y tironeó—. Vamos.

Él continuó a su lado, sin dejar de gemir y tirando de ella hacia un lado, tratando de apartarla de la cuerda. Su peso le producía dolor en el brazo, así que le dio un buen tirón.

—¡Vamos! —Al oírlo aullar como si le hubiera hecho daño, lo regañó—. Perro tonto. Eres un bebé grande. ¿No quieres ir al árbol conmigo? Estaremos allí enseguida.

Obediente, él trotó a su lado un ratito y luego comenzó a tironearla hacia un lado otra vez. Entonces se detuvo a oliscar el suelo, metiéndose entre sus pies. Exasperada, lo soltó. Ya suelto, no se alejó como había supuesto ella, sino que se le puso delante y comenzó a ladrar.

Sus ladridos la desconcertaron. No sonaban como una alarma, pero al parecer no estaba dispuesto a dejarla continuar. Parecía inseguro, dudoso.

Poniéndose las manos en la cintura, le preguntó:

—*Bula*, ¿estás loco?

Él la golpeó fuerte con su inmensa cabeza, y entonces le salieron las lágrimas que estaba conteniendo.

—No puedo volver todavía. —Se detuvo a hacer unas cuantas respiraciones, sorbiendo por la nariz, para afirmar la voz—. Necesito estar sola.

Él la empujó, apartándola de la cuerda, pero ella la encontró y la cogió firmemente.

—No puedo salirme del sendero. Me extraviaría en el bosque.

Él no entendió, y continuó insistiendo, manifestándole su deseo de que se alejara de la cuerda. Volvió a empujarla, y puesto que ella no se soltó de la cuerda, trotó unos cuantos palmos, alejándose, y gimió, suplicante.

—No puedo.

Hasta el perro la abandonaba; la superaron sus emociones y se echó a llorar desconsolada. Desentendiéndose de él, continuó a trompicones por el sendero, y cuando él de un salto se le puso delante, haciéndola tropezar otra vez, no lo soportó.

—¡Vete! —Lo golpeó con el canto de la mano, causándose dolor en los huesos e hiriendo los sentimientos del animal—. Vete y déjame. ¡No te necesito!

Gimiendo, el perro bajó la cabeza, trató de insistir y volvió a gemir cuando ella movió la mano para golpearlo y erró el golpe adrede. Entonces se sentó en medio del sendero detrás de ella y continuó protestando con gemidos mientras ella seguía la cuerda por la curva… y se detuvo a medio paso, a medio sollozo.

Eso no estaba bien.

Se fiaba de ese perro. Ni siquiera sus magulladas emociones podían eliminar su fe en él. *Bula* era sus ojos, y si deseaba impedirle que continuara hacia donde deseaba, tenía que haber un motivo.

Sorbiendo por la nariz, sacó su pañuelo de la manga. Limpiándose la nariz aguzó los oídos. Ese día había más silencio en el bosque; un silencio más profundo, con algo de misterioso. Arrastrando los pies, descubrió una capa de hojas, una capa de enorme grosor en que se le hundían los pies, hojas que parecían no haber sido holladas por las pisadas normales en un sendero muy usado. Qué extraño. Y piedras dentadas, muchísimas piedras. Extendiendo los brazos se dio una vuelta completa y sus manos tocaron ramas y más ramas que formaban un espeso follaje, y notó enormes raíces que sobresalían del suelo haciéndolo irregular.

Se tensó, llevándose la mano al pecho, frotando el pañuelo entre los dedos, y se mordió el labio.

Casi parecía que estaba en un lugar del bosque donde no había estado nunca.

Eso era imposible.

A no ser que hubieran cambiado la ruta de la cuerda.

—*Bula* —llamó, indecisa.

Le respondió un ladrido y la agitación de las hojas.

Levantando la cabeza, inspiró y entonces sintió el olor: el olor acre de hombres que han estado muchas horas en el bosque.

Dándose media vuelta se cogió de la cuerda y corrió en dirección al perro.

—¡*Bula*!

Oyó sus ladridos de reconocimiento, pero no le ladraba a ella. Corrió más rápido, a trompicones, atenazada por el miedo, y oyó pasos de pies pesados corriendo hacia ella. Oyó el gruñido de *Bula*, salido desde el fondo del pecho, y luego su gruñido más fuerte, hostil. Gritos de hombres, gritos de aviso. Entonces un ser humano lanzó un alarido. Luego el gemido de *Bula*, de desesperación.

Se le quedó atrapado el aire en la garganta al oír un fuerte golpe, como el de una piedra sobre un tronco hueco. De repente el perro dejó de gemir. Lo llamó, pero él no respondió.

Cuando el terror le oprimía la garganta, ahogándola, oyó a un hombre decir las mismas palabras que había oído antes, pero ya no con la voz camuflada; era una voz que reconoció:

—No temas, bella dama. Te amo.

# Capítulo 18

William era un hombre que se enorgullecía de su lógica. El mundo se escandalizaría si supiera que él no creía en brujas, brujos ni trasgos. Era escéptico desde el día en que capturó a un duende chillón. El duende resultó ser un hombre cubierto de hollín y asustado, un carbonero que vivía en lo más profundo del bosque. Después de eso nada en su vida había cambiado su firme convicción de que no había razón alguna para que los hombres temieran a lo desconocido. Nadie, ya fuera mago o malabarista, había demostrado tener poderes que él no pudiera entender, y aplicando la lógica descubría que ésta era una convincente sustituta de un charlatán.

Empleando la lógica había llegado a la conclusión de que Charles era el cabrón que deseaba su caída, pero en su cabeza continuaba alojada una pequeña y persistente duda.

Algo estaba mal o faltaba en su lógica.

Contemplando la fortaleza en que vivía Charles, tamborileó con los dedos sobre la silla de montar, deseando saber qué hacer. En algún momento durante la cabalgada que lo alejaba de Saura y lo acercaba a Charles se había convencido de que ella decía la verdad. Y a medida que la carga de la incertidumbre se hacía más pesada, había enlentecido más y más la marcha. Debatiéndose sobre la conveniencia de ese enfrentamiento, el viaje que debería haberle llevado tres días le había llevado siete. Y ahí estaba, deseoso de darse media vuelta y volver a Burke a decirle a Saura que ella tenía la razón y él estaba equivocado. Pero tal vez simplemente se sentía culpable.

Había creído que podría enseñarle poco a poco a amarlo tanto como él la amaba a ella. Había creído que la paciencia que poseía bastaría para ponerle sitio a la reserva de ella, pero, sorprendido, había descubierto que no era así. ¿Cómo pudo haberle exigido tanto? Los hermanos de Saura le habían explicado el legado que le dejó Theobald; él se había preparado para tardar años en derribar con su amor la pobre imagen que tenía de ella misma. Y en lugar de eso descubrió que no toleraba su gratitud, la que ella le ofreció al final de un feliz anochecer.

Gratitud. Esa palabra le hacía desear escupir. ¿Cómo podía ella abaratar su matrimonio ofreciéndole nada más que lo que daban las otras mujeres? ¿Cómo podía pedirle menos de lo que él estaba dispuesto a dar?

Moviendo la cabeza, miró nuevamente hacia las almenas del castillo que tenía delante. ¿Hacía caso omiso de la convicción de Saura por rencor o por sensatez? Ella juraba que no era Charles, pero no le ofrecía ningún otro candidato. Con la típica falta de lógica femenina, consideraba inocente a Charles, pero no era capaz de ofrecer otros sospechosos.

No podía tener la razón.

Como una rueda bien engrasada recorriendo una huella bien hollada, volvió a repasar los hechos. Charles necesitaba el dinero. Charles era débil de voluntad y envidioso. Charles siempre estaba en el lugar correcto y en el momento oportuno para los ataques. Charles… Charles era lo único lógico. E inverosímil.

¡Condenación! Saura había influido en él más de lo que creía. Levantando la mano hacia su tropa de soldados, les dio la señal de desmontar. Su escudero bajó el estandarte y juntos se apearon para descansar y prepararse para la batalla a la mañana siguiente.

—¿Cómo pudisteis matar a mi perro?

—Yo no lo maté, lo mataron mis hombres. Yo simplemente lo tuve sentado quieto para que ellos lo ataran.

—*Bula* os conocía —dijo Saura, dolida—. Sabía que erais amigo de William. Cuando debía haberos atacado, no lo hizo porque sabía que su amo os recibe en su casa.

—Cuando me vio correr detrás de ti, dejó de fiarse. Mordió a uno de mis hombres, dejándolo tan mal herido que tuve que abandonarlo ahí para que enriqueciera la tierra. Así que, verás, yo no maté a ese perro. No podía matarlo y someterte a ti al mismo tiempo.

Saura iba montada a horcajadas delante de Nicholas con la falda arrollada bajo el cuerpo. Él la sostenía con un brazo apoyándole la espalda en su pecho. Detestaba eso, detestaba tocarlo y se estremeció cuando él la rodeó con el brazo; pero no tenía otra alternativa. La batalla para someterla fue rápida y brutal, y solitaria. No había nadie en el bosque para auxiliarla, nadie para salvarla cuando él la arrojó al suelo. Con su desesperado uso de las uñas y de su cuchillo de comer, sólo consiguió magullones en la cara y una muñeca hinchada, además de un renuente respeto por la habilidad de su raptor para usar su fuerza. Todos despreciaban sus habilidades caballerescas, pero ella ya sentía un sano respeto

421

por su astucia y brutalidad. Y un sano miedo por su obsesión con ella.

—Estáis loco.

—No estoy loco. Soy brillante. La gente común y corriente no es digna de recibir mi pie en su cuello.

—Esto es despreciable.

—Deshonroso —dijo él, asintiendo, ella percibió ese gesto—. Tan astuto, sigiloso e ingenioso que es difícil creer que un hombre lo haya planeado.

—¿No os da vergüenza? —preguntó ella, desesperada—. Ensuciáis a los hombres que os adoptaron para educaros.

Él se rió, con verdadera diversión, y le depositó un beso en la nuca.

—Lord Peter de Burke no es otra cosa que un pío viejo parlanchín. Siempre dando la tabarra hablando de caballeros y de la santidad de los juramentos y los contratos de lealtad.

—Habla en serio.

—Por supuesto. Más que eso, lo vive. Era facilísimo engañarlo, era patético. —Emitió un gruñido—. Pero engañar a William no era tan fácil, por eso lo he disfrutado tanto. William rinde culto ante el altar de la lógica, así que puse mucho cuidado al idear mi plan. Verás, él no cree que yo sea el canalla lógico.

—Es que no sois el canalla lógico. ¿Por qué hacéis esto?

—No es ningún misterio. —Comenzó a subir la mano por su brazo—. Fui el cuarto hijo de mi padre. ¿Lo sabías?

—No, creía que teníais un hermano, el mayor.

—Sí, ése era Lance. Pero había otros dos entre medio, y mi padre se regocijaba de su buena suerte. Tres niños sanos antes que yo. Yo no tenía la más mínima posibilidad de heredar. Eso lo alegraba.

Nerviosa, Saura lo instó a continuar:

—¿No le caíais bien?

—Mi padre… —Bajó nuevamente la mano a las riendas y en su tono se introdujo un feo desprecio—: Mi padre era un hombre como William, grande y feroz. Vivía para combatir. Y mis hermanos actuaban como dioses pendencieros, siempre montados en un caballo y practicando en el estafermo. No me entendían, no entendían cómo podría yo aumentar las propiedades usando mi cerebro. Sólo mi madre me entendía.

—¿Vuestra madre? ¿Os entendía a vos y a vuestros hermanos?

—Ellos la traicionaban, dejándola sola en el castillo para ir a combatir y ser heridos, y enfermándola de preocupación. Yo le sostenía la mano cuando tosía y le costaba respirar siempre que ellos volvían a casa con magulladuras y huesos rotos. Se enfermaba tanto que no podía cuidarlos. Tenía que dejarlos al cuidado de la aya.

—¿Dejaba a sus hijos enfermos al cuidado de un aya?

—Mi madre era muy delicada, no podía cuidar de esos niños tan pendencieros.

—Mmm —musitó Saura, reservándose la opinión.

—Mis hermanos siempre decían que lo sentían, pero se marchaban y volvían a hacerlo. Yo la vi llorar cuando se marcharon para educarse con otro señor, y juré que nunca la haría llorar así. Buen Dios, cómo los odiaba.

Ella sintió cómo a él se le tensaban los músculos del pecho, como si fuera a explotar y hacer algo violento.

—¿Os golpeaban? —preguntó tímidamente.

423

—Ah, no, no. Sólo me trataban con un desprecio que me azotaba hasta los huesos. —Soltó una risita que era más un feo gruñido—. ¿Golpearme? No, intentaban hacer un hombre de mí. Intentaban hacerme disfrutar de que me aplastaran la cabeza. Mi padre siempre decía que no entendía cómo pudo engendrar a un acusica tan pálido. —El caballo dio un salto y tuvo que coger con más fuerza las riendas—. Me envió a educarme con lord Peter porque él era el mejor caballero de toda Inglaterra. —Hinchó el pecho y enronqueció la voz, para imitar a su padre—: Lord Peter ha educado a los mejores luchadores de la cristiandad.

El retorno de su ánimo normal la incitó a protestar:

—No podéis decir que lord Peter y William fueron crueles con vos.

—No, no. El único motivo de que me armaran caballero fueron las constantes atención y mimos de lord Peter. Nunca vi su desprecio. William no era tan bueno para disimular el de él.

Ella no dijo nada; sabía que eso era cierto. Él no continuó hablando, cayendo en un amenazador silencio. No tardaron en subir una pendiente y salir a la luz del sol, y ella comprendió que habían llegado al camino. Tanto Nicholas como el caballo se pusieron alertas, y él comenzó a pasarle las manos por el vientre. Desesperada por desviarle la atención, preguntó:

—¿Adónde vamos?

—Al castillo Cran. Es mi mejor castillo, está situado en lo alto de los grandes acantilados blancos, sobre el mar. La sala grande es ventosa, por las brisas que soplan del mar, pero la habitación soleada es mejor que la de Burke. —Apoyó su rasposa mejilla en la de ella, en una imitación de afecto—. La elegí especialmente para ti.

Sin dejarse engañar, ella preguntó sagazmente:

—¿Y porque es defendible?

Él se rió; su risa, ese sonido ronco, sibilante, que la acosara en Burke, y que en ese momento le puso la carne de gallina.

—Ése es uno de los motivos de que te ame. Eres muy pragmática.

Habló con esa misma voz rasposa, escalofriante, que empleó cuando la tiró al suelo en el bosque, la sujetó con una rodilla encima y poniéndole las muñecas en la espalda le dijo: «Podría poseerte ahora mismo, pero antes te enseñaré a amarme».

El recuerdo le produjo un miedo tan inmenso que deseó juntar las rodillas encima del cuello del caballo, pero si se movía podría atraerle la atención a su posición con las piernas abiertas. En lugar de moverse, alegó:

—Eso es una tontería. No podéis amar a una mujer ciega. Puede que améis mis tierras, pero no a mí.

—Sí que son atractivas tus tierras, pero te equivocas. Te amo. Al principio sólo te codiciaba, como codicio todas las posesiones de William. Pero al verte con él, en mi corazón nació un inmenso deseo de ser el objeto de tus atenciones amorosas. Cuando vi lo enamorado que está él de ti, esa codicia se transformó en amor.

—¿O sea que me amáis porque William me desea?

—No. Te amo porque William te ama. Está consagrado a ti. Vive para ti.

—No me ama, de verdad que no.

Inesperadas lágrimas de tristeza le llenaron los ojos, al recordar la comedida cortesía de él antes de marcharse.

—Ah, te equivocas; sí que te ama, reconozco todos los signos —dijo Nicholas con el sonsonete de un cotilleo—. También amaba a su primera esposa, ¿sabes?, pero creo que a ti te ama más.

—¿Qué queréis decir? —preguntó ella, sintiéndose sofocada; aun sabiendo que no debía alentar esa conversación, no podía resistirse a oír el análisis que podía hacer de William.

—Con Anne estaba satisfecho, complacido, feliz. Contigo no está satisfecho, está siempre desesperado por ti. Es feliz cuando tú estás feliz y vive buscando maneras de complacerte. Desea matar a los hombres que te miran. En las horas de comida está pendiente de ti, como si fueras un plato preparado especialmente para él.

Deseando pero temiendo creerle, ella se rió, nerviosa.

—Oh, vamos, Nicholas.

—Vendrá a buscarte —añadió él con malvada intención.

A ella se le heló la sangre en las venas.

—No está en Burke. No sabrá que no estoy.

—Lo sé. Lo vi salir disparado hacia el castillo de Charles. He estado observando desde la última luna llena.

—Desde la última luna llena —repitió ella, ya sin sorprenderse.

—Después de la boda tuve que ir a Cran a prepararlo para ti y dar mis órdenes. Luego volví y viví en el bosque, pero tú no salías nunca. Tú eras lo único que esperaba —explicó, vehemente.

—¿Tan importante soy?

—Bella dama, eres el centro de todo mi plan. Con tu captura me aseguro tenerte a ti y tener a William.

Ella puso las manos en jarra.

—No está, ya os lo dije. No sabrá dónde estoy.

—Lo sabrá. Lo sabrá pronto si es que aún no lo sabe. Yo me he encargado de eso.

De pie ante la muralla del castillo de Charles, y sintiéndose un idiota total, William rugió:

—¡No puedes rendirte, la peste te lleve! ¡Esto es un asedio!

Asomado por una de las cañoneras de las almenas, Charles contestó a gritos:

—Vas a ganar de todas maneras, ¿qué cambiaría si me resistiera? ¡Ni siquiera sé por qué me pones sitio!

—¡Bromeas!

—¿Bromeo? Estoy aquí en una innoble desnudez, tiritando de frío, habiendo dejado a una hermosa damisela insatisfecha en la cama, ¿y dices que bromeo? ¡Estás loco! —concluyó con firme convicción.

—¡No estoy loco!

—Lo estás si te quedas ahí, estando abierta la puerta del puente levadizo y habiendo un saludable fuego ardiendo en mi hogar. Pero haz lo que quieras. —Girándose, gritó por encima del hombro—: Hace demasiado frío para quedarme aquí a discutir contigo.

William pasó el peso de su cuerpo de un pie al otro. Sus soldados habían esperado hasta el amanecer para atacar, esperado al primer frío del año a que saliera el sol. En ese momento estaban acuclillados o apoyados en troncos de árboles, observando el vapor de sus alientos en el gélido aire. No lo estaban mirando a él, que estaba solo y furioso, ni tampoco miraban el castillo, donde el puente levadizo iba bajando con majestuosa lentitud.

William observó la puerta abierta que lo llamaba y luego miró a sus hombres. ¿Una trampa? Ajustándose el cinturón, dejó libre su espada, echó a andar por el puente y entró en el patio.

Entrenados para pensar con el cerebro de su señor, la mitad de sus soldados lo siguieron y la otra mitad se quedaron fuera, vigilando alertas. Cuando entraron en el amplio patio interior, sus hombres miraron alrededor con los ojos brillantes. Los soldados de Charles, a medio vestir, los miraban disgustados, bostezando y tiritando de frío. Estaban tan poco preparados que William casi se tambaleó hacia atrás, horrorizado.

—Dientes de Dios —masculló en voz baja, mirando a Channing—. ¿Mi padre no le enseñó algo mejor a Charles? Lo destruirían en un asedio.

—Tal vez piensa que no tiene nada por lo que valga la pena luchar —sugirió el soldado.

William se dio una vuelta completa, observándolo todo, y Channing simplemente se encogió de hombros. William caminó hasta la puerta de la torre del homenaje y se asomó a mirar. Nada. No había soldados escondidos, no había alquitrán hirviendo para arrojárselo. Sacó su espada y subió la escalera hacia la sala grande. Nada; sólo criados yendo y viniendo, colocando el mantel en la mesa de caballete, y el olor a pan recién sacado del horno elevándose de las cestas en los aparadores. Entró en la sala y avanzó de lado con la espalda hacia la pared, sintiéndose ridículo, y sus hombres lo imitaron. Por los gestos de sus caras supuso que se sentían más ridículos aún, así que enderezó la espalda y dijo una vez más:

—Dientes de Dios.

Esta vez lo dijo en voz alta, y Charles contestó, apartando el biombo que ocultaba su cama:

—No sé qué pretendes, William, pero eres un zopenco si te imaginas que vas a obtener algo de mí. Más fácil sería sacarle sangre a una piedra.

Se metió los faldones de la camisa bajo las calzas mientras hablaba, y William vio a una criada muy bonita mirándolo desde la cama, bien tapada por las mantas.

—No he venido a quitarte tus tierras —protestó—. No soy tan deshonroso. He venido a matarte.

Charles detuvo el movimiento con la tela de la camisa cogida en las manos, y lo miró como si creyera que había perdido el juicio.

—¡Matarme! ¿Sabe esto tu padre?

—Sí. —Perdió el hilo al ver la dolida mirada de Charles—. La lógica nos llevó a pensar que eres tú el que intenta asesinarme.

—Santa María bendita y todos los santos —exclamó Charles, caminando hasta el banco de la cabecera de la mesa y sentándose, dándole la espalda. Apoyando las manos en las rodillas, movió la cabeza, sorprendido e incrédulo—. ¿Qué diablos te hace creer que yo intentaría matarte?

—Necesitas el dinero.

—¿El dinero?

—Bueno, no logramos figurarnos quién querría matarme a no ser que fuera por mis tierras y mi...

—Tal vez —interrumpió Charles, levantándose y girándose a mirarlo—, tal vez se debe a que eres un tonto pomposo que se merece una buena paliza. He cambiado de opinión. Coge a tus hombres y sal inmediatamente de mi sala y lucharemos. ¡Zoquete! ¡Gamberro! ¡Bobo cobarde!

William levantó las manos, y gritó, más alto que el rugido de Charles:

—¡Me has convencido!

—¿Convencido? ¡Vete al diablo, maldita sea! Sal de mi castillo, imbécil cobarde…

—Charles, necesito tu ayuda.

Charles interrumpió la parrafada, incrédulo.

—Nunca en toda tu vida has necesitado mi ayuda.

—Ahora la necesito. Alguien nos amenaza a mi mujer y a mí.

—Creí que habías solucionado eso cuando mataste a Arthur.

William pegó un salto.

—¿Cómo sabes que maté a Arthur?

—Todo el mundo sabe que lo mataste. ¡Piensa, idiota! En la boda nadie te lo comentó, pero ¿significa eso que no cotillearan? No. Se sabe públicamente que mataste a Arthur cuando descubriste que fue él quien te dejó ciego.

—Buen Dios —dijo William, pasmado—. No me lo imaginaba.

—Lo suponía —dijo Charles, ya no en el tono duro de antes—. Bueno, haz entrar a tus hombres y tomaremos nuestro desayuno y hablaremos.

—Sí, necesito eso. Lo necesito muchísimo.

El viento ya soplaba desde el mar, agitándole los mechones que se le habían escapado de la trenza y haciéndola tiritar de frío. A lo largo del camino se les habían ido uniendo más y más soldados a caballo, poniéndose en fila detrás de ellos. Saura se sentía rodeada, descontrolada y aterrada.

—William dijo que nunca habrías matado a Hawisa —explicó—. Que si era tu posesión la cuidarías.

—Tuve que matarla. Te amenazó.

Lo dijo con tal frialdad que a ella el aire se le quedó angustiosamente atrapado en la garganta.

—Si me deseas porque William me desea —dijo con cautela—, si me amas porque William me ama, ¿seguirás amándome después que William haya muerto?

Él no contestó, por la sorpresa. Pasado un momento, dijo, pensativo:

—No se me había ocurrido pensar en eso. William me ha estorbado desde hace muchos años. No logro imaginarme un tiempo en que no exista. ¿Seguiré amándote? —Guardó silencio durante tanto rato que ella estuvo a punto de saltar del caballo, desesperada. Cuando habló, había vuelto a su voz ese sibilante resuello de deseo—: ¿Sabes?, creo que sí. De verdad creo que sí. Creo que nunca me cansaré de ti.

Aumentó la presión del brazo en su cintura y le dio un beso en el cuello, un beso mojado y asqueroso.

Ella deseó no haber hecho la pregunta, porque ¿qué buena respuesta podía haber? La mataría o la retendría, y la elección entre una muerte violenta, sin confesión, y una vida en poder de él era difícil y deprimente. Difícil y deprimente. Se rió en voz baja. Se quedaba corta, desde luego.

Él deslizó la boca hasta su mejilla, aumentándole la curiosidad que se había apoderado de ella, y no pudo evitar preguntarle:

—¿Qué les ocurrió a tus hermanos del medio?

—Murieron cuando yo estaba en Burke, sin que yo tuviera nada que ver, te lo aseguro. Mi padre también murió. —Su tono era todo satisfacción—. Así pues, cuando volví a casa, sólo mi hermano mayor estaba delante de mí en la línea de sucesión. Lance era muy honorable, igual que William, y muy crédulo, igual que lord Peter, así que matarlo fue muy fácil.

—¿Mataste a tu hermano? —Ya había comenzado a sospecharlo, pero de todos modos se apartó espantada—. ¿Cómo?

—Nada tan grosero como una lucha —dijo él, riendo, como si se sintiera complacido consigo mismo, y añadió con la mayor naturalidad—: Lo envenené.

—San Wilfredo bendito.

—Llamó a san Wilfredo. Se encomendó a todos los santos antes de morir. ¿Sabes que sus convulsiones lo hacían parecer un títere colgado de una cuerda? —Su tono era analítico, y a ella el asco le produjo náuseas—. Tardó tres días en morir. ¡Tres días! Yo sufría estando en suspenso, temiendo que se recuperara y me robara la posición por la que había trabajado tanto.

—Por favor…

Al protestar casi se cayó de la silla, pero él interpretó mal su reacción.

—Ah, no te preocupes. Murió, y sin ninguna ayuda, aparte de la mía. Pero la próxima vez pondré más cantidad de las hierbas. Le di una paliza a la bruja que me las dio. Ahora ya conoce su deber.

En un golpe de comprensión, Saura vio la inutilidad de pedir piedad para William; ningún hombre que hablara de matar a un hermano con tan despreocupada y franca satisfacción podía conmoverse con palabras de misericordia y bondad. Ya no tenía miedo de la violación ni del horror que la amenazaba; ese miedo quedó derrotado por la convicción de que debía salvar a William de ese ruin bellaco. Por primera vez durante la horrorosa cabalgada, comenzó a urdir estratagemas que fueran posibles.

—Sea quien sea, mató a Hawisa —adujo William.

—Entonces no puede ser Nicholas —dijo Charles, limpiándose el mentón con la servilleta—. Jamás destruiría algo que pueda hacerlo ganar un penique.

—Eso fue lo que yo dije —concedió William—, pero, entonces, ¿quién queda?

—¿Tú?

—¿Qué?

—Alguien mató a esa guarra —dijo Charles—. Saura era la sospechosa lógica. —Se rió—. Fíjate qué digo, lógica. He estado demasiado tiempo contigo.

—Saura no la mató —exclamó William, dando un puñetazo en la mesa.

—No. Si Saura hubiera intentado matar a esa enorme y robusta criada, habría resultado ella con el cuello roto. De todos modos, Hawisa amenazó a Saura y Saura la amenazó a ella. Por lo tanto, no puedo evitar sospechar de ti.

—Jamás en mi vida he matado a una mujer —dijo William, sin emoción. Viendo que su amigo lo miraba fijamente sin decir nada, se encogió de hombros—. Sí, si hubiera deseado matar a una, habría sido a Hawisa. ¿Te acuerdas cómo se me metía en la cama tratando de tentarme?

—Hasta que Anne la sorprendió; desde entonces la muchacha te evitó como a la peste.

Los dos se rieron, pero enseguida volvieron a la seria reflexión.

—Anne aventajaba a Hawisa por más de medio quintal —continuó Charles—. Lady Saura no es lo bastante corpulenta como para haber asustado a esa mujer, por eso pensé que tú...

—No. Sea quien sea el que la mató, es nuestro perro del infierno. —Miró fijamente a Charles—. ¿No podría ser Raymond?

—El matrimonio te ha revuelto los sesos. Raymond te quiere.

Al oír lo que deseaba oír, William exhaló un suspiro de alivio, y enseguida enderezó la espalda, consternado, porque Charles continuó:

—Y ama a tu dama. Demonios, creo que la mitad de los hombres que asistieron a la boda estaban enamorados de ella. Raymond andaba melancólico por ella, yo suspiraba por ella, y tú no te dabas ni cuenta. Sólo tenías ojos para Saura. Y ella tenía toda su atención puesta en ti. Incluso Nicholas la deseaba, y ya sabes lo que piensa de las mujeres. —Apuró su segunda copa de cerveza y eructó—. Esos estúpidos poemas y todas las insinuaciones amorosas que propagaba. Y no paraba de mirarla con esos ojos enrojecidos, como el diablo que ha visto descender a un ángel a la tierra.

William hizo girar su copa, contemplando la cerveza como si en su interior fuera a encontrar una respuesta.

—Tiene que ser alguien que estuvo en la boda. Tiene que ser alguien que conocía el castillo Burke. Sea quien sea, se acercaba a Saura, sigiloso, asustándola y susurrándole. Incluso entró en el jardín por la puerta pequeña de atrás, ¿la recuerdas? Y la acarició.

—Eso tiene trazas de Nicholas —gruñó Charles, con repugnancia—. Siempre le gustó aparecer sigilosamente y asustar a los que no podían defenderse.

—Eso no lo sabía.

Encogiéndose de hombros, Charles explicó:

—Eres cuatro años mayor. Eras escudero cuando nosotros éramos pajes, y caballero cuando nosotros éramos escuderos. Cuando ibas a casa de visita, eras el objeto de nuestra adoración. Buen Dios, durante años te admiramos. Sobre todo Nicholas. Ocultaba bien sus corrupciones cuando estabas tú.

Un miedo comenzó a crecer en William, un miedo que había mantenido a raya con su lógica.

—¿Qué más hacía?

—Las maldades normales de un niño pequeño. Le gustaba apretarle el collar a su perro para verlo vomitar. Golpeaba «por casualidad» a los escuderos con su lanza para hacerlos caer. Y sólo copulaba con mujeres que no estaban dispuestas. O con niñas.

William se estremeció, al borde del descubrimiento.

—Pero no mató a Hawisa.

—No —dijo Charles. Se lavó las manos en el aguamanil y le hizo un gesto a su escudero para que se lo llevara—. Tendría que estar loco para haber matado a esa criada.

—¡Eso es! —exclamó William, levantándose—. ¡Eso es! Eso es lo que estaba mal en mi lógica. No hay ninguna lógica en la locura, y Nicholas está loco. Totalmente loco. Vamos. —Le dio una palmada a Charles en el brazo y pasó al otro lado del banco de un salto—. Tenemos que ir. Si aún no tiene a Saura, la tendrá muy pronto.

# Capítulo 19

—Yo lo idolatraba —dijo Nicholas, quejumbroso—. ¿Lo sabías?

—¿A quién? —preguntó Saura, acuclillada y tiritando delante del fuego del hogar de la sala grande del castillo Cran.

—A William. Veneraba el suelo que pisaba.

—¿Qué te hizo cambiar?

Él se acercó más al fuego y ella se hizo a un lado, metiéndose bien la falda entre los tobillos.

—Nada. Nunca he cambiado de opinión, sino que más bien comprendí que podía ser él.

—¿Ser él? —repitió ella, como una tonta—. ¿Ser William?

—Sí, ¿no lo ves? Ésa es la belleza de mi plan. Después que mate a William seré el hijo de lord Peter.

Estupefacta y desconcertada, ella soltó:

—¿Y Kimball?

—¿Kimball? —repitió él, despistado.

—Kimball, el hijo de William. El heredero de todas las tierras de lord Peter.

—Ah, Kimball. —Agitó la mano, descartándolo, sin el menor interés—. Tendré que matar a Kimball.

Cerrando los ojos angustiada, Saura rezó pidiendo orientación.

—¿No deseas ser… William… para Kimball?

—¿Ser padre? —Lo pensó—. No, los niños dan demasiados problemas. Puede continuar hasta que adquiera cierta importancia, y entonces tendrá que morir. Yo seré quien más lamente su muerte, como haría William. ¿Te hace feliz eso?

Era sincero al ofrecerle tal cosa como una gran ayuda, comprendió ella, y eso era peor que todo lo que había dicho antes. Su idea de bondad o amabilidad era el asesinato de un niño, seguido por una monstruosa mentira. Se le hizo trizas el autodomino. Oyó el zumbido de su sangre en los oídos. Nicholas era malvado, un demonio, y deseó enviarlo de vuelta al infierno. Se incorporó; deseaba arrancarle los ojos, golpearlo, hacerlo sangrar.

El ruido de pies calzados subiendo rápidamente la escalera se lo impidió. Volviendo la cabeza hacia donde provenía, aguzó los oídos. El golpeteo de los zapatos y los resuellos sibilantes le recordaron a alguien, y cuando el jadeante mensajero habló, la horrorizada sorpresa le disipó la furia.

—Le dije a *lor* William que la *tenía'*, *milor*.

—¡Horrendo granuja! —explotó Saura—. Bronnie, ¿qué haces aquí?

—Ah, *maledi, e'peraba* que no me *reconociera'*. —El muchacho arrastró los pies, al parecer sintiéndose más desgraciado que cuando ella se despidió de él en el castillo de Arthur—. *Lor Nichola'* pasó a *se* mi *señó* cuando murió lor Arthur, y hago lo que él me ordena.

—¿Cómo pudiste?

—No me gusta —le aseguró él—. Intenté *decile a lor Nichola'* que no lo hiciera, pero *po* lo que sea, nunca nadie *me e'cucha.*

—Ya te he escuchado demasiado —dijo Nicholas, glacialmente—. No estás aquí para conversar con mi esposa, sino para informar…

—¿Tu *e'posa*? Creí *oíte* decir que era la *e'posa* de *lor* William.

—¡Idiota!

Saura hizo un gesto de dolor al oír el fuerte sonido de la palma de una mano en una cara y el gemido de Bronnie.

—Ocúpate de lo que se te ordena. Ahora bien, ¿qué dijo lord William?

—No vi *exautamente* a *lor* William. —Sonaron unos cuantos brincos hacia atrás y Saura supuso que el chico le había hurtado el cuerpo a otra bofetada—. ¡No fue posible! Encontré el *ca'tillo* de *lor Charle' ju'tonde me diji'ste que e'taba,* y voy y golpeo la *pueta,* pero dicen que *e'tá toa* la tropa *aentro* preparándose *pa* partir, y yo pregunto: ¿dónde?, y dicen que a *salvá* a lady Saura, y yo digo: ¿quién la tiene?, y dicen *lor Nichola',* y yo digo: *correuto.*

Saura no quería reírse, consciente de que estaba muy próxima a un ataque de nervios, pero aunque lo intentó, no pudo borrar la sonrisa de su cara. La cobardía de Bronnie era el colmo. Haciendo una brusca inspiración, se echó a reír, y continuó riendo hasta que Nicholas también se rió.

—Está bien, Bronnie —dijo éste al criado, con fingida afabilidad—. Mientras William sepa dónde está.

—Eso no *e' too, señó* —se apresuró a decir Bronnie—. *Lor* William viene solo.

—¿Qué? —exclamó Saura, dejando de reír, y se sentó en un banco, cogiendo con fuerza los bordes—. ¿Solo?

—Sí, entré en el *ca'tillo pa comé* algo. Parece que le caí bien a la chica de la cocina.

—¿Querías descansar? —bufó Nicholas.

—Un hombre no *puee* correr *ha'ta* tan *lejo'* y no necesitá un *de'canso, milor*.

—Ah, no, claro que no.

El sarcasmo de Nicholas pasó rodando por encima de la cabeza de Bronnie.

—Sí —suspiró aliviado—. Sabía que *e'taría'* de acuedo. Lo oí *hablá. Di'cutí ma' bien*.

—¿A lord William? —preguntó Nicholas, golpeteando el suelo con la punta del pie.

—Sí, a *lor* William, ¿a quién si no?. *E'taban* comiendo y lo oí *decile* a su amigo que el vil animal que tenía a su dama no dejaría entrar a un ejército, pero tal *ve'* podría *dejalo entrá* solo. A *lor* William, quiero *ecir*.

—Vil animal, ¿eh? Veremos quién es el animal. ¿Podría un animal haberle puesto una trampa al fabuloso lord William? ¿Podría un animal haber ideado una operación así? ¿Quién, si no lord Nicholas de Walham, podría haber traído a William de Miraval de rodillas?

—No de rodillas todavía —dijo Saura.

Se le escapó un gruñido cuando Nicholas le puso la mano en el hombro y le enterró los dedos, dejándole moretones, seguro.

—¿Qué va a hacer Charles mientras William viene a mí, solo?

Su voz sonó en dirección a ella, pero se dirigía a Bronnie.

—Iba a ir a *buscá a lor* Peter.

—A buscar a lord Peter —repitió Nicholas, pensativo—. Interesante. ¿Cuándo fue esto?

—Ayer. Corrí como el viento *ha'ta* aquí.

—Es para eso que sirves —dijo Nicholas—. ¿Cuándo iban a partir?

—*Lor* William, inmediatamente, dijo, pero *Charle'* necesitaba *organizá a lo' hombre'* y preparase pa la guerra. Hoy al alba dijeron.

—¿Has oído eso, mi amor? —le preguntó Nicholas a Saura, acariciándole el hombro dolorido—. La suerte está conmigo.

—Lord Peter no te aceptará jamás —dijo ella en tono despreocupado—. Tú mismo dijiste que te oculta su desprecio.

—Quedará destrozado por la muerte de su hijo. —Se alejó unos pasos y volvió—. Es hora de irnos a la cama.

—Claro que quedará destrozado, pero dudo que pierda el juicio. ¿No crees que sospechará algo cuando aparezcas llevando a la esposa raptada de William?

—Cierto. —Lo pensó y decidió—: Simplemente tendré que tenerte prisionera aquí hasta la muerte de lord Peter. —Le cogió las muñecas—. Vamos. Usaremos la cama de la habitación soleada. He soñado contigo en ella.

Su despreocupada manera de arrebatarle la libertad le afiló el valor a Saura, y su intenso deseo la desesperó. Le arrojó una pregunta como un dardo:

—¿Y tu madre? ¿Qué pensó tu madre cuando mataste a tu hermano?

Él dejó de llevarla hacia su cama y ella sintió pasar un estremecimiento por todo él.

—Mi madre era una santa.

—¿No amaba a tu hermano también? Es antinatural una madre que no ama a todos sus hijos.

Girándola hasta dejarla de cara a él, le cogió los hombros y la sacudió.

—¡Nos amaba a todos! Nos adoraba. Éramos sus flores, sus joyitas.

El dolor del moretón, la humillación por su posición, la obligaron a insistir.

—¿Qué dijo cuando lo mataste?

—Ella no quería que yo me marchara dejándola sola, pero ellos me obligaron.

Saura se agarró a esa pista.

—¿Lloró cuando te marchaste?

Él hizo como si no la hubiera oído.

—Mi padre ya había alejado de ella a sus otros hijos, pero a mí ella me retuvo hasta los ocho años. Me dijo que nunca me permitiría marcharme y yo le juré que estaría con ella para siempre.

—¿Lloró cuando te marchaste?

—Conseguí mi herencia demasiado tarde para ella. Ya había muerto.

—Lloró, ¿verdad? Lloró porque la traicionaste como los demás.

—No la traicioné.

Hablaba entre dientes, y la amargura que detectó en su voz siseante la hizo estremecerse y luego enderezarse.

—Tu pobre madre. Esperando aquí sola con sus recuerdos, esperando que volviera su hijo. Esperando y esperando, mientras tú aprendías a ser un caballero y te burlabas con los otros muchachos y te divertías levantándoles las faldas a la mujeres.

—No me divertía. Era trabajo, trabajo siempre. Era trabajo ser un caballero y fue trabajo enseñarle a Arthur a seguirme como un perro. Y no le levantaba las faldas a las mujeres a no ser que…

—¿A no ser que qué…?

—A no ser que se me resistieran, y eso también requería un esfuerzo.

—No querías disfrutar mientras tu madre sufría sola.

—Exactamente. —Ella detectó la sonrisa en su voz—. Lo entiendes. Sabía que lo entenderías.

Ella lo azotó con su desprecio:

—Entiendo que me estás mintiendo. Entiendo que disfrutabas enseñándole a Arthur a seguirte con irreflexiva lealtad. Entiendo que disfrutabas maltratando a esas mujeres, forzándolas, obligándolas a hacer lo que deseabas.

—¿Cómo puedes entender eso?

—Porque eso es lo que me estás haciendo a mí. Te gusta imponerte por la fuerza a las personas indefensas. Me tienes sujeta, viendo cómo tiemblo como una polilla cogida por un niño desconsiderado. ¿Qué pensaría tu madre de esto? ¿De todo el placer que obtienes manipulando a las personas? ¿Es eso lo que te enseñó?

—¡Mi madre era una santa!

—No, no era santa. No me extraña que tu padre te quitara de su cuidado. Era una mujer odiosa, pérfida, que no soportaba dejar marchar a sus hijos.

Atacando como un áspid, él la cogió por el cuello. Aterrada, le agarró las muñecas, pero él tenía los tendones rígidos por la furia. Intentó darle un puntapié, pero él la tenía a la distancia de los brazos estirados, y eran tan largos que no llegó a tocarlo. Él le hundió los pulgares en la tráquea y al instante se le agotó la agresividad. Se le hinchó el pecho con el aire, al no poder expulsarlo, y, desesperada, le arañó las manos. Así cogida por el cuello la zarandeó como a una muñeca de trapo, y acercó la cara a la de ella. En un recoveco de la mente, oyó la voz de William, diciéndole: «Haz lo inesperado».

Flexionó las rodillas y se dejó caer al suelo. El movimiento le cambió de lugar el peso, a él se le deslizaron las manos y la soltó. Se apresuró a respirar, antes que Nicholas volviera a cogerla; y él volvió a rodearle el cuello, con gran premeditación, como un hombre preparado para cumplir con su deber y disfrutarlo.

Él no decía nada, y ella no podía hablar. Comprendió que iba a morir, porque oyó elevarse en el aire un agudo y largo gemido. ¿El aleteo de los ángeles sonaba como el zumbido de un mosquito?

Nicholas la soltó y ella quedó tendida en el suelo sintiendo náuseas. Cuando le disminuyó la vibración en la cabeza pensó que tal vez él estaba jugando con ella, haciendo tiempo para asestarle el golpe mortal. En todo caso, el gemido aumentó de volumen y finalmente se definió en palabras:

—No *puee'*, *milor*. *E'* una dama noble. No *puee' matá* a una dama.

—Zoquete, estúpido —dijo Nicholas, como si revelara una novedad—. Puedo hacer lo que quiera.

—*Lor* William viene a por ella. Querrá verla.

La voz de Bronnie sonó angustiada y vacilante al discutir con su superior, pero parecía temeroso de no hablar.

—William viene solo. Le dejaré ver el cadáver de Saura y entonces…

—Ah, no —exclamó Bronnie, sorprendido—. Ningún hombre podría apoderase de *lor* William si viera su cadáver. Ningún hombre lo intentaría. —Y añadió, dudoso—: Y aunque *consiguiera' matalo*, no quiero tener a *eso' do' fanta'ma'* rondando por «mi» *ca'tillo*.

Resollando, Nicholas comenzó a pasearse de un lado a otro con pasos menudos y rápidos. Volviendo a situarse junto a ella, la empujó con el pie hasta dejarla de espalda. Ella se dejó mover, exagerando sólo a medias su agotamiento y su miedo.

—Levántala —ordenó Nicholas—. Veamos lo inteligente que es cuando sienta frío y hambre, y la humedad de la mazmorra se le meta en los huesos.

—No *puee' arrojala* en ese hoyo —protestó Bronnie—. *E'* una dama.

—Es una zorra, y se merece lo que reciba. ¡Levántala! —gritó con fría cólera—. O la levantaré yo.

Saura levantó una mano hacia Bronnie, suplicante, y él se le acercó.

—Perdona, *maledi*, lo siento mucho, pero tengo que *tocate*. —Le cogió los hombros con sus grandes manos y las retiró al instante al oír su gemido de dolor—. Perdóname, *maledi*.

Ella le hizo un gesto indicándole que la ayudara. Él empezó a rodearla con los brazos, cauteloso, poco a poco, hasta que Nicholas ladró:

—¡Tráela inmediatamente!

Con un solo y fluido movimiento Bronnie la levantó en los brazos.

—Lo siento —farfulló, siguiendo a Nicholas. Bajaron la escalera, pasando por el rellano donde estaba el retrete, y continuaron hacia el sótano, y volvió a disculparse—: Nunca había tocado a una dama.

A Saura no le importaba. Deseosa de reservar sus fuerzas para el último asalto con Nicholas, la alegraba tener el calor y el apoyo de Bronnie. Era de esperar que le funcionara la voz; tenía que funcionarle. Era su única arma en esa guerra desigual. Su voz y su cerebro; y al parecer su cerebro trabajaba con lentitud, aturdido por el dolor y el horror.

La envolvieron los malos olores del sótano, que servía de almacén: madera empapada en vino, carne en estado de putrefacción, por llevar allí demasiado tiempo. Buscarían la trampilla que existía en todos los castillos. La trampilla que llevaba al sufrimiento y la muerte.

Tenía que hablar ya, tenía que hablar con él. Probando la voz, graznó:

—Nicholas.

Bronnie aminoró el paso, pero Nicholas no contestó. Tal vez no la oyó; tal vez fingió que no la oía.

—Nicholas —repitió, y la voz le salió con más fuerza, aunque rasposa, por el dolor y la irritación de la garganta—. Quiero que me prometas una cosa.

Bronnie se detuvo y Nicholas también, no oyó más pasos, y entonces sintió el ruido de la manilla metálica y el chirrido de goznes no engrasados. A eso siguió el ruido de la portezuela al golpear el suelo y de la abertura de la trampilla subió aire rancio, un tufillo a humedad y horror, a moho y a sufrimiento.

Saura echó atrás la cabeza.

—Puedo prometerte una tumba para vivos —dijo Nicholas, satisfecho por su reacción.

—¿Está oscuro ahí? —preguntó. En su voz se coló una nota de sarcasmo, y él la maldijo. Sin intimidarse, insistió—: Quiero que me prometas que no meterás a William ahí conmigo. —Le dolió la garganta y se puso la mano en ella para afirmar la voz; tenía que durarle para su última estratagema—: Lo odio. Lo mataré si lo metes aquí conmigo.

—¿Qué ardid es ése? —preguntó él, escéptico.

—No es ardid. Reñimos. Reñimos antes que él se marchara. ¿No te acuerdas que estaba llorando en el bosque?

—¿En el bosque donde te capturé? Sí, estabas llorando.

—Lloré hasta que me sangraban los ojos.

—Te adora —dijo él con cierto desprecio.

—Desea más de lo que yo le puedo dar. Desea que me comprometa a entregarme a él totalmente. Desea mi alma y mi mente también. Desea que yo cuente con él para todo mientras que él no necesita nada de mí. Conoces a William. Sabes lo que espera.

Su tono de amargura lo cogió por sorpresa.

—Sí.

Echándole una mirada, comenzó a pasearse otra vez, yendo y viniendo de un extremo al otro del sótano.

—Por favor, no lo metas aquí conmigo. No soporto sus exigencias y él juró…

—¿Obligarte a rendirte? —Soltó un cacareo de furia, y ella lo oyó subir y bajar sus manos por sus calzas de montar de cuero—. Muy bien. Muy, muy bien. Pon la escala de cuerdas, Bronnie, y hazla bajar.

—*Milor* —lloriqueó el muchacho, aterrado—, por *favó, lor Nichola'. E'* una dama.

—Las ratas pueden sacar leche de madre de ella. ¡Hazla bajar!

Dejándola de pie en el suelo, bien apartada del hoyo, le aseguró, Bronnie fue a buscar la escala de cuerdas. Ella lo oyó atar los extremos a un madero, mientras Nicholas parloteaba:

—El bueno de Bronnie se preocupa porque eres una dama, pero en realidad vas a tener un trato privilegiado. A la mayoría de los prisioneros se los arroja a la mazmorra. Si tienen suerte, el suelo está mojado y caen sobre lodo. Si es verano y el suelo está seco, o invierno y está congelado, pueden yacer ahí con los huesos rotos, gimiendo de dolor hasta que se mueren.

Procurando no escuchar, ella se apoyó en un barril de vino, pero su burlona voz era como una racha de aire frío que la envolvía.

—Tú, lady Saura —continuó él—, tienes una escala de cuerdas que llega casi hasta el fondo, y a Bronnie para hacer los nudos que la sostienen. Pero ten cuidado con la carne podrida y los huesos que encontrarás bajo tus pies. No hemos limpiado la mazmorra desde hace meses.

Ella se estremeció, con esa especie de escalofrío que comienza en la base de la columna y sube vibrando hasta el cráneo, y él se echó a reír.

—No será tan terrible. —Se le acercó, le puso las manos en la cintura y la apretó contra él, y le gustó el tiritón que volvió a estremecerla—. ¿A no ser que prefieras ir a mi cama?

Ella cerró los ojos y suspiró, como si estuviera agotada.

—Es una elección difícil. —Se le quebró la voz, así que se aclaró la garganta—. Pero debo preferir las ratas a las serpientes.

Él la apartó de un empujón, ella tropezó y se le quedó cogido el zapato en el borde de la trampilla. En el instante en que Bronnie lanzaba un grito, se le fue el cuerpo y cayó, sabiendo que el hoyo se la tragaría, pero el muchacho alcanzó a cogerla. Cayó encima de él, que estaba sujeto con los brazos extendidos de un lado al otro de la trampilla. En voz alta agradeció a Dios su intervención.

Antes que pudiera darle las gracias a Bronnie, Nicholas ordenó:

—Bronnie, no me importa cómo lo hagas, pero hazla bajar a esa mazmorra y después cierra la puerta y déjala sola. Déjala. —Se acercó unos pasos y ella se apartó asustada—. Déjala sola hasta que se reúna su marido con ella y puedan morir juntos en eterno amor.

—Me prometiste que no lo meterías ahí conmigo —gritó ella.

—No te prometí nada. ¡Nada!

Entonces ella sintió sus fuertes pasos por el sótano y luego subiendo la escalera; los había dejado solos.

Tan pronto dejaron de oírse sus pasos, Bronnie le dijo, asustado:

—*Maledi*, te llevaré a un escondite.

—No. —Afirmándose en los hombros de él rodó hacia un lado—. No, no quiero causarte problemas. Él te mataría.

Percibió el temblor que lo recorrió, pero él lo negó:

—Mejor a mí que a ti. Yo huiría y viviría en el bosque.

—Y te colgarían como a un cazador furtivo. No, Bronnie, gracias, debo bajar.

Pero no se movió.

—¿Estás segura? —preguntó él entonces, y se le coló el alivio en la voz.

—Debo bajar —repitió ella.

—¡Bronnie!

El rugido bajó por la escalera, y el chico se apresuró a salir rodando de encima del hoyo.

—Será mejor que baje antes que tengas problemas.

Continuó vacilando, así que él le cogió la mano y se la colocó en uno de los nudos.

—¿Lo *ve'*? Lo dejé firme.

—Sí. —Palpó la cuerda hasta encontrar un travesaño y lo siguió hasta la otra cuerda. Se animó—. ¡Esto es como una verdadera escala!

—Sí, *maledi*. ¿*Quiere'* que te ayude a *comenzá*?

—Más vale.

—*Pué'*, pon un pie ahí… sí… y el otro más abajo. Bien.

La tocó tímidamente, pero a ella la resolución ya le había disuelto el miedo. Colocó un pie en la delgada cuerda y luego el otro. Haciendo una inspiración para fortalecerse, bajó el pie, pero no logró encontrar el siguiente travesaño.

—*E'tá* un poco más *lejo'*, maledi —dijo Bronnie, asomado por el borde—. Yo lo veo.

Estirando bien la pierna encontró el peldaño, mucho más abajo. Deslizando las manos, lentamente, puso el otro pie en él. Ya estaba dentro de la mazmorra, así que Saura levantó la cabeza para preguntar:

—¿Todos los travesaños están igual de distantes?

—La *e'cala* se hizo *pa* un hombre, *maledi* —contestó él, como disculpándose.

No había nada más que decir. No tardó en ir bajando con pocas paradas. A medida que descendía oscilaba más con cada peldaño. Con los dientes apretados para dominar la angustia, sintió el roce de telarañas en la cara. Apretó con más fuerza la cuerda y concentró la atención en localizar el siguiente travesaño. Nicholas lo consideraría una tortura adecuada, bajar y bajar sin fin con el único deseo de llegar al suelo de su prisión. Finalmente buscó con el pie y no encontró nada. Bajó al máximo la pierna buscando con la punta del pie; nada. Nicholas no le había mentido; la escala era demasiado corta. Estaba colgando en el aire, sostenida por una delgada cuerda, y todo alrededor era un vacío, sin ningún relieve.

—Bronnie. —Le salió un chillido, por el terror—. Bronnie, ¿puedo saltar hasta el suelo?

—No lo sé, *maledi*. *E'tá* tan *o'curo* ahí que no veo *má' allá* del *primé* peldaño.

Le temblaron los brazos de nervios. Oscilando y reptando como un gusano se afirmó en el último largo de cuerda y, maldiciendo las faldas, logró pasar un pie por encima del peldaño, luego el otro, y metió las piernas hasta quedar colgando de las rodillas. Bajó las manos, se cogió del extremo de la cuerda colgante y, dándose impulso, sacó las piernas del peldaño y con una voltereta quedó colgando y oscilando en el frío aire del abismo.

## Capítulo 20

Saura estuvo colgada ahí durante días, meses, toda una estación, hasta que era vieja, hasta que los brazos le temblaban por el esfuerzo. Entonces se soltó. Cayó al suelo y el golpe sólo le hizo doler los tobillos; el suelo estaba más cerca de lo que había imaginado; se había preparado para más distancia.

Se sentó en la tierra y se friccionó los pies, riendo y llorando.

Bronnie la oyó y gritó:

—*Maledi, ¿está' hería?*

Recuperándose, gritó con la voz rasposa:

—Estoy bien. Pero, Bronnie, ¿podrías mover una antorcha y decirme dónde están los cadáveres?

—*¿Lo' caávere'?* —Parecía pasmado, y luego gritó, aliviado—: No, *no e'* tan terrible como te dijo, *maledi*.

—Me sorprende —bufó ella.

—*E'te no e' su ca'tillo* principal y no deja *prisionero'* aquí, y si tiene alguno, seguro que no lo dejaría morir de esa manera. Lo haría *trabajá ha'ta* la muerte, de *verdá*.

Divertida sin poder evitarlo por esa sucinta descripción del carácter de Nicholas, preguntó:

—¿No hay cadáveres?

—No, pero hay *rata'*, eso seguro, y hace frío. Coge mi jubón. —Se lo tiró y le cayó en la cabeza—. ¿Lo *tiene'*?

—Sí, gracias. ¿Hay algo más...? —Oyó un fuerte rugido procedente de arriba e hizo un mal gesto. Incluso en la mazmorra reconocía a Nicholas y su ira—. Date prisa en subir, Bronnie. Yo estaré bien ahora que sé que estoy sola. Bueno, aparte de las ratas.

—Oh, *maledi, dete'to dejate* ahí. Una dama noble y todo eso.

—Vete. —Agitó los brazos aun sabiendo que él no la veía—. No quiero que cambie de decisión respecto a mí.

—Sí, sí. —Se oyó el sonido que hizo al levantar la puerta—. ¿*Está'* segura?

—Estoy bien.

La portezuela ya estaba casi cerrada cuando él la levantó y volvió a asomarse.

—¿*Maledi*?

—Vete, Bronnie —dijo firmemente, y él obedeció.

El golpe de la puerta encima de ella sonó definitivo. El jubón que tenía en las manos conservaba el calor del chico, y encontró consuelo en esa prueba de que no estaba totalmente sola. Flexionando las piernas, se rodeó las rodillas con los brazos, apoyó la mejilla y comenzó a reflexionar sobre su situación. Estar encerrada en una cueva oscura no la preocupaba. La diferencia de luz no cambiaba nada para ella; en ese lugar nada era diferente a cualquier otro. Mientras no descubría los parémetros de una habitación se sentía desconcertada.

De todos modos, sentía que el aire le presionaba la cabeza, era más pesado con la puerta cerrada. Le parecía que estaba más cerca el techo, que seguro estaba tan alto como el cielo; le daba la impresión de que se golpearía la cabeza si se ponía de pie; sentía muy cerca las paredes, y parecía que el suelo se ladeaba. El olor a moho la sofocaba, y respiraba con dificultad. Desesperada, enterró los dedos en la tierra, rascó y cogió un puñado.

¿Cómo había llegado a esa situación?

Sólo el día anterior había aprobado la reparación de los techos de paja de la aldea de Burke. A caballo había acompañado al admistrador en su ronda por las granjas para que los aparceros les rindieran cuenta de las cosechas, y luego le recitó las cifras al hermano Cedric para que las anotara. Tal vez Peter le dio la responsabilidad de llevar las cuentas de otoño sólo para desviarle la mente de William, pero le dijo que estaría feliz de que ella hiciera ese trabajo, y ella le creyó.

Cada noche él volvía de sus cacerías salpicado de barro y contento, trayendo una liebre o un jabalí para salarlo y guardarlo para el invierno. Ella entendía que esa exhibición de regalos masculinos no era para ella. Era para Maud, que al lado de ella se mostraba adecuadamente admirada por las presas que él ponía a sus pies. El amor entre el amo y la criada había prendido y ya era un fuego estable, llameante con el constante calor de las brasas, y chispeante con las ocasionales demostraciones de ira. Peter y Maud estaban arropados el uno en el otro, y ella se sentía envidiosa, abandonada y avergonzada.

Ya no contaba con las eternas atenciones de Maud, Peter sólo le prestaba una distraída atención, los niños estaban siempre ocupados con los deberes de jóvenes guerreros, y William estaba ausente.

Sólo *Bula* seguía velando junto a ella, apoyando la cabeza en su falda cuando estaba sentada y metiéndose por entre sus pies cuando caminaba. Los criados hacían bromas sobre su leal cariño mientras corrían de aquí allá para terminar los trabajos del otoño antes de las primeras heladas.

Sus pensamientos pasaron a la extraordinaria conducta de *Bula* en el sendero. Tonta, estúpida, se regañó. Muchacha estúpida, más que estúpida. Inmersa en tu desolación, no se había dado cuenta de lo que el perro intentaba decirle. Si le hubiera hecho caso, en ese momento estaría en Burke, al calor del fuego y no envuelta en un jubón que saltaba por las pulgas.

En casa, sonriendo por el amor entre Maud y Peter; en casa, esperando el regreso de William.

En casa, esperando que *Bula* entrara saltando a demostrarle todo su afecto. Regañándolo por meterse entre sus pies; riendo mientras le rascaba las costillas y él movía las patas, en éxtasis.

Si le hubiera prestado atención al perro, éste estaría vivo, no tirado en el bosque como un cebo para gusanos. Deseó llorar por él, pero no le brotaron lágrimas; su sentimiento de culpa era demasiado intenso, su pena demasiado reciente. Su dilema exigía razón, no emoción. Ya había traicionado a *Bula*; no volvería a traicionarlo no encontrando una manera de escapar para vengar su muerte.

Desasosegada, agitó la cabeza. Nicholas deseaba convertirla en una enclenque inútil. Deseaba que ella muriera ahí, asustada y suplicando que la liberara, y no le iba a dar nada de lo que deseaba; nada.

La tierra no estaba mojada; estaba seca y suelta, como polvo, y caía filtrándose por entre los dedos. Creta, lo más seguro, porque el castillo estaba muy alto por encima del mar, y esa parte de Inglaterra era famosa por sus acantilados blancos. Aunque arrojaran a William ahí, tal vez no se haría daño.

Rogó a Dios que Nicholas lo hiciera bajar por la escala; rogó a Dios que Nicholas lo hiciera bajar de cualquier manera posible.

Y en el caso de que se lesionara cuando llegara a la prisión, por lo menos sabría que no estaba muerto. Si se lesionaba en la caída, seguiría siendo William, fuerte y poderoso para derrotar a todos sus enemigos.

En esos espantosos momentos cuando Nicholas la estaba estrangulando, y creyó que iba a morir, comprendió que William la salvaría. Cuando el aire estaba a punto de hacerle explotar el pecho, decidió que juntos, ella y William, podrían destruir a ese demonio.

Ojalá Nicholas se tragara el anzuelo y trajera a William ahí. Suplicarle que no lo pusiera en la prisión con ella fue una estratagema débil, pero fue lo único que se le ocurrió, estando tan agotada. Se quejó de que William esperaba demasiado de ella, y ese argumento contenía la verdad suficiente para que Nicholas le creyera. Ojalá no lo analizara mucho. Ojalá se creyera en una posición tan invulnerable que se atreviera a ponerlos juntos.

Nicholas era bastante espantoso. Se rió de sí misma: qué manera de girar en torno a la verdad sin tocarla. Nicholas estaba loco de remate, demente. Todo en él proclamaba su locura a gritos. ¿Cómo pudo ser tan ingenua para no sospechar de él? Era como si en él vivieran dos personas, las dos diabólicamente inteligentes. El niño que vivía en él buscaba amor, el progenitor protegía al niño.

¿Estaría tan loco como para ponerlos juntos, a ella y a William? Tal vez. ¿Lo bastante loco para matarlos y suponer que saldría impune? Sin duda. Eso era lo que la asustaba, y fue lo que la hizo elevarse por encima de la desesperación. Para escapar de esa trampa, ella y William tendrían que unir sus fuerzas y hacerse tan potentes como las tormentas que azotan el mar. Sentada ahí en el suelo de su prisión, comenzó a bullir una esperanza ilógica en su pecho.

Había descubierto que tenía un enorme deseo de vivir, de prosperar, de encontrar una solución al problema que tenía con William. Cuando él llegara, estaría tranquilo, imponente, decidido. Él sabría qué hacer, y lo harían. No encontraría a un desastre de mujer toda temblorosa rogando que viniera un hombre a salvarla. Encontraría a Saura, su esposa tranquila, concienzuda, rápida para pensar.

¿Qué debía hacer primero? Explorar. Encontrar armas. Encontrar una manera de construir una escala. Prepararse para ayudarlo y sentirse gratificada por el asombro de él ante sus capacidades.

Asintiendo con la cabeza, resuelta, se puso de pie y se limpió de polvo la falda.


El golpe de la portezuela al caer hacia atrás resonó con una especie de triunfo. Saura despertó de su sueño ligero y comprendió que William había llegado. Sólo por el estruendo que hizo la puerta al caer supo que Nicholas lo había capturado, que estaba feliz y que los iba a poner juntos. Cerró los ojos, agradecida, pero al instante los volvió a abrir al oír las palabras de William:

—No bajaré ahí.

Acurrucada en el rincón donde había pasado la noche, con la falda bien remetida entre las piernas para protegerse del frío, se arrebujó más el jubón de Bronnie. El vigor de la voz de William estaba aumentado por un motivo que no logró comprender. Ladeando la cabeza, escuchó con atención, para identificarlo.

—¿No vas a bajar? —se burló Nicholas—. Muy bien. Dejaremos sola a tu mujer ahí.

—¿Saura está ahí? Vamos, asqueroso…

—Se siente a salvo ahí —alegó Nicholas, con refinada satisfacción—. A salvo del hombre repugnante que le ofreció su corazón.

—¿Quién? Ah, tú. —Estaba tan clara la indiferencia en su voz que Nicholas farfulló unas quejas; después de escucharlo, William dijo—: Bueno, francamente, amigo mío, no supondrías que ella te desearía después de haberme tenido a mí, ¿verdad?

Como un gusano royendo el corazón de una buena manzana, Nicholas contestó despectivo:

—No está nada feliz contigo tampoco, amigo mío. Concretamente me pidió que te mantuviera lejos de ella. Sí, eso te sorprende, ¿no? Te sorprende que tu enorme bondad sea algo que haya que evitar. Que no toda mujer desee entregarse a ti en cuerpo y alma.

—Cabrón.

—Ah, lo sé todo sobre la putrefacción que hay en tu matrimonio. Tu mujer es muy locuaz después de haber estado llorando.

Saura oyó el movimiento de William al abalanzarse, y luego la aguda risa de Nicholas, mezclada con sonidos que hablaban de su locura.

—Estás atado, William. Estás cautivo. Entraste solo en mi castillo, armado solamente con tu orgullo. Lucha todo lo que quieras, esas ataduras en tus brazos no se van a soltar.

—¿Por qué estaba llorando?

—Estaba llorando en el bosque; llorando a mares. ¿Qué podía hacer yo? La tomé bajo mi ala y la traje aquí. Para custodiarla.

Saura se imaginó la sonrisa satisfecha de Nicholas, y se encogió ante ese giro de los acontecimientos.

William estuvo callado muchísimo rato, y de pronto dijo:

—Si mi esposa no desea tenerme con ella en su prisión, si prefiere la compañía de las ratas, pues, no quiero bajar ahí.

Saura comprendió que él entendía su estratagema. Lo supo por la falsa convicción de su voz; el fingimiento sonó tan claro que temió que Nicholas lo hubiera captado. Pero le preocupó la nota de miedo que detectó también. ¿Qué le pasaba a William?

—Tú no quieres bajar, y ella no te desea ahí con ella —ronroneó Nicholas—. ¿Qué más podría pedir? ¿Y qué más podrías pedir tú, fuera de la oportunidad para resolver vuestros problemas matrimoniales antes de morir?

—Lo más seguro es que no esté ahí —dijo William, debatiéndose con los hombres que lo tenían sujeto—. No ha dicho ni una sola palabra.

Saura se levantó y fue a situarse justo debajo de la abertura.

—Nicholas, me lo prometiste.

Nicholas se rió y William rugió:

—¡Apártate!

Al grito siguieron los sonidos de un golpe, un roce, y ella alcanzó a retroceder justo a tiempo. William cayó a sus pies como un águila herida. Saltó tierra polvorosa y ella se le acercó de inmediato. Él resolló, sintió arcadas y ella se arrodilló a su lado tosiendo.

—¿Estás bien? ¿William? ¡Contéstame!

Lo palpó y tironeó la cuerda que le ataba las muñecas por delante.

—Un momento…, mujer.

Hizo una fuerte inspiración, de aire mezclado con polvo, y tosió como un hombre al que le sangran los pulmones.

—¿Vivirá? —preguntó Nicholas.

—Mi cuchillo de comer —susurró William.

Saura le palpó el cinturón y abrió la vaina.

—¿Te lo dejó? —preguntó, también en un susurro.

—Cree que no es un arma. —Estiró los brazos para que ella le cortara las cuerdas—. Me infravalora.

—¿Vivirá? —gritó Nicholas.

—Sí, viviré —contestó William, moviendo las manos libres y friccionándose las muñecas. Y añadió con la voz ya más fuerte y clara—: No gracias a tus secuaces.

—Estupendo. Por satisfactorio que fuera, detestaría privarme del privilegio de matarte como es debido.

Los goznes de la puerta comenzaron a chirriar, y William se incorporó apoyado en un codo.

—¡Nicholas, espera!

El grito le produjo otro acceso de tos, y puso de pie a Saura empujándola por el trasero.

—Espera, Nicholas —dijo ella, obediente y se quedó callada, pues no sabía qué deseaba decir William. Pero sí sabía lo que deseaba ella—. Tengo hambre. He pasado toda la noche aquí sin un mendrugo de pan ni una gota de agua.

—Te enviaré a mis sirvientes personales para que les hagas tus peticiones —contestó Nicholas, suave como la nata.

William se recuperó de la tos y gritó:

—Tira una antorcha para poder ver a Saura. Quiero ver qué le has hecho.

—Nada —dijo Nicholas, asomado—. Escasamente la toqué.

Ella se tocó la dolorida garganta e hizo un gesto de dolor.

—No tardaré en venir a buscaros —les dijo Nicholas—. Cuando estéis debidamente sumisos.

Se apartó, y cuando la puerta volvió a chirriar, Saura gritó:

—¡Tengo sed! No puedes dejarnos morir de hambre. —Se cerró la puerta y le dijo al techo—. Aunque no sé por qué no. —Volvió a arrodillarse junto a William, le palpó el cuerpo y descubrió que estaba temblando—. Estás herido —susurró—. Estás herido —repitió en voz alta.

—No.

Pero ella sentía en las palmas que él seguía temblando y parecía asustado.

Le pasó las manos por los hombros.

—¿William? ¿William?

—Estoy bien —dijo él.

Ella no le creyó.

—Éste no es momento para ser temerario. Si te… —se interrumpió porque él le cogió los codos para acercarla; le echó los brazos al cuello, y entonces él hundió la cabeza en su estómago y la rodeó con los brazos—. ¿William?

A él le salió un gemido de terror desde el fondo del alma:

—Está oscuro.

Ella no supo qué decir, no entendía. Se limitó a pasarle las manos por el pelo de la nuca, alisándoselo.

—Está oscuro —repitió él—. No veo nada.

Entonces entendió. Sólo un hombre que ha estado ciego unos meses y luego recupera la vista podía sentir el terror que se había apoderado de William. Lo estremecían temblores convulsivos y frotaba la cabeza en su regazo. Sacudida por un repentino terror, le preguntó:

—¿Veías después que te arrojaron aquí?

Lo sintió asentir con la cabeza.

—Sí.

—¿Qué veías?

—La luz de la abertura de la trampilla, que iluminaba desde arriba.

—¿Qué más?

—A Nicholas, con su cruel cara asomada mirándonos.

—¿Estaba solo?

Él tragó saliva.

—Rodeado por sus criados y soldados.

—¿Y ese cabrón va a ganar?

—Saura —dijo él, desesperado, sin atender su súplica de que fuera fuerte—. No veo.

Ella bajó las manos por su espalda, friccionándosela en lentos y largos círculos, pensando qué podía decirle. Lo entendía; lo entendía con una compenetración que nadie más podía sentir. Ella había estado atrapada por el poder de Theobald, y lord Peter la liberó al pedirle ayuda. Y ahora su libertad estaba amenazada por los lunáticos designios de un hombre. Casi se había ahogado con sus protestas por su suerte, y en su alma y corazón entendía el sufrimiento que estaba experimentando William.

Además, conocía la oscuridad. Sabía cómo era no tener idea de los espacios y contornos que la rodeaban, de los monstruos que acechaban ocultos en la noche. Sabía lo mucho que se complacía William en el placer de su vista, usándola para sus deberes como caballero y señor. Sólo podía suponer cuántas velas le encendió a la Virgen cuando recuperó la vista, cuántas limosnas había distribuido.

Y ahí estaba él, como un niño pequeño en su regazo, frío e inmóvil.

—William, sé lógico —dijo, empleando esa palabra mágica para él—. Sabes que no estás ciego.

—Lo sé. Lo sé en mi cabeza. Pero abro los ojos y no veo nada, por mucho que los entrecierre y los fuerce. —Levantó la cabeza, la movió de lado a lado y volvió a hundirla en la cintura de ella—. Me retumba el corazón, me sudan las manos y tengo miedo…

Abrazándolo e inclinándose sobre él, musitó sonidos tranquilizadores.

—Nicholas sabía de qué manera atormentarme, ¿verdad? —dijo él—. Ese hijo de puta sabía qué me torturaría.

—No —repuso ella al instante—. Nicholas no tenía idea de cómo te afectaría esto. Lo habría aprovechado más si lo hubiera sabido. Ni siquiera yo tenía idea de cómo te afectaría. No se me ocurrió, lo siento.

Él se rió, una risa que fue una especie de siseo gutural, medio desesperado.

—Un hombre adulto con miedo a la oscuridad. Buen Dios, qué tonto soy.

—No, tonto no. Eres un hombre adulto que enfrenta desafíos que matarían a un hombre inferior y los trata como montañas que hay que subir. Tú coges la desgracia y la transformas en buenaventura. Coges las piedras que encuentras y las usas para allanar el camino a los demás.

Incómodo, él se acurrucó más, apoyó la cara en la de ella y se estremeció, con un terror tan grande que le impedía llorar.

La prisión los envolvió en el silencio. Sólo se oían los silbidos del viento a través de las grietas. Estaban totalmente solos, como no habían vuelto a estar desde la noche de bodas, y Saura dudaba de tener el valor para decir lo que lo tranquilizaría. Decidiéndose, hizo una honda inspiración y comenzó:

—¿Sabes cómo era mi vida antes de ir al castillo Burke? —Guardó silencio, pero él no dijo nada; ni siquiera sabía si la estaba escuchando. Dudó de ser capaz de sacarlo de su miedo, pero la resolución llegó rápido, derrotando a la duda; tenía que intentarlo, palabra a palabra, frase a frase. Deseaba consolarlo, pero primero tenía que hablarle del tiempo anterior a conocerlo—. Nunca te he contado cómo era vivir con mi padrastro, ¿verdad? —Sin esperar respuesta, continuó en tono monótono—: Cuando miro atrás, esos años que viví en Pertrade, mi principal recuerdo es de frío. Me parecía que siempre hacía frío en esa casa. Vivía en el peligro de convertirme en una vieja marchita y seca, en la aburrida tía de alguien, siempre escondida en las sombras.

—Tus hermanos no te veían así.

Al oír esas palabras susurradas en su regazo, se relajó; él estaba escuchando.

—¿Cómo iban a poder saberlo mis hermanos? Nunca tuvieron que vivir con odio y desconfianza todos los momentos de sus vidas. El desprecio me golpeaba dándome otra forma, convirtiéndome en una Saura diferente. Theobald iba ganando.

Él negó con la cabeza, frotando la cara en su vientre.

Ella exhaló un estremecido suspiro de tristeza.

—Te lo prometo, William, donde no podrían triunfar estallidos de violencia, puede triunfar el agotamiento que produce la maldad. Y entonces fue a verme tu padre y me ofreció una oportunidad para escapar. Y la acepté, porque ahí sólo existía. —Volvió a friccionarle la espalda, en firmes círculos, amasándole los músculos por entre los omóplatos y luego aflojándole la tensión de los hombros. Con la voz dulce de una madre arrullando a su bebé, continuó—: Llegué a tu casa y al instante me sentí abrigada, arropada. Los fuegos ardían con un calor puro, los criados eran más amables, el trabajo era interesante. Y tú eras como la luz del sol un día de verano.

Él giró la cabeza y su voz subió hacia su cara:

—¿La luz del sol? No fue eso lo que dijiste entonces. Dijiste que apestaba, que era un vago y rezumaba lástima por mí.

Ella le tironeó el pelo.

—Y era cierto. Pero tenías esa voz fascinante, sonora, suave, exquisita, y…

—¿Estaba sucio? —Se coló una nota de diversión en su tono, y aflojó un poco las manos. Con una le friccionó la espalda, imitándola.

—Lo estabas, sí. Y eras obstinado, cabezota. Me gustaba el desafío que me presentabas, me gustaba cómo me hacías sentir, tu forma de acogerme. Me costaba creer que pudieras tratar a una vieja como si fuera una chica joven y vital, pero así me tratabas. Pensaba…, pensaba cómo me tratarías si supieras mi edad, y lo descubrí. ¿Te acuerdas, en la bañera?

Él gruñó, pero a ella le pareció que sonreía. Le acarició la mejilla, buscando el hoyuelo, y la mejilla se escapó de su mano.

—A partir de ese momento —dijo él—, tuve una dirección, un objetivo. Te deseaba.

—¿Cómo ibas a desearme? Soy pueril.

—Menos que muchos hombres.

Le deslizó la mano por la espalda y le pellizcó el trasero. Ella pegó un salto y se rió, y deseó no tener que decírselo, pero debía hacerlo.

—Me has obligado a enfrentarme a mí misma —dijo en voz baja—, y no me ha gustado nada. Me has hecho ver lo cobarde que soy. Tenía miedo de amarte, de amarte de verdad, debido a…

—Porque las personas que amas crecen y te dejan para que te las arregles sola.

Se dio un impulso y se sentó, con la cara hacia ella, los muslos presionando los de ella, el pecho muy cerca, cálido. Le acarició tiernamente la cara con las yemas de los dedos.

Ella enderezó la espalda y dijo secamente:

—Iba a decir debido a Theobald y sus crueldades.

—Eso pensé yo también mucho tiempo. Después de todo, vivir con un hombre que te detesta y desprecia y te desea el mal tiene que dejar cicatrices. Pero eres tan fuerte, tan resistente, tan segura de tu valía, que en realidad Theobald te hizo poco daño. Una vez que llegaste a mi casa, esos rasguños que te hizo en tu seguridad y confianza en ti se curaron rápido. ¿Estás segura de que puedes ser amada? —preguntó en tono mimoso.

—¿Qué quieres decir? —Notó la hostilidad de su tono y la maldijo, pero ya no podía borrarla.

—Yo creo que nunca te importó Theobald ni lo que pensaba. —Mientras ella digería eso, añadió, pensativo—: ¿Sabes? Yo le echo la culpa a Maud de nuestras actuales dificultades.

—¿Qué quieres decir? —preguntó ella, indignada—. No veía la hora de que nos casáramos. Estaba feliz.

—Sí, feliz de tener bien establecida a su niñita para ella poder dedicar su atención al romance con mi padre.

—¡Eso es estupendo para ella! Por primera vez, en muchos años, no ha tenido que estar pendiente de mí, preocuparse y temer por mí, estar vigilante de las maquinaciones en mi contra para despejarme el camino. —En vista de que él no decía nada, soltó—: No le tengo envidia a... —las palabras se le quedaron atrapadas en la garganta; sólo el día anterior había reconocido que sentía envidia. Bajó la cabeza y masculló—: Soy una mezquina quejica.

—No, no, no lo eres. —La rodeó con los brazos—. Sólo me gustaría convencerte de que confíes en mí. Yo confío en ti. He estado lloriqueando en tu falda.

—Ya lo has superado, ¿verdad?

Sorprendido, él se observó y no encontró ningún resto de terror.

—Sí, parece que sí —dijo, maravillado.

Al instante ella se levantó y se alejó.

—Estupendo. Porque he encontrado una manera de escapar, pero necesito que despejes el camino.

La naturalidad con que ella hizo esa declaración lo sorprendió.

—¡Un momento! —Alargando la mano, la cogió y la hizo caer sentada en sus muslos, y la acunó con sumo cuidado—. Eres una bruja. Una hermosa bruja de pelo negro azabache. Recurro a ti con miedo y temblando, y cuando me has consolado, soy yo el que te curo a ti los males.

—¿Estás enfadado?

Él se rió y la abrazó con más fuerza.

—No.

—William, ¿por qué viniste solo?

No fue su intención, pero la voz le salió temblorosa, patética.

—¿Por qué no vine con un ejército?

—Sí.

Apoyó la cabeza en su pecho y escuchó la respuesta con la oreja pegada a su esternón.

—Tienes que aprender a fiarte de mí, cariño. Si hubiera venido con un ejército, Nicholas te habría subido a las almenas y habría amenazado con arrojarte desde ellas. Era mejor que viniera solo, desarmado, con sólo mi cuchillo para comer en el cinturón, y dejarme apresar sin luchar.

—¿Sin nada de lucha?

Él se encogió de hombros.

—Sólo un poquito. Nicholas habría sospechado si me hubiera capturado con mucha facilidad. Cree que estoy desesperado por ti, que no tengo ningún plan.

—Hombre tonto.

—No tan tonto —enmendó él—. Estoy desesperado por ti. Siempre tuve claro que tenía que arrancarte de sus garras antes de poder comenzar a aplastar cráneos. —Al notar el movimiento de sorpresa de ella por esa implacable resolución, le depositó un beso en la coronilla—. Te enseñaré a fiarte de mí algún día. Algún día tendremos que terminar esta conversación que hemos comenzado.

—Lo sé. —La voz le salió tan débil que él tuvo que inclinarse para oírla—. William, mataron a *Bula*.

—¿Qué? —dijo él, tensándose, y ella deseó no tener que decírselo.

—Me capturaron en el bosque, donde había ido tontamente.

—A llorar, dijo Nicholas.

—Es cierto. Ya no soportaba la preocupación, pensando en ti, en nosotros. Así que fui donde sabía que no debía ir, y *Bula* lo pagó con su vida.

—Ese perro dio su vida por ti debido a tu infinita paciencia con él, debido a tu cariño y bondad. Lamentas su muerte, pero piensa cuánto más lamentaría él la tuya.

La pena de ella era tan intensa que no podía llorar.

—Me consuelas, William, en lo que nadie más podría.

—Mi cielo. —Le besó el pelo, se levantó y la dejó de pie en el suelo—. Ahora bien, ¿dónde está esa ruta para escapar?

Ella le cogió la mano y lo condujo por la oscuridad.

—Exploré este cuarto y descubrí unas cuantas cosas. Los constructores de este castillo aprovecharon una cueva natural, diría yo, para hacer la mazmorra. No es grande, y aunque no hay lodo, se siente húmeda.

—Está cerca del mar —convino él—. Siento el sabor de la sal, incluso aquí.

—La sientes, ¿verdad? —dijo ella, sonriendo—. Este lugar ha estado cerrado mucho tiempo. Las paredes deberían estar mohosas; el aire debería apestar, pero sólo se siente olor a rancio. En realidad, si te quedas inmóvil y escuchas, podrás oír el viento que sopla desde el mar.

Él la detuvo de un tirón y se quedó inmóvil como una estatua.

—Por Nuestra Señora de la Fuente, tienes razón. —Acabando el pensamiento de ella, dijo—: Una cueva natural tiene que tener una salida al mar.

—Sí.

Riendo, él le cogió la mano y echó a caminar.

—¿Cómo salimos, entonces?

—El techo baja bastante aquí —le advirtió ella—. Agáchate. Hay un túnel.

Él alargó la mano hacia el lado y tocó la pared. Como dijera ella, no tenía moho; estaba ligeramente húmeda, y sintió rasposa la roca; retirando la mano se frotó los dedos.

—Sí, esto tiene el tacto de creta.

—Esto me hace estremecer —declaró ella, y la voz sonó muy abajo.

Él se detuvo, pero no lo bastante a tiempo. Su frente chocó con la pared, con un sonoro golpe.

—¡Te dije que te agacharas! —exclamó ella, exasperada, sin la menor compasión.

Él recordó entonces a lady Saura y sus críticas.

—Se me han atrofiado las habilidades —se disculpó, echándose de rodillas en el suelo, y entró en el túnel.

Casi al instante sintió una brisa fresca, muy suave, pero brisa. Lo invadió una oleada de entusiasmo:

—¡Dientes de Dios! Vamos a salir de aquí.

—La cueva es muy pequeña y aquí hay una curva en pendiente, y el túnel es más bajo y estrecho. —La voz sonó apagada, forzada—. Yo puedo pasar a gatas, pero tú, no sé.

Él gruñó, ya encontraba demasiado estrecho el túnel, pero el olor del mar lo estimuló. Acabó tendido boca abajo, reptando por la tierra polvorosa, rogando que las rocas de arriba estuvieran firmes. Como un bebé en el momento de nacer, metió un hombro en el cuello de botella, luego el otro, se arrastró y salió al otro lado. Casi inmediatamente descubrió que el espacio le permitía estar sentado. ¡Y veía!

—¡Luz! —gritó.

El grito rebotó en las paredes y cayó una cascada de polvo del techo.

—Chsss —musitó Saura, riendo—. Sí, sabía que tenía que haber luz. Limpié todas las grietas que pude, escarbando y sacando las piedras pequeñas, y sentí el viento en la cara.

Él contempló los maravillosos rayos de luz que entraban por una abertura delgada y curva parecida a una sonrisa. Saldrían; estaba seguro.

Ella le tocó el hombro.

—¿William? —dijo en voz baja y seria—. Cuando salgamos de aquí, ¿qué haremos?

Encogido en el pequeño espacio, él le miró la cara siguiendo la forma de los delgados rayos que se la iluminaban. Apenas se le distinguían los rasgos, pero sí se veía que estaba seria, pensativa. Se encogió otro poco para ponerse a su lado y abrazarla.

—Lo primero que aprende un guerrero es a ir solucionando los problemas uno a uno.

Ella se rió.

—Charles fue a buscar a mi padre —la tranquilizó—. Es posible que en este momento ya estén cerca de la costa.


Charles yacía debajo de un matorral, gimiendo. Estaba vivo, pero muy malherido. Al respirar le entraba musgo en la boca, y deseaba poder mover las manos para quitárselo. Le habían descoyuntado los brazos cuando lo ataron, y deseaba de todo corazón no haber pasado a esa maldita tabernucha a beber una copa de cerveza. Pensando en lo que diría William de su estupidez, volvió a gemir.

Channing le había hecho sus objeciones con respeto, y después con vigor, pero él pensó que no le harían ningún daño unas gotitas, y lo hizo callar de un grito. Los hoscos soldados de William rodearon la taberna, esperando impacientes, mientras sus soldados, menos disciplinados, entraron a beber con su señor. Y a eso se debió que cuando salieron, tres horas después, los derrotaran con tanta facilidad.

¿Cómo podía haber alguna duda? Fueron los hombres de Nicholas los que los atacaron, un inmenso ejército de soldados armados hasta los dientes. Los hombres de William lucharon con valor; sus hombres, en cambio, huyeron, y así fue como acabó ahí, tendido boca abajo dentro de una zanja, deseando que lo hubieran matado. Eso habría sido una muerte fácil comparada con lo que le daría William.

Volvió a gemir.

# Capítulo 21

—¿Qué nos bloquea? —preguntó William, encogido junto a Saura palpando la pared.

—Un canto rodado. Una roca inmensa. No pude moverla.

Él gruñó, palpando los contornos de la roca.

—Pero no la colocó Dios ahí —continuó ella—. El que construyó la mazmorra la empujó hasta este lugar, y sé que se puede quitar empujando.

—Empujando Dios, tal vez —dijo él, ya desvanecida su euforia—. ¿Hay algo en la cueva? ¿Tal vez una tabla para usar de palanca?

—No —repuso ella, dudosa—. No hay nada que yo haya encontrado, nada que se me ocurra. ¿No podemos empujar los dos?

—Claro que podemos empujar los dos, mi preciosa enclenque. Ven a poner un hombro.

Deseosa de ayudarlo, ella se arrimó a él.

—Mmm, muy agradable, pero creo que sería mejor si los dos estuviéramos de cara hacia el mismo lado.

Obediente, ella pasó por su lado, se giró y chocó con la espalda de él.

—Eso también es agradable —bromeó él.

—Pero éste no es un lugar para quedar atrapados —dijo ella, severa—. Así que empuja.

El marido amoroso se dejó de bromas y se transformó en lord William.

—A las tres. Uno, dos…

Finalmente ella se apartó, jadeando.

—La movemos un poquito y vuelve a caer en su lugar. Necesitamos ayuda.

—Está en pendiente. Vuelve a la cueva y mira a ver si logras encontrar…

—Una palanca. Sí, señor.

Cuando iba gateando por el pasaje estrecho, oyó gritar a alguien. Giró la cabeza hacia atrás, pero el grito no venía de donde estaba William; enderezó la cabeza, pensando quién podría estar en la mazmorra. Y por qué. Y si Nicholas no habría sido capaz de esperar para matarlos. Rezó. Cuando sintió más anchas las paredes y salió a la mazmorra, se detuvo a escuchar.

—¿*Maledi*?

Siempre reconocería esa voz afligida, gimiente, preocupada.

—¿Bronnie?

—¡*Maledi*! ¿Dónde *ha' e'tao*? Llevo rato gritando y gritando.

—¿Qué se te ofrece?

—Traigo comida y vino.

—Lord Nicholas es muy amable —dijo ella, sospechando la verdad.

—Ah, *lor Nichola'* no lo sabe.

—Eres un hombre bueno, y si no tuviera tanta sed te diría que te lo llevaras de vuelta. Tíralo. —Corrió a coger el envoltorio que él dejó caer. Entonces preguntó—. ¿Hay por aquí algún banco que pudiéramos tener aquí?

—¿Un banco, *maledi*?

—Para sentarme —le tembló la voz con melodramática angustia—. Las ratas se me suben encima y tratan de morderme los dedos, y me gustaría tener un banco.

—*Dio' mío*. Ahora *mi'mo, maledi*. Hay un banco aquí, junto a *la' barrica'* de vino, donde viene a sentase el cocinero a beber un poco del *mo'to*. —Se alejó y volvió casi al instante—. ¿Cómo te lo bajo?

—Tíralo.

—Se va a *rompé*. Deja que lo baje.

—No, el polvo me llega a los tobillos, no se romperá. Tíralo.

—Muy bien. —Pareció dudoso, pero sumiso.

Saura se apartó y el banco cayó con un estruendo acompañado por los chasquidos de madera al romperse. Bronnie los oyó y protestó:

—*Maledi, diji'te*…

—La distancia al suelo debe de ser más grande de lo que me imaginé —explicó ella alegremente.

Entrando en la nube de polvo, cogió los trozos, agradeciendo a Dios que le hubiera dado esa oportunidad. El tablón largo que formaba el asiento era lo bastante grueso para mover una roca. Seguía unido a una pata, pero sin duda William podría desprenderla.

Oyó un ruido arriba, como el de una rama al golpear un tronco hueco y de repente cayó algo a su lado levantando otra polvareda. Atónita, se quedó quieta con el tablón entre las manos pensando hacia qué lado correr.

—Así trataré a todo el que te ayude, lady Saura.

La resuelta voz de Nicholas le heló la sangre. Entonces se cerró suavemente la trampilla y ella soltó el tablón.

—¿Bronnie? —A tientas encontró su cuerpo, que estaba doblado en una forma rara—. ¿Bronnie?

Casi inmediatamente sus dedos encontraron una fractura. Se le había roto la clavícula y tenía un brazo doblado debajo del cuerpo. Continuó palpándolo. Encontró un bulto en el hombro, por el golpe que le dio su señor furioso. En la frente le encontró un chichón, más grande.

Oyó gruñidos y maldiciones procedentes del túnel y pasado un momento William preguntó:

—¿Qué fue eso, por san Wilfredo? ¿Estás herida?

—No, pero lo estaría si Bronnie me hubiera caído encima.

—¿Bronnie está aquí? Vamos, espléndido, tendremos que sacarlo a él también.

—No, por el momento no. Está inconsciente. Nuestro amigo de arriba lo pilló trayéndonos comida, le dio una paliza y lo arrojó aquí.

—Dientes de Dios. ¿Vivirá?

—Sí, cayó sobre la gruesa capa de polvo. Pero voy a necesitar tu ayuda para componerle la clavícula y ponerlo cómodo.

—¿En una prisión vamos a ponerlo cómodo? Lo único que podemos hacer es vendarle el hombro; no hay nada para entablillárselo.

—Usaremos la pata del banco que me dejó caer Bronnie.

—¿Un banco? —preguntó él, alzando la voz, por el entusiasmo—. ¿Cómo conseguiste que nos arrojara un banco?

—Mentí. Hay un buen tablón para apalancar la roca, pero primero tienes que ayudarme con Bronnie. —Sentándose en los talones, suspiró—. Nunca me imaginé que este chico fuera así.

—¿Así cómo? —preguntó él, cauteloso.

—Hermoso. Al principio pensé que sería un hombre mayor, canoso, barbudo, con las cejas juntas sobre la nariz y pelos saliéndole de las orejas. Después, cuando me levantó en brazos allá arriba, me di cuenta de que tenía que ser más joven, pero de todos modos me lo imaginaba con los brazos largos y patizambo. Pero mis manos no mienten. Este chico es un dios.

—Ya.

Ella se inclinó a comenzar su trabajo, pero él le apartó las manos.

—Yo lo haré.

—Pero yo estoy acostumbrada a trabajar sin luz.

—Yo lo haré.

Bronnie fue vendado con una eficiencia que lo habría asombrado si hubiera estado despierto. Cuando terminó, William la tranquilizó:

—Se pondrá bien. Escúchalo.

El chico había pasado de la inconsciencia al sueño sin siquiera una pausa entre medio. Sus ronquidos les dieron una serenata mientras pasaban por el túnel, empujando el tablón por delante y tirando del envoltorio con comida que iba detrás.

William examinó con renovada esperanza la piedra que les bloqueaba la salida. Seguía siendo demasiado grande, pero con la palanca que había conseguido Saura, podrían sacarla. Primero tenían que moverla lo suficiente para meter el tablón debajo, así que ordenó:

—Arrima el hombro, cariño y moveremos este guija-rrito.

—¿Y después podremos comer?

Se situó junto a la roca, apoyada en la pared, pasó un bra-zo por abajo y juntos empujaron. La roca se movió lo suficien-te para que él metiera el tablón por debajo.

—Comeremos cuando estemos fuera. Eso será el incen-tivo.

Ella se preparó para ayudarlo a levantar la palanca, pero él la hizo amablemente a un lado.

—Yo puedo hacerlo. Tú eres demasiado delicada.

—Pero, William…

—Esto requiere más músculos de los que tienes tú. Fíate de mí, Saura.

En silencio ella se arrastró hacia un lado y apoyó una mano en la roca.

Él empujó hacia arriba. El tablón crujió ominosamente, pero no movió nada. Él paró, hizo unas cuantas respiraciones y volvió al trabajo. Empujó, empujó, resolló, sin ningún éxito. Gemía con el esfuerzo que tenía que hacer para mover el obs-táculo, pero la roca apenas se movía.

Ella le dejó intentarlo hasta que ya no lo pudo soportar. Entonces dijo:

—No puedo creer que no sería más fácil si yo empujara también.

—¿Quieres continuar tú esta operación? —preguntó él, entre dientes.

—Noo, lo estás haciendo muy bien.

Él volvió a intentarlo.

—Sólo que me parece…

Él rugió y su rugido resonó en la pequeña cueva.

—Ayúdame, entonces, Señora Descarada.

Ella fue a ponerse en posición, y no pudo resistirse a preguntarle:

—¿Siempre eres tan gruñón cuando a alguien se le ocurre una idea mejor?

—Sí.

—Ah —se limitó a decir ella, decidiendo abandonar el tema.

Empujó, él empujó y la roca subió un poco. Olvidado del rencor, él gritó «¡Sujétalo bien!», y dio un fuerte empujón hacia arriba. La roca salió lentamente de su lugar de reposo y de pronto Saura estaba tendida de espaldas en el suelo y la roca rodó fuera. Le cayó encima un montón de guijarros que se desprendieron del agujero. William siguió a gatas el recorrido de la roca, como si temiera que volviera hacia atrás. Mirando hacia fuera, anunció:

—Está aquí fuera. El resto de la cueva hace un poco de pendiente hacia arriba. —Con las piernas acalambradas por haber estado arrodillado, se puso de pie, levantó a Saura como si fuera una muñeca de trapo y la abrazó con inmenso placer—. ¡Lo conseguimos!

—Lo conseguimos —repitió ella, correspondiéndole el abrazo.

William la miró, le levantó la cara hacia la de él y dijo, riendo y gimiendo:

—¿Sabes cómo te ves?

Eso no era lo que ella esperaba oír, así que soltó:

—¿Es importante eso?

—Nicholas no te vería jamás en medio del paisaje. —Le sopló la cara, la dejó con los pies en el suelo y le limpió la ropa—. Estás completamente blanca. Y lo más seguro es que continuarás así hasta que encontremos una bañera.

—¿Tú estás más limpio?

—No. Tal vez cuando consiga ponerle la mano encima, crea que soy un fantasma que ha ido a rondarlo.

—Un fantasma muy sano —bufó ella, mofándose de esa fantasía, y pidió su recompensa—: ¿Podemos comer ahora?

—Mi glotona esposa —suspiró él, alargando la mano hacia el túnel y cogiendo el envoltorio con comida y vino—. Vayamos hasta la entrada de la cueva; la luz del sol será agradable.

—¿Y Bronnie?

—Los problemas, uno a uno, esposa.

Ella le cogió la mano y se dejó llevar; después dejó que la sentara, lo dejó abrir el envoltorio y sacar la comida; lo dejó partir el pan y ponerle un trozo en la mano. Lo dejó abrir el odre lleno de vino y ponérselo en la boca haciéndola beber. Apoyando la espalda en la pared, suspiró.

—Qué cansada estoy.

—Una guerrera tan indómita tiene derecho a estar cansada —la tranquilizó él.

—No, no es ser guerrera lo que me ha cansado. Fue «esperar» a ser guerrera. Anoche no dormí bien. No es que les tenga miedo a las ratas, comprenderás, pero no me gusta pensar que están haciéndome compañía. Temía que Nicholas se diera cuenta de que en realidad deseaba que te metiera en la cueva conmigo, y temía que cambiara su decisión y me llevara a su cama.

Las últimas palabras le salieron más lentas, más y más espaciadas en el tiempo, dio unas cabezadas y finalmente le cayó la cabeza sobre el pecho.

William logró coger el trozo de pan antes que cayera al suelo, y con todo cuidado la tendió de costado. Suspirando, contempló a su mujer, su esposa. Toda cubierta de creta, inconsciente por el agotamiento, seguía siendo una inspiración, un estímulo para él. Si no hubiera sido por su tranquilo sentido común, él no habría escapado del miedo que se apoderó de su mente. Si no fuera por su ocurrente ingenio, no escaparían jamás de la prisión donde Nicholas los tenía encerrados.

Ahora todo dependía de él. Se las arreglaría para que pudieran salir de esa cueva, esa prisión que era más peligrosa aún que la mazmorra que estaba en el interior. Si Nicholas los encontraba ahí, le enfurecería que ellos hubieran sido más listos que él. Si los encontraba ahí, sus cuerpos no serían llevados a una playa por la marea; sus hombres los arrojarían a las olas rompientes al pie del acantilado, serían arrastrados mar adentro y serían otras personas más desaparecidas misteriosamente en esos tiempos de problemas.

Tenían que subir a lo alto del acantilado. Pero ¿cómo? Fue a asomarse a la abertura que daba al mar y miró hacia abajo. Las olas azotaban el pie del acantilado, formando espuma alrededor de las rocas dentadas, puntiagudas. Miró hacia arriba. La cima se veía bastante lejos, el acantilado todo blanco. Miró a la izquierda, a la derecha. No había donde apoyar los pies, no había salientes para afirmar las manos.

No había salida.

El sol brillaba en su cenit cuando William, sentado al lado de Saura, la cogió en sus brazos y la incorporó.

—Despierta, cariño, tenemos que salir de aquí.

Ella gimió y se acurrucó apoyando la cabeza en su pecho, y él le acarició el pelo. Cómo deseaba no tener que despertarla. El agotamiento la reclamaba, y le temblaba el labio superior al expulsar el aire por entre los dientes. No se había movido ni dado una vuelta en todo el tiempo que había dormido.

—Venga, cariño, es hora de volver a ser héroes —arrulló.

—William —musitó ella, quejumbrosa, sin despertar.

La mantuvo abrazada, pensando, «sólo unos minutos más».

Paseó la vista por la cueva. Definida por el techo elevado y muy poco espacio entre las paredes, era sólo un punto en el acantilado sobre el mar. Mientras ella dormía, él había estado ocupado en preparativos. Desprendiendo los trozos astillados del tablón se los había guardado bajo el cinturón; lo bastante puntiagudos para rascar y picar, eran los únicos instrumentos de que disponía para trepar hasta lo alto del acantilado. Había hecho rodar la roca hasta ponerla en su hueco de reposo en la boca de la prisión. Descubrió que le resultaba más fácil moverla esa segunda vez. No era otra cosa que una especie de tapón, pero el tiempo era importante; Nicholas y sus hombres tardarían en moverla si descubrían que habían escapado por ahí. Había salido hasta el borde mismo del precipicio a mirar con más atención las posibles rutas por el acantilado. La distancia era la misma que vio la primera vez que miró, pero en ese segundo examen había visto unos pocos rayos de esperanza. Aquí y allá colgaban flacos arbustos, los que desafiando las rociadas de agua salada habían hundido resistentes raíces en la tierra; aquí y allá se veían salientes de piedra que parecían firmes para apoyar la punta del pie; aquí y allá había grietas y hendiduras.

Una escalada difícil para él, pero no imposible.

¿Para Saura? Hizo un mal gesto. Le temblaron las manos ante la idea de dirigirla, laborioso paso tras laborioso paso, por esa superficie casi vertical, casi lisa. La abrazó con más y más fuerza, y con la boca sobre su coronilla, rezó con todo su corazón.

—¿William? —Apoyada en él, le rodeó la cintura con los brazos, abrazándolo un momento—. ¿William? —Se liberó de sus brazos y enderezó la espalda—. ¿Vas a dormir todo el día? ¿No será mejor que salgamos?

En silencioso análisis, él pensó con qué rapidez ella era capaz de transformar su ternura en irritación.

—Eres una gruñona, ¿lo sabías?

Ella se levantó y se sacudió la falda.

—Me han dicho cosas peores, pero no hombres mejores.

Gruñendo, él se puso de pie.

—¿Piensas halagarme con cumplidos?

—Pienso que será mejor que escalemos este acantilado —repuso ella.

Sorprendido, miró atentamente sus inocentes ojos bien abiertos y su expresiva boca.

—¿Cómo sabes que hay un acantilado?

—No me habrías dejado dormir si llegar arriba fuera fácil.

—Eres una mujer irritante. Debería dejarte aquí. —Miró la roca que bloqueaba el paso al interior de la cueva y suspiró—: Pero no puedo.

—No me pasará nada, William. —Le acarició la mejilla—. Todo irá bien.


Todo fue bien.

William estaba tendido sobre la alfombra de tosca hierba en lo alto del acantilado, jadeante y agarrando con fuerza los matojos. Estaba bien, aparte del sudor que le chorreaba por los costados y el corazón que le latía como si quisiera salírsele del pecho. Saura estaba bien. Había sido valiente, paciente, esperando sus indicaciones antes de mover una mano o un pie, sin vacilar jamás cuando él tenía que subir primero para calibrar la firmeza de un pequeño saliente para apoyar la punta del pie. No se había quejado del calor, aunque el sol de la tarde que caía implacable sobre la roca los asaba. Al parecer no se daba cuenta, aunque él se lo advertía, de que el más ligero desliz significaría una larga caída. Simplemente sonreía diciendo: «No es la caída lo que me preocupa, sino el aterrizaje».

Y él no estaba de humor para frivolidades.

En ese momento estaba sentada algo apartada de él, con el pelo agitado por la brisa del mar que le hacía volar el polvo de creta, esperando que él se recuperara del susto. William no vio con qué cuidado ella se cogió el extremo de la manga para limpiarse el sudor de la frente antes de preguntar:

—¿William? ¿Te sientes bien?

—Sí. —Giró la cabeza para mirarla—. ¿Y tú?

Ella juntó las manos; le temblaban un poco así que las puso en la falda, hundiéndolas entre los muslos.

—Me duelen las manos por aferrarme a las rocas, y tengo unas cuantas ampollas en las palmas, pero comparado con...

—¡No! —alargó la mano, le cogió la rodilla y se la sacudió—. No lo digas.

—Marido. —Le cogió la mano antes que pudiera retirarla y se la acarició entre las dos de ella—. Tienes que dejar de preocuparte. Ya estamos arriba, y es hora de que echemos a caminar.

—La mayoría de las mujeres estarían chillando como desquiciadas después de esta subida. —Cayó en la cuenta de que lo perturbaba ese inagotable buen humor de ella; ¿no comprendía que nada, absolutamente ninguna otra cosa que él tuviera que hacer se compararía con esa lenta, interminable escalada del acantilado?—. ¿Cómo puedes estar tan tranquila?

—En ningún instante dudé de que me traerías hasta la cima. —Guardó silencio un momento para dar importancia a sus palabras—. Nunca permitirías que nadie ni nada me pusiera en peligro. Confío en ti.

—¡Confías! ¿Qué tiene que ver la confianza con...? —se sentó sin terminar la frase. Cogiéndole el mentón con una mano, preguntó—: ¿Confías?

En los labios de ella jugueteó una leve sonrisa y bajó tímidamente los ojos.

—Confío.

Él descubrió que sería capaz de echar abajo el castillo Cran con sólo sus manos, plantarse en el patio y arrojar a Nicholas por encima de la muralla, y galopar hasta Burke con Saura a la espalda, sin caballo.

—¿Me confías tu cuidado?

—Eternamente.

—Ya es hora de que nos vayamos —musitó, extasiado por la confesión de su mujer.

—Lo sé —dijo ella en tono vago—. Si Nicholas nos encontrara tendidos en la hierba…

Como la deslumbrante luz de un rayo, esas palabras le devolvieron la claridad.

—Correcto. —Se levantó de un salto y la puso de pie de un tirón—. Tenemos que irnos. Tengo que encontrar un lugar cercano donde esconderte.

Ella aminoró el paso.

—¿Esconderme? Creí que iría contigo.

—Tontita —rió él—. No podría cuidar de ti en un combate. Podría tener que luchar con muchos hombres. Necesitaré toda mi concentración para defenderme y conseguir matar a Nicholas.

—No, no —dijo ella, tironeándole la mano—. Simplemente corremos y seguimos corriendo.

—Nicholas tiene hombres y caballos, y conoce muy bien su tierra. Nos encontrará. —Contempló el extenso campo, todo llano, e hizo un mal gesto—. Creo que le resultaría demasiado fácil. Ahí hay un montón de rocas.

Ella se detuvo y tironeó de él hasta que se giró a mirarla.

—¡No puedes luchar contra un castillo lleno de hombres tú solo! —gritó, ceñuda.

—Venga, cariño —la tranquilizó él—. Estaba con Charles cuando comprendí que tú tenías la razón, ¿no te lo he dicho?

—¿Que yo tenía la razón? No, eso no lo dijiste en ningún momento.

Él la cogió por el brazo cerca del hombro y ella se resistió, pero consiguió llevarla casi a rastras a su lado.

—Sí, a Charles lo indignó muchísimo que yo hubiera creído que era él el que intentaba matarme de una manera tan cobarde. Me hizo humilde comprender que estaba tan equivocado.

—Ah, sí que eres humilde —concedió ella, sarcástica.

—Y algunas de las cosas que me contó sobre Nicholas me aclararon la mente. Está loco, ¿sabes?

—¿Nicholas? Sí, está loco. Actúa sin ninguna lógica.

—Eres pesadita, ¿eh? —Apreciando su ingenio, la cogió en sus brazos levantándola del suelo y la abrazó fuertemente. Cuando la dejó en el suelo, ella dejó de oponerse y echó a caminar a su lado—. Vas a colaborar —dijo, sorprendido.

—Sé captar una indirecta. —Cuando él aumentó la presión del brazo con que le rodeaba los hombros, ella se liberó y pasó el brazo por la curva de su codo—. Me llevarás en brazos si no colaboro.

Ella lo veía con más claridad de la que se veía él, comprendió William. No había sido su intención coaccionarla cuando la levantó, pero tal vez sí lo fue.

—Es probable que mis hombres ya estén cerca de la costa.

—¿En un día? —preguntó ella, escéptica, aminorando el paso—. Tu padre nunca se ha movido con tanta prisa en su vida.

—Nunca lo has visto cabalgar cuando va a la guerra —repuso él con firme confianza—. Compadezco a los soldados que han perdido una noche de sueño. —A paso ligero la llevó hasta un montículo rocoso cubierto de arbustos y maleza, y, sin resitirste, ella caminó deprisa—. Lo sabrás antes que yo cuando hayan llegado. Siéntate en esta roca y escucha. Cuando oigas el ruido de la batalla, sabrás que tenemos la victoria.


Los tres hombres se dirigían hacia el castillo Cran seguidos por sus tropas. Raymond y lord Peter cabalgaban uno a cada lado del gran lord, conversando entre ellos desde sus monturas sin aminorar la marcha.

Raymond se quitó el yelmo y se pasó la mano por su largo pelo moreno.

—Se jactaba de eso, te diré. En la boda lo insinuó y yo me encogí de hombros. Entonces él lo sugirió y yo aparenté estar interesado. En ese momento me explicó su plan para asesinar a William, y yo le expresé mi admiración de todo corazón.

Lord Peter lo miró incrédulo.

—¿Y te creyó?

—Sí, está tan loco que sólo ve su grandeza.

Lord Peter movió la cabeza, interesado a su pesar, temiendo que fuera cierto, y al mismo tiempo sintiéndose tonto por hacer recorrer a sus hombres la mitad de Inglaterra por una historia sin fundamento.

—¿Por qué no me lo dijiste inmediatamente?

Raymond giró la cara y fijó en él sus hermosos ojos oscuros.

—¿Me habrías creído?

Lord Peter bajó los ojos.

—Ni siquiera ahora me crees. No quieres creer que uno de tus polluelos se ha convertido en un buitre.

—Después que Arthur secuestró a William y a Saura…

—¿Qué? —rugió Raymond—. ¿Es cierta esa ridícula historia?

—Muy cierta —repuso lord Peter, mirándolo—. Creí que William te lo había contado.

—¿Cuándo?

—En la boda.

Raymond echó atrás la cabeza y soltó una carcajada.

—En la boda William sólo tenía una cosa en su cabeza. Pero oí rumores.

—Arthur reconoció que él y otro señor trabajaban juntos para matar a William. Debería haber hablado contigo.

—No os consultasteis —les dijo el gran señor—. Así es como se pierden muchas batallas.

—Debería haberme quedado en Burke —dijo lord Peter, inquieto—. ¿Y si en mi ausencia llega un mensaje de Saura? Maud se atrevería a llevar ella misma las tropas de guarnición a combatir.

Miró de reojo al gran señor y lo vió sonreír al decir:

—Mi esposa es así. Siempre tan segura de sí misma y dispuesta a demostrármelo.

—Mujeres —suspiró lord Peter—. Maud casi me arrancó las orejas porque no estaba en casa cuando raptaron a Saura. Salió a buscarla ella sola cuando sospechó una traición.

—¿La hirieron?

—No, sólo quedó ronca de tanto gritar. Encontró huellas de hombres y caballos, y también a un siervo desconocido muerto por heridas. Más extraño aún, encontró a *Bula*, nuestro perro. Veréis, ese perro no es otra cosa que un cobarde, sin embargo el hombre estaba muerto a su lado. *Bula* estaba atado con una gruesa cuerda, y mordiéndola desesperado para soltarse. —Movió la cabeza—. ¿Cómo lograron atar a ese perro?

—Conocía al que lo ató —contestó el lord, con toda lógica.

—Sí, eso supusimos. Cuando Maud lo liberó de las ataduras, *Bula* se internó en el bosque y desde entonces no lo hemos vuelto a ver.

—Sospecho que lo volveréis a ver —lo consoló el lord.

—Sí, el día que vuelva a ver a Saura —convino lord Peter—. Alguien se la ha llevado, pero ¿por qué?

—Fue Nicholas —insistió Raymond—. Todo esto es un grandioso y enredado plan urdido por él. Le dije que me lo comunicara cuando llegara el momento de dividir las tierras y que entonces yo iría.

—Me imagino lo que contestó —bufó lord Peter.

—Me dijo que tendría que ayudarlo a ganar esas tierras. Tenía la idea de que yo haría cualquier cosa con tal de tener ingresos propios —curvó la boca en un rictus de amargura— para no seguir dependiendo de mi padre.

Ni lord Peter ni el gran señor dijeron una palabra. Con la vista al frente no le ofrecieron ni comprensión ni compasión. ¿Qué podían decir? El trato que le daban a Raymond sus padres era vergonzoso, pero eso era su problema, y no le sentaría bien una intromisión.

—No le di toda la atención que debía, perdóname —se disculpó Raymond—. Los acontecimientos ocurridos en Londres son tan extraordinarios —miró de reojo al lord— que me olvidé de William, se me fue de la cabeza. En realidad, siempre he creído que él es muy capaz de cuidar de sí mismo.

Lord Peter se rió.

—Sí, ésa es la impresión que da, ¿verdad?

—Y así fue hasta la última luna llena, cuando llegó una persona de lo más extraordinaria a mi casa de Londres. Un joven hermoso, alto, fornido, que insistió en que había corrido todo el camino desde el castillo Cran con un mensaje de Nicholas. Yo no estaba en Londres, por seguir al príncipe Enrique. Este hombre no duerme jamás, lord Peter, y le encantan los viajes no planeados.

—Eso veo —repuso lord Peter, irónico.

El lord se rió, y Raymond miró a su maestro encogiéndose de hombros, dándole a entender que él no era el responsable de la extraña situación en que se encontraban.

—Mis servidores no le prestaron mucha atención al mensajero. Simplemente lo dejaron comer y dormir y lo llevaron a mi presencia cuando llegué. Este joven no es lo que diríamos muy inteligente, y cuando repitió el mensaje, no le encontré sentido. Algo así como que Nicholas se iba a casar con una mujer igual a la de William.

—¿Qué? —rugió lord Peter.

—No le encontré sentido en el momento —dijo Raymond—, pero me asustó, y entonces decidí que era hora de ir a decirte lo que sospechaba y lo que sabía. Ahora le veo el sentido.

El gran señor miró a lord Peter.

—No pude resistirme a acompañarlo. Necesito ver el campo, hablar con los barones. Os aseguro que he desarrollado un sexto sentido en lo que a traición y engaño se refiere. Lo que hacéis es lo correcto.

Agitando la mano, lord Peter los instó a poner los caballos al galope. A partir de ese momento caballeros y tropas cabalgaron a la mayor velocidad posible, adelantando a todos los jinetes y carros, atravesando caseríos y aldeas, donde los aldeanos corrían a refugiarse asustados al verlos pasar. Lord Peter no prestó mucha atención a un pequeño grupo de soldados, aporreados y con caras lúgubres, que cabalgaban en dirección a ellos, hasta que un grito que salió del grupo lo hizo frenar a su caballo.

—Channing —dijo, al reconocer al hombre, que llevaba la pierna doblada sobre su silla—. Condenación, ¿qué ocurrió?

—Nos atacaron, milord, cuando íbamos a avisaros de que debíais cabalgar inmediatamente hacia el castillo Cran.

—¿Cómo fue que quedaste tan mal parado? —preguntó lord Peter, demostrando con su tono que estaba disgustado con su jefe de soldados.

—Era un grupo grande de caballeros, milord, hombres a sueldo bien entrenados. Charles no estaba en forma para dirigirnos, y sus hombres son todos unos cobardes.

—¿Charles? ¿Estuviste con Charles?

—No podía quedarme para ver cómo estaba, milord. Lo vi caer bajo una espada, pero si está vivo o no, no lo sé.

Lord Peter paseó la mirada por el grupo.

—¿Hay algún hombre que no esté herido? —preguntó.

Channing asintió:

—Unos cuantos.

—Envíalos de vuelta a buscar a Charles a ver si está vivo. Tú, Channing, continúa hasta Burke.

—Tengo que volver con vosotros a ayudar a milord William —dijo el jefe de soldados, desesperado—. Nos ordenó venir sin él. Yo discutí, milord, pero lord William…

—Jamás escucha razones. ¿Dónde está William?

—Fue al castillo Cran él solo, milord, a rescatar a lady Saura.

La boca de lord Peter formó una O de horror perfecta.

—Creyó que os enviaba el mensaje lo bastante pronto y que ya estaríais allí para ayudarlo, pero los guerreros eran del castillo Cran, estaba claro, por sus gritos.

—Vete a casa, Channing —le ordenó lord Peter—. Has hecho todo lo que podías.


—¿De qué son estos moretones? —preguntó William limpiándole la cara con el pañuelo mojado en el balde de agua.

La controlada furia que captó en su tono la hizo desear que no hubieran encontrado el pozo de esa granja abandonada, sita a la sombra del montículo rocoso. Según él, era evidente que sus moradores se habían marchado a toda prisa a buscar la protección del castillo. «Los rumores de guerra deben de volar», explicó.

Estaban sentados en un banco del patio, y los pollos y gallinas picoteaban alrededor de sus pies. Intentó calmarle la furia riendo.

—Estos moretones no son nada. No habrás creído que yo me iría con Nicholas sin presentar batalla, ¿verdad?

—No le vi ninguna magulladura —ladró él.

—Sus magulladuras no se ven —ladró ella a su vez.

Él se relajó un poco.

—¿Encontraste una piedra para golpearle la cabeza?

—Si la hubiera encontrado, no habrías tenido que venir aquí a buscarlo.

—Ésta es mi muchacha.

Le dio una palmadita en el hombro y ella hizo un gesto de dolor. Él dejó inmóvil la mano y luego le apartó las telas del vestido y la camisola.

—Ooh, Saura —dijo, mirando los moretones oscuros en su piel blanca—. ¿Qué te hizo ese canalla?

Ella le pasó la palma por la cara, alisándole los surcos.

—No es nada, William.

—Lo haré pagar cada uno de sus golpes —prometió él, mojando nuevamente el pañuelo y escurriéndolo.

Ella le cogió la mano para que no continuara lavándola.

—Eres muy descuidado, William.

—Y tú estás muy polvorienta —dijo él, soltándose la mano.

—Me estás mojando la ropa —protestó ella, pero en su voz se coló una nota de aflicción que lo alertó.

—¿Hay algo que no quieres que yo vea?

Ella no contestó, intentando parecer relajada. Deseaba angustiosamente que él no le limpiara el cuello, pero ya le había despertado la curiosidad. Le cayó agua en la ropa mientras él le quitaba la capa de creta blanca que le cubría el cuello.

—Saura. Virgen bendita.

Le miró atentamente el cuello ya limpio y soltó una maldición. Marcas de dedos le formaban un collar en la delicada piel, y los dos moretones negros sobre la tráquea le dijeron lo cerca que había estado de perderla.

—¿Éste es su método de exterminación favorito?

—No, también recurre al veneno. —Levantó hacia él sus

ojos angustiados—. Hawisa era una cerda, pero lamento su muerte.

—¿Te duele? —preguntó él, con una vehemencia asesina.

—Siento algo rasposa la garganta cuando hablo.

—¿Qué le impidió continuar?

Eso la hizo sonreír.

—Bronnie. Si no fuera por él, ahora estaría muerta.

—¿Quieres decir que tengo una deuda con ese simplón?

La evidente consternación de él la hizo reír.

—Sí.

—Muy bien. —Enderezó la espalda como un hombre que va a cumplir un deber desagradable—. Cuidaré de él como si fuera un pariente.

—Es un ser muy bueno en realidad. Como *Bula*. Infinitamente leal.

—A diferencia de *Bula*, no es inteligente. Y no es infinitamente valiente —añadió.

—Ése es mi Bronnie —concedió ella, con los labios curvados por el afecto y la risa.

—Lo mataré.

Ella pegó un salto ante ese feroz juramento.

—¿A Bronnie?

—A Nicholas. Lo mataré como a un lobo rabioso.

—Espera que llegue tu padre. Nadie te criticaría por eso.

—Creí que confiabas en mí.

—Y confío. —Sintió lágrimas en las pestañas y apoyó la frente en el pecho de él para que no se las viera—. Confío en que vas a cuidar de mí. Pero dudo de que tú te cuides igual.

—Cariño, escúchame. —Con un dedo bajo el mentón le

levantó la cara hacia la de él—. Contaré con el elemento sorpresa. Si hay suerte, Nicholas todavía no sabe que hemos escapado, y aun en el caso de que lo sepa, no espera verme dentro de las murallas. No me esperaría tan pronto. Tengo miedo de esperar demasiado tiempo, ¿no lo entiendes? Una vez que esté dentro, puedo abrir las puertas para que entre mi padre.

—¿Abrir las puertas cuando sus mercenarios están al mando del castillo? —bufó ella.

—Puedo hacerlo. No soy solamente una gran masa de músculos, ¿sabes? Soy hábil y astuto, y jamás olvido la primera regla del combate. Si no logro abrir esas puertas, habrá un asedio prolongado y ese loco tendrá la posibilidad de escapar. No, lo quiero muerto. Quiero el camino despejado para nosotros, para que podamos vivir juntos sin miedo.

Ella cerró los ojos, derrotada.

—Tienes una extraña manera de liberarme del miedo, corriendo a combatir solo con un castillo lleno de guerreros.

—Sabré arreglármelas —dijo él, sonriendo.

Ella abrió los ojos.

—¡Vaya modestia!

—Sólo digo la verdad —entonó él solemnemente.

Empujándole el sólido hombro ella se echó a reír, divertida y llorosa.

—Eso está mejor —la animó él—. Sigue confiando. Sólo tenemos que caminar un poco para dejarte instalada y yo me pondré en camino. Te subiré este balde con agua y te dejaré el pan y el queso.

—Crees que no estarás de vuelta esta noche —dijo ella en tono monótono.

—No lo sé. —Poniéndole una mano bajo el codo, la levantó—. Debemos estar preparados para cualquier cosa.

Ella se metió los bordes de las faldas por el cinturón, preparándose para subir hasta el montículo.

—Te diré una cosa, William. Mi cuerpo está preparado para cualquier cosa, pero no sé cuántas magulladuras más puede soportar mi corazón.

# Capítulo 22

William bajó trotando por el sendero del montículo y sólo miró atrás una vez para comprobar que su amada estaba oculta, fuera de la vista. No había vuelto a poner objeciones a su plan de conquistar el castillo Cran él solo; se había mostrado tremendamente valiente. Eso le hacía pensar cómo lo tendría bajo su dominio femenino una vez que solucionara aquel pequeño problema. Una sola lágrima de ella y hubiera mandado al garete sus planes.

Pero tenía que terminar esa batalla; tenía que hacerlo en esas últimas horas de luz, si no, temía que Nicholas se le escapara por entre los dedos. No deseaba tener que vigilarse la espalda nunca, nunca más.

Sus largos pasos lo llevaron rápidamente cerca de las torres de los guardias. Aguzó el oído para escuchar los ruidos de muchos cascos de caballo, pero lo único que oyó fueron los gemidos del viento que soplaba del mar y los ladridos de un perro en la distancia. Pese a lo que le asegurara a Saura, había tenido la esperanza de contar con el respaldo de sus tropas. Pero, bueno, pronto tendría nuevamente una espada en la mano.

Una vez que llegó al borde del terraplén, gritó hacia las almenas y obtuvo una respuesta muy sorprendida:

—¿Quién dices que eres? —gritaron varios soldados.

—William de Miraval —gritó—. Me caí de la mazmorra, y vengo a entregarme al amable cuidado de lord Nicholas.

Los soldados que estaban en las almenas estuvieron discutiendo un momento y entonces otro hombre, el caballero que comandaba la guarnición del castillo, y que fue el que lo arrojó a la mazmorra, hizo a un lado a un soldado y se asomó por la cañonera.

—Iremos a revisar la mazmorra —gritó—. Te dejaremos entrar si es verdad que te has escapado.

William abrió los brazos.

—Dejadme entrar ahora. No tengo ninguna arma. Sólo soy un hombre. No me tendréis miedo, ¿verdad?

El caballero miró hacia los campos, que se extendían llanos y desiertos hasta las orillas de los bosques, y asintió.

—¿Qué daño puede hacer?

Crujió el puente levadizo y William rió para sus adentros por el cuidado que ponían en bajar las oxidadas cadenas. Estaban nerviosos, ¿eh? Estupendo. Los hombres nerviosos cometen errores.

Atravesó el puente a largos pasos y se detuvo ante el rastrillo levadizo para que los mercenarios lo examinaran a través de los barrotes de hierro.

—No me lo creo —masculló el caballero—. ¿Cómo escapasteis de esa mazmorra? —Hizo un gesto a los guardias y comenzó a elevarse el rastrillo con ruidosas sacudidas—. ¿Y qué os ha hecho volver, por el amor del buen san Wilfredo?

William esperó sonriendo a que las puntiagudas rejas estuvieran bastante más arriba de su cabeza, y entonces saltó hacia el hombre y lo cogió por el cuello.

—He vuelto a matar a Nicholas con tu espada.

Cogido por sorpresa, el caballero se tambaleó hacia atrás, pero recuperando el equilibrio le golpeó las manos, apartándoselas. Pero llevaba armadura, y William no, así que cuando le hizo una zancadilla, cayó de espaldas con un estruendo. William se abalanzó sobre él.

Buscó la espada; el caballero intentó impedirle que la sacara de su vaina y rodaron por tierra. William sonrió despectivo; el mercenario era más bajo y estaba cargado con la armadura, tan fácil de derrotar como una tortuga de espaldas sobre su caparazón.

Liberando la espada, se incorporó de un salto y miró alrededor. Los guardias se habían recuperado de su parálisis, así que embistió con la punta de la espada así obtenida. Los gritos habían atraído a más y más hombres a la contienda, y corrieron hacia él como en marejada. Movió la espada repartiendo tajos a diestro y siniestro, buscando un escudo. Vio uno que le gustó, grande y sólido, que llevaba un contrincante que al parecer había decidido ser simple espectador. Con un movimiento repentino, se abalanzó hacia el guerrero espectador y le golpeó la cabeza con la parte plana de la hoja. Le arrancó el escudo del brazo fláccido y se giró.

—¡Burke! —gritó a todo pulmón.

Ante ese grito de guerra, los soldados retrocedieron y se mantuvieron alejados un momento. Él consiguió situarse con la espalda protegida por la pared, cerca de la puerta todavía abierta. En el patio resonaban los gritos y los roncos y furiosos ladridos de un perro, que lo ensordecieron.

No le gustó la manera de combatir de esos hombres; luchaban como si se fueran a morir si lo dejaban escapar. Luchaban como si Nicholas los fuera a matar de forma lenta y dolorosa si él resultaba ser más listo que ellos.

De repente, como maderos arrollados por una ola, los guardias retrocedieron y desaparecieron bajo un inmenso animal peludo que los atacaba con su baboso hocico.

—¡Un lobo! —chillaron, echando a correr o tirándose al suelo, según les permitía su valor.

—Justo lo que necesitaba —masculló William. Molesto, se preparó para un ataque, pero justo entonces el enorme animal levantó la cabeza del pecho del caballero jefe—. ¡*Bula*! —exclamó, bajando la espada—. *Bula*, magnífico animal, creía que habías muerto. —No tenía tiempo para decir nada más, pero miró hacia la llanura, vio una polvareda en la distancia y sonrió—. ¿Podría mi padre haber quedado tan atrás?


Saura esperaba en recatado sufrimiento. Tan pronto como estuvo segura de que William ya no la veía, salió del hoyo en que la había dejado protegida, subió a la roca más alta que logró encontrar y ahí se sentó. No le importaba si la veían en ese campo desierto; deseaba oír la batalla. Y desde ahí se oía muy bien. La llanura, la ausencia de obstáculos hacían llegar con claridad los sonidos lejanos.

Así pues, escuchó. Aguzando los oídos, oyó los gritos; oyó bajar el puente levadizo, oyó el grito de guerra de William y luego oyó el sonido más dulce del mundo: ladridos de *Bula*.

No podía ser. Ella había oído su ladrido de furia y el golpe que lo silenció. ¿Podía confundir sus ladridos con los de otro perro?

No, no se equivocaba. Ésos eran ladridos de *Bula*.

Por primera vez se agitó en su interior algo más fuerte que la esperanza. ¿*Bula* estaba vivo? Estaba vivo. Nicholas no lo había matado, y teniendo a *Bula* a su lado, William tenía una posibilidad de ganar la lucha. El perro era grande y leal, y actuaba movido por una inteligencia casi humana.

Si *Bula* los había encontrado, ¿lograría encontrarlos lord Peter y su ejército?

Podrían, al menos le parecía que podrían. Se inclinó al oír los distantes retumbos de cascos de caballos. ¿Serían los soldados de Burke? En su avance por la llanura, el ruido de los cascos de los caballos, los sonidos metálicos de las armaduras y los gritos hacían imposible distinguir las voces individuales. Sólo cuando se detuvieron oyó una voz predominante al gritar el desafío, pero no era la voz de lord Peter. Tampoco era la voz de Charles ni de ninguna otra persona a la que ella hubiera oído. Apretando las manos en puños, se esforzó en oír, pensando si tal vez William estaría en un peligro mayor. ¿Qué podía pensar? ¿Qué necesitaba pensar? Cualquier ejército que llegara a desafiar al castillo Cran tenía que ser hostil, por lo tanto ése era un aliado.

Pero en ese tiempo de desórdenes tal vez cualquier ejército salía a conquistar, y el inocente William, cogido en el medio, no contaría para nada. Le valía más cuidar de sí mismo.

Uno a uno los atacantes de William fueron bajando sus espadas para mirar hacia la puerta y el puente levadizo bajado.

—Un gran ejército —masculló uno de los soldados, y su voz llegó lejos en el repentino silencio.

La polvareda que levantaban los caballos en la llanura imponía respeto.

—No son soldados de a pie —dijo otro—. No había visto nunca una tropa de caballeros más numerosa.

Tomándose apenas un instante para regocijarse, William y *Bula* reanudaron el trabajo con la espada y los dientes. El perro se había colocado a su lado, y mordía todas las piernas que se ponían a su alcance. Se iban amontonando cuerpos de hombres caídos alrededor del perro, que con suma destreza evitaba las espadas dirigidas a él. William, por su parte, paraba los golpes que veía dirigidos al animal. A su lado también yacía un buen montón de cuerpos. Entonces comenzó a estar atento a una oportunidad para salir de un salto del círculo e ir a buscar a Nicholas.

De pronto el puente, que estaba cerca a un lado, crujió, dio un salto y volvió a bajar. Miró hacia arriba y vio al jefe de los soldados girando la manivela del torno con que se levantaba y bajaba el puente. Rugió de furia y el caballero lo miró y sonrió satisfecho; apoyando todo su peso en el mecanismo, aquel hombre, que estaba solo, hizo subir el puente unos pocos palmos. Sintiendo correr con renovado ardor la sangre por sus venas, William saltó por encima del montón de gimientes hombres, seguido por *Bula*, pegado a sus talones. Subió corriendo la estrecha escalera hacia el rellano, y el perro se detuvo a la mitad para mantener a raya a los hombres que corrían tras ellos.

El soldado movió la manivela observando con el rabillo del ojo. William llegó arriba antes que el hombre alcanzara a cerrar esa entrada.

—Tengo tu espada —gritó, moviéndola—. Ven a cogerla.

El caballero soltó la manivela y el puente cayó crujiendo.

—No tengo ninguna necesidad de mi espada —dijo.

Cogiendo una lanza del arsenal de la pared, la apuntó al pecho de William y avanzó. El guerrero de Burke alcanzó a saltar hacia un lado y casi perdió el equilibrio en el borde del estrecho rellano. Partió la lanza por la mitad con la espada, pero el caballero ya había retrocedido y cogido una maza, y la estaba girando como un hombre que sabe lo que hace.

La cabeza puntiaguda de hierro de la maza podía ser mortal en un espacio tan pequeño si se blandía con decisión. William sonrió. Le caía bien ese guerrero; era ocurrente y leal y estaba dispuesto a luchar.

—Eres un caballero a sueldo, ¿eh? —le dijo.

La maza giró en un amplio círculo.

—Sí.

—Fuera hay un enorme ejército que no tardará en estar dentro, y te prometo que entonces lord Nicholas no estará en condiciones de pagarte tu salario.

La maza bajó un poco.

—No traiciono al señor que me paga —dijo secamente el caballero.

Pero la mirada de William estaba en la maza.

—Es un hombre traicionero, solapado y mentiroso que ha desertado de la amistad y del honor. No estás obligado hacia él, porque no haría otra cosa que arrojarte a los perros. —El movimiento de la maza sólo llegó al medio círculo—. Y los perros —añadió haciendo un gesto hacia la escalera donde estaba *Bula* impidiendo el paso de los soldados— son temibles.

Se detuvo el movimiento de la maza. Sin desviar la vista de la cabeza puntiaguda del arma, William avanzó hacia el torno; metiendo el escudo de madera hasta el fondo del eje de rotación, trabó el engranaje, inutilizando el mecanismo. Entonces se giró hacia el mercenario, que lo estaba observando.

—Búscame cuando acabe esto. Me interesa dar empleo a luchadores como tú. —Llamó a *Bula* y le ordenó que se quedara ahí—. Mi perro te protegerá de la venganza de mi padre, si tú lo proteges de las espadas.

Bajó corriendo la escalera y miró alrededor. El patio hervía de hombres armados montados en destreros. Divisó a su padre, a Raymond y a otro hombre. Un líder; alto, fornido, osado, gritaba órdenes, dirigiendo la batalla.

¿Quién sería?

No tenía tiempo para detenerse a hacer preguntas. Impaciente, corrió hacia la torre del homenaje, convencido de que ahí encontraría a Nicholas.

La defensa del castillo dependía de su posición sobre el acantilado. Las murallas se elevaban casi al borde por tres lados; el cuartel de los guardias con la puerta daba a la llanura. Dentro de la muralla, sólo un patio rodeaba al edificio. Sonrió con lúgubre satisfacción cuando encontró abierta la puerta.

Tal vez eso debería preocuparlo, pero sabía que Nicholas era tan mal estratega, tan pésimo como caballero, que jamás se le ocurriría tener un plan para el caso de tener al enemigo dentro de las murallas. Todos sus hombres lucharon en la puerta, todos. Él los había visto salir en tropel de la torre del homenaje. Sólo Nicholas se quedó refugiado dentro, rodeado por armas con las que nunca se había tomado el trabajo de practicar; las armas que no lo salvarían.

Entró y miró el entorno. El brusco paso de la luz a la penumbra le hizo difícil adaptar los ojos, pero no había nadie acechando en la entrada. Subió la escalera de puntillas, con la espada lista. Antes de entrar en la sala grande se detuvo a escuchar.

Nada. Sólo el ruido del combate fuera perturbaba el silencio.

Entró en la sala. Ardía el fuego en el hogar, la mesa estaba puesta para comer, pero no se movía ni un alma. Todos los criados, todos los moradores de la casa se habían marchado o huido.

Pero Nicholas no. Sus instintos sintonizados con los muros de piedra de la torre se lo decían: la entrada a la escalera de caracol que bajaba al sótano lo atraía como un imán; también era la ruta para ir a la mazmorra, y la única esperanza que le quedaba a Nicholas. Sabía que intentaría asegurarse a los prisioneros que creía tener como rehenes.

¿Habría descubierto ya que los pájaros encerrados habían volado de la jaula?

Silencioso, comenzó a bajar la oscura escalera; la llama parpadeante de una sola antorcha iluminaba muy poco, a regañadientes. La trampilla de la mazmorra estaba cerca del pie de la escalera así que iba atento por si oía el ruido al cerrarse. No oyó ningún ruido, y por primera vez dudó de que Nicholas estuviera ahí.

¿Tendría un túnel secreto? ¿Habría escapado por una puerta falsa? ¿Habría bajado a la mazmorra y descubierto la ruta para escapar que usaron ellos?

Recordó la escalada por el acantilado y sonrió con su sonrisa más desagradable. Eso, pensó, sería una digna justicia.

Pero al llegar a la última vuelta de la escalera se encontró cara a cara con su enemigo.

—Por fin —dijo, enseñando los dientes por entre la barba.

Nicholas levantó la espada que blandía y la apuntó a su cuello.

—Por fin, desde luego —contestó—. Esta vez acabaré contigo. Como ves, tengo ventaja.

William observó que estaba cubierto por una brillante cota de malla que lanzaba destellos; su espada era la mitad de larga que la de él; el cinturón se le combaba con el peso de una maza y una daga, y llevaba un escudo que lo cubría desde las rodillas hasta el cuello.

Se echó a reír.

—No son las armas las que hacen a un hombre —se mofó—, sino la capacidad.

—Entonces te ganaré —contestó Nicholas, demasiado pronto.

William emitió un bufido.

—Podría derrotarte con las rodillas metidas en un balde y los pies en el pozo.

—Muy cierto —dijo Nicholas, y la punta de su espada tembló un poco—. Si tuvieras un escudo.

Esas falsas palabras de comprensión le produjeron dentera.

—Subí por el acantilado que protege este castillo. ¿Qué te hace pensar que no soy capaz de conseguir un escudo si necesito uno? El escudo que conseguí hace un momento ahora está metido entre los engranajes del torno para impedir que se eleve el puente, y eso fue una buena inversión. Ahora bien, yo en tu lugar me preocuparía por mi situación.

—¿Por qué habría de preocuparme?

—La pared de esta escalera de caracol da la ventaja al espadachín diestro que se defiende desde arriba —dijo William, exultante, moviendo la espada con toda libertad—. Yo estoy arriba, por lo tanto soy yo quien está en mejor posición.

Nicholas sonrió, enseñando unos dientes marrones y pequeños.

—Yo soy zurdo, y por lo tanto un hombre con el que es difícil luchar. —También movió su espada, sin tener que preocuparse por la pared—. Por lo tanto tengo ventaja.

—Zurdo porque se te quebró el brazo derecho —le recordó William—. Tal vez si hubieras practicado más cuando eras escudero.

Se encogió de hombros, con cierta elegancia, y Nicholas arremetió con una estocada.

William saltó ágilmente a un lado.

—¿Quieres practicar ahora? —preguntó en tono de aburrimiento.

Nicholas paró el ataque, resollando, pensando. Bajando unos peldaños, dijo burlón:

—Yo en tu lugar tendría más respeto. La última vez que practiqué contigo estuviste ciego unos cuantos meses.

—¿«Tú» me diste ese golpe? —preguntó William, asombrado. Lo pensó y negó con la cabeza—. No. Tú ni siquiera estuviste en esa batalla.

—Luchaste esa batalla porque yo la ideé, yo lo hice todo.

El orgullo que notó en su voz obligó a William a revaluar su desprecio.

—¿Cómo?

—Convencí a tu vecino, ¿cómo se llama?

—Sir Donnell.

—Le dije a ese idiota sir Donnel que tú estabas ocupado en otra parte, que podría apoderarse de esa tierra tuya y que cuando te enteraras ya sería cosa hecha. Sabía que tú vendrías corriendo, sabía que atacarías, y sabía que yo podía usar un yelmo que me cubriera toda la cara.

—Es difícil combatir con un yelmo que disminuye tanto la visión —comentó William, aunque no del todo convencido.

—No combatí. Simplemente me acerqué a ti a caballo por detrás y…

—No, claro, tú no combates. Haces juegos sucios, solapados, traicioneros.

—Juegos en los que la prenda que se paga es la muerte.

En un veloz movimiento William le hirió la muñeca izquierda, la de la mano que sostenía la espada. Con insultante agilidad saltó hacia atrás subiendo unos peldaños y, observando a Nicholas calmadamente, lo vio detenerse a agitar la mano para quitarse la sangre de la palma.

—Ahora juegas a mi juego —le dijo en voz baja.

Recuperándose, Nicholas se concentró y se lanzó al ataque.

—¿Quién manda las tropas que me asedian tan injustamente? No tu padre. Nunca había oído esa estrepitosa voz, ni lo vi desde las saeteras.

—Si no hubieras estado tan encogido de miedo y salido a la luz, habrías visto a mi padre. Y a Raymond.

A Nicholas se le enrojeció la cara.

—¡A Raymond! —gritó—. ¡Raymond! Ese traidor. Estaba dispuesto a matarte por una tajada de tus tierras, pero cuando cambia la marea se hincha como un pez muerto.

—Raymond no me mataría jamás —contestó William, con su seguridad de siempre—. Raymond es mi amigo.

—¿Y Charles? ¿Viste a Charles en mi patio? ¿Charles es tu amigo?

—No estaba. —Lo pensó—. Me gustaría saber qué le ha ocurrido a Charles.

—Está tumbado debajo de un matorral de aulaga, desangrándose, muriéndose —dijo Nicholas, con voz dura—. Lo sé. Lo sé todo. Sé que lo enviaste a decirle a tu padre que viniera a rescatarte. Yo le organicé un pequeño accidente.

Lanzando un grito, William se abalanzó y, delizando la espada por encima de la de Nicholas, sin tocarla, le hizo un tajo en la mejilla, y al instante eludió el revés de éste saltando por encima de la espada, como un niño jugando a la comba. Subió unos peldaños, retrocediendo, hasta ponerse fuera de alcance y le aconsejó:

—Levanta más tu espada. ¿No te enseñó algo mejor mi padre?

—Me enseñó a no caer dos veces en la misma trampa —gruñó Nicholas, casi sin abrir los labios, por el dolor.

—No sé cómo podrías evitarlo. Esa espada que llevas es para un hombre, y no tienes la musculatura para combatir con ella. —Observando su cara contorsionada por el dolor, le preguntó—: ¿Es ésta la primera vez que sangras, querido muchacho?

Del mentón de Nicholas caía un chorrito de sangre que igualaba el fiero brillo de sus ojos.

—Es la primera vez que me hieren la cara, cabrón —dijo, siguiéndolo por la escalera.

William retrocedió otro poco, lentamente, adrede.

—No te preocupes por tu cara —le dijo en voz baja—. No volverás a necesitarla. —Observándolo avanzar, se rió—: ¿No encontraste lo que buscabas en la mazmorra?

—¿Cómo supiste que bajaría a la mazmorra?

—¿Dónde, si no, encontraría un débil gusano su camino a la libertad?

—Debería haber sabido que no debía creer a esa cerda a la que llamas esposa.

Diciendo eso retrocedió un peldaño; entorpecido por el peso de su cota de malla, se tambaleó, agitó los brazos hasta recuperar el equilibrio y se enderezó.

William esperó, observándolo con sus experimentados ojos.

—¿Creer a mi esposa?

Nicholas escupió hacia fuera de la escalera.

—Me pidió que no te metiera con ella cuando comprendió que tú encontrarías una salida.

—¿Que yo encontraría una salida? —exclamó William, sorprendido—. Te equivocas, querido muchacho. Saura encontró la salida de tu prisión inexpugnable, no yo. Lo único que hice yo fue mover esa maldita roca, y eso sólo con su ayuda.

—Veo que os las arreglasteis para dejar abandonado ahí a Bronnie, como a un trapo usado.

—¡Está herido! —ladró William—. Tú lo heriste.

—Pero pensé que cualquier hombre de elevado honor encontraría la manera de librar al muchacho de cierta muerte. Me pareció casi una lástima sacar mi cuchillo y cortarle...

Esta vez Nicholas estaba preparado para el ataque. Paró el golpe y dirigió la espada hacia el corazón de William, pero éste pareció desaparecer; de todos modos tuvo la satisfacción de haber tocado carne, porque se quedó cogida la punta, aunque también lo irritó comprender que William luchaba como un fantasma.

William se limpió la gota de sangre del pecho.

—Saura se va a disgustar muchísimo contigo, Nicholas. Le caía bien ese muchacho.

—Más disgustada va a estar cuando te haya matado.

—Aquí te espero, sin escudo, sin armadura ni yelmo. —Extendió los brazos abarcando todo el espacio que lo rodeaba—. Tienes ventaja, dices, pero no atacas.

—Te he derrotado en todas las batallas que hemos luchado.

—Palabras, palabras.

—¡Es cierto!

William puso la corta espada casi vertical, y en la punta brilló un destello de amenaza.

—Sólo porque yo no sabía que estábamos luchando.

—Siempre gano este tipo de luchas —dijo Nicholas, con los labios curvados en una sonrisa despectiva y triunfal.

—No. Has olvidado la primera regla del combate.

—¿Cuál es? —preguntó Nicholas, avanzando con cautela.

A William le brillaron de placer los ojos. Sonrió, invitándolo como un chico demasiado confiado, y al mismo tiempo aparentó que se le resbalaba el talón y caía un peldaño; agitó los brazos como si estuviera desesperado, dando brincos para recuperar el equilibrio, y Nicholas se abalanzó a atacar lanzando un grito de triunfo. Con la celeridad de un rayo, William dio la estocada, enterrándole la espada entre el mentón y la garganta; brotó un chorro de sangre cuando retiró el arma. Nicholas se balanceó durante un horroroso instante y luego se desplomó y rodó por la escalera, más y más rápido hasta quedar tendido sobre el duro y frío suelo de piedra.

Ya serio, William bajó y se inclinó a mirar los ojos que miraban con la verdadera ceguera de la muerte.

—La primera regla del combate, Nicholas, ¿la recuerdas ahora? Las batallas se luchan para ganarlas.

Sin dejar de mirar el cuerpo sin vida, limpió la espada y la metió bajo el cinturón.

Entonces caminó hasta la trampilla abierta y se asomó a mirar la mazmorra. No se veía nada ni se oía el menor sonido. Exhaló un suspiro. Fue a sacar la antorcha del candelero, arrodillándose la bajó por el agujero y la movió. Muy abajo vio el contorno del cuerpo de Bronnie, oscuro sobre la blanca capa de polvo de creta. Estaba inmóvil como un muerto. Seguro que estaba muerto, pero de ninguna manera podía decirle a Saura, cuando la fuera a buscar, que no había intentado reanimarlo.

—¡Bronnie! —gritó—. ¡Lady Saura te necesita!

Nada. Todo continuó silencioso como una tumba.

—¡Bronnie! Un incendio está destruyendo el castillo. Necesitamos ayuda.

Nada.

—¡Bronnie! Lady Saura quiere que te vengas a vivir con nosotros y seas su servidor.

Reviviendo como un caballero al que se le ofrece el Santo Grial, el muchacho se incorporó y se sentó.

—¿*Maledi* quiere que yo… la sirva?

William soltó la antorcha por la sorpresa y ésta cayó, iluminando a Bronnie donde estaba sentado. El joven se friccionó el hombro, y parecía alelado por el placer, pero estaba claro que hacía falta algo más que una caída para aplastarlo.

—Sí, Bronnie, la dama desea que la sirvas. —Suspirando, se puso de pie y se limpió de polvo las manos, musitando—: No sé cómo comprendí que Nicholas mentía al decir que te había cortado el cuello.

Echó a andar hacia la escalera y oyó el ruido de uñas bajando.

—*Bula* —dijo, más contento de ver al enorme perro de lo que habría creído posible—. Qué gusto verte, amigo mío.

El perro se detuvo junto a Nicholas a oliscarlo y luego, con aparente desprecio, saltó por encima y trotó hacia él. William le acarició la cabeza y encontró una buena cantidad de heriditas. Arrodillándose, lo examinó entero, desde las orejas hasta las patas. Un chichón grande encima del ojo casi se lo cerraba.

—¿Nicholas creyó que esto te mataría? —musitó, maravillado. Le exploró la cabeza y el perro se agitó en un gesto de dolor, pero el chichón estaba sobre la parte más dura de su sólido cráneo—. Está claro que tu actuación allá arriba fue buena, pues no fuiste gravemente herido. —Aquí y allá encontró pelos pegados por sangre seca, y unas cuantas heriditas de puntas de espadas, pero no halló ninguna herida grave—. Y pensar que te creíamos un cobarde. —Lo acarició presionando firmemente—. Sólo estabas esperando a poder luchar por alguien a quien amaras. *Bula*, mi muchacho, te volverá tu belleza, y mientras tanto serás el animal más mimado de Burke.

El perro gimió y le acarició la mejilla con la nariz. Cuando se estaba incorporando, oyó gritar:

—¿Estás ahí? ¿William?

El grito venía de la sala grande, y *Bula* reaccionó como si lo hubieran llamado a él. Subió saltando la escalera de caracol y entonces el hombre todavía invisible lo regañó «Maldito perro» y luego se oyeron los pasos bajando la escalera.

—¿Raymond? —rugió William. Miró hacia la penumbra de la escalera y entonces vio a su camarada, a medio camino y asomado. Con el corazón alegre, saltó por encima del cuerpo de Nicholas y subió corriendo—. Eres el mejor festín que han tenido mis ojos en las tres últimas horas —le dijo, tendiéndole la mano.

Raymond le estrechó la mano riendo.

—Debes de tener a Saura escondida en alguna parte, ella es el festín que prefieres.

—Has adivinado mi secreto.

Raymond miró por encima del hombro de William y movió tristemente la cabeza, al ver el cuerpo inmóvil tendido al pie de la escalera.

—¿Nicholas?

William se giró a mirar el lugar donde yacía su enemigo secreto, ya desenmascaradas sus falsedades, y derrotado.

—Sí —contestó—. Murió con una espada en la mano.

Miró a su amigo y sonrió tristemente, y Raymond asintió, en un gesto de condolencia y felicitación.

—Si alguien podía persuadirlo de manejar una espada, eras tú.

Encogiéndose para pasar por un lado, bajó hasta quedar situado más abajo y lo empujó por la espalda indicándole que subiera a la sala grande.

Pero William parecía haber echado raíces en el peldaño en que estaba.

—Es una lástima, un desperdicio —lamentó—. Podría haber sido un gran hombre, el más importante de Inglaterra, canciller del rey. Era más rico que tú, más hábil y astuto que yo, y ahí yace muerto sin un alma que lo llore.

—Él te obligó a matarlo —dijo Raymond—. Cuando el retoño se tuerce, el árbol crece torcido, y Nicholas ya estaba torcido cuando lo conocí. No te culpes de su muerte.

William lo miró indignado.

—No soy tan tonto como para perder el sueño por esto. —Comenzó a subir la escalera, seguido por Raymond, y cuando llegó al rellano se detuvo y, sin volverse, dijo—: Encárgate, por favor, de que le envíen un sacerdote.

—Por supuesto. —Le dio una palmada en el hombro y se lo apretó, en gesto de comprensión—. Por supuesto, yo me ocuparé de eso.

—Y por el bien de mi alma, ordena a alguien que vaya a sacar al idiota de Bronnie de la mazmorra. —Se giró a mirarlo—. He jurado que voy a cuidar del muchacho como si fuera mi pariente. —Antes que Raymond pudiera comentar su gesto de divertida resignación, añadió—: Y esto me recuerda, ¿está bien mi padre?

—Muy bien.

—¿Y tú?

—No me puedo quejar.

Cuando llegaron a la sala grande, William se giró a mirarlo y vio una ancha sonrisa en su cara.

—¿Por qué, entonces, no dirigiste tú el ataque? ¿O por qué no lo dirigió mi padre?

—Vamos. Ya lo verás.

# Capítulo 23

Raymond lo cogió del brazo y lo condujo hacia el caballero desconocido que estaba conversando con lord Peter. Éste los vio y esbozó una sonrisa satisfecha igual que la de Raymond; le tocó el hombro al desconocido, dirigiéndole la atención hacia ellos. Al instante el caballero echó a andar para acercárseles, con pasos largos y movimientos vigorosos.

A William lo impresionó la majestad que moderaba la actitud amistosa del hombre. Miró hacia Raymond y vio respeto; miró a su padre y vio aprobación.

—Duque Enrique —dijo, adivinando, aunque en realidad no lo había saludado correctamente—. No, ahora sois príncipe Enrique.

—Exactamente, lord William. —Sonriendo llegó hasta ellos y detuvo la reverencia de William con una barrida del brazo—. Por favor, reservemos la formalidad para la corte. Estoy encantado de conoceros. Lo único que he oído desde que salimos de Burke es William esto, William aquello. Me alegra ver que vuestra estatura no es la de un gigante, como me habían llevado a creer.

—Mi padre exagera, milord.

El príncipe Enrique miró con una sonrisa divertida e interrogante a su nuevo súbdito:

—Raymond canta vuestras alabanzas también. ¿Exagera?

William le correspondió la sonrisa con absoluto placer.

—Espero que no, milord, porque él canta vuestras alabanzas también.

Golpeándose las costillas, el príncipe echó atrás la cabeza y aulló de risa. William se rió también, y las carcajadas de los dos así combinadas estremecieron las vigas. Sin poder contenerse, lord Peter y Raymond también se echaron a reír, al igual que los hombres que iban entrando del campo de batalla. *Bula* ladró y corrió en círculos alrededor de ellos, acercándolos más.

Finalmente el príncipe Enrique se limpió de lágrimas los ojos.

—Nos llevaremos bien, William. Tendréis que venir a Londres cuando yo esté residiendo allí. Traed a vuestra esposa.

—¡Saura! —exclamó William, enderezando la espalda—. Dientes de Dios, debo ir…

—Va a haber un nuevo orden en Inglaterra —declaró el príncipe con voz retumbante—, y un lugar para hombres honrados como vos.

—Gracias, milord, eso espero con ilusión —dijo William, haciendo una leve venia—. Ahora debo ir…

—¡Un nuevo orden! Claro que aún no soy el rey de Inglaterra, pero con la sucesión asegurada por fin, estoy haciendo planes.

Así diciendo, el príncipe subió a la tarima y se cogió las manos a la espalda.

—Me encantaría oírlos, milord, pero…

—Cuando, con el favor de Dios, la corona esté firmemente sobre mi cabeza —continuó el príncipe— y tenga el cetro en mis manos, lo primero que haré será expulsar a esos mercenarios extranjeros de Esteban. —Comenzó a pasearse por la tarima—. Les paga para aplastar la rebelión y lo único que han hecho es enseñar rebelión.

—Ésa es la verdad de Dios —convino lord Peter.

—Volverá la ley al país. Los jueces de los tribunales establecidos por nuestros antepasados se han convertido en títeres de los barones ladrones. Además, los barones han olvidado que deben al rey sus tierras y castillos. El rey otorga la tierra a cambio de obediencia y lealtad. A aquellos barones que han aprovechado este tiempo de desorden para alzarse con tierras y construir castillos les espera una sorpresa.

—Excelente noticia, milord —dijo William asintiendo con cordial aliento—. Ahora, si pudiera…

Llevado por la marejada de su entusiasmo, el príncipe Enrique continuó:

—Haré confiscar esos castillos. Esos barones sólo quieren rapiñar para vivir a costa del populacho desprotegido. Os pregunto: ¿cómo puede el pueblo de Inglaterra producir lino y lana, cultivar trigo y cebada sin paz? ¿Cómo pueden mis nobles leales coger su parte de las ganancias sin paz? ¿Cómo puede funcionar mi gobierno sin la parte de las rentas públicas que le corresponde al rey? Es tal el desorden en este país que los *sheriffs* locales ya no rinden cuentas ante el canciller del Tesoro. —Apuntó con un dedo a cada uno—. Son poquísimos los barones que sólo tienen las tierras que les corresponde por los otorgamientos de mi abuelo. Nobles como vos, lord Raymond, seréis la mano derecha del rey. Barones como vos, lord Peter, y como vos, lord William, seréis los pilares de mi reino. —Hinchando el pecho con orgullo, anunció—: Un reino que hemos asegurado de todas las formas posibles. ¿Os habéis enterado de que soy padre de un hijo?

Encantado, William se dejó distraer por esa fabulosa noticia.

—¿Un hijo? Príncipe Enrique, felicitaciones. Un hijo asegurará vuestra dinastía. Nunca más volverá a Inglaterra un tiempo tan negro. ¡Larga vida para él!

—Larga vida, sí. —Sonriendo, el príncipe se metió los pulgares bajo el cinturón—. Se llama Guillaume,* y Leonor escribe que es un niño fuerte y sano. Ya lo ha nombrado su heredero, el futuro conde de Poitou.

—Traéis noticias maravillosas, milord —dijo William—, pero si me disculpáis…

—Tendremos muchos hijos Leonor y yo. ¡Muchos hijos varones! Ordenad que traigan el vino, Raymond, y bebamos a la salud de mi hijo.

Las señales apuntaban a una velada larga y cordial, así que William interrumpió, desesperado:

—¿Príncipe Enrique?

El príncipe se volvió a mirarlo, sorprendido.

—¿Sí?

—Me siento honrado por vuestra confianza, y espero conversar sobre estos dichosos cambios esta noche durante la comida. Pero, milord, debo ir a buscar a mi esposa.

El príncipe retrocedió, ofendido por haber sido interrumpido por algo tan trivial.

---

* Guillaume: William o Guillermo; este hijo murió bebé. Enrique tuvo otros cuatro hijos varones con Leonor; dos de ellos lo sucedieron en el trono: Ricardo I Corazón de León (rey desde 1189 a 1199) y Juan Sin Tierra (rey desde 1199 a 1216). *(N. de la T.)*

—¿Dónde está?

La dejé en un montículo rocoso desde el que se ve el castillo. —Haciendo una venia no muy elegante, comenzó a retroceder—. Disculpadme, milord, debo ir a buscarla.

—Vuestra esposa os perdonará que la hayáis olvidado. Desde ese puesto observó la batalla, seguro.

William se detuvo.

—No, milord. Mi esposa es ciega

Enrique arqueó las cejas y cambió de actitud al instante. Abandonó la apariencia de rey ofendido y la reemplazó por la de un hombre curioso.

—Debe de ser una mujer extraordinaria, para haber conquistado tan completamente vuestro amor.

—Lo es —repuso William.

El príncipe miró a sus acompañantes. Lord Peter sonreía orgulloso, como si estuvieran hablando de su hija. Raymond sonreía con el placer de un devoto admirador, y William sonreía satisfecho, como un hombre que ha encontrado la llave del paraíso. Encantado, el príncipe dijo:

—Entonces debo conocer a esta esposa vuestra, William.

—Inmediatamente, milord. Tendré que contaros la historia de cómo ella escapó de la mazmorra y mató al dragón.

Acto seguido hizo otra venia, se dio media vuelta y salió a toda prisa.

—Le arrebataría esa esposa —confió Enrique a los dos hombres—, pero Leonor me haría cortar las orejas.


Saura ya no estaba en su puesto de escucha en la roca más alta del montículo. Cuando se acabaron los ruidos del combate, había bajado al hoyo donde la dejara William para protegerse del viento y estaba acurrucada ahí.

Alguien había ganado; alguien había sido derrotado. El combate sólo había durado unas horas. Sólo en ese momento el sol poniente había comenzado a calentar menos y la brisa del mar a refrescar.

Sabía que William tardaría un tiempo en ir a buscarla.

Primero tendría que hablar con el jefe del ejército triunfador, luego tendría que decidir qué hacer con los prisioneros y después tendría que liberar a Bronnie. Entonces saldría del castillo, caminando con sus largos y garbosos pasos e iría al establo. Allí exigiría un semental, cabalgaría hasta el pie del montículo y de ahí subiría a pie por el sendero. Ladeó la cabeza y puso atención, pero no, él no venía subiendo todavía.

Muy bien. No se aterraría. Comenzó de nuevo, imaginándoselo comentando la batalla con sus hombres; se lo imaginó esperando que llegara su padre y rugiéndole por haberse retrasado. Se lo imaginó ordenando que prepararan comida para ella.

Bajó la cabeza y la apoyó en las rodillas.

Él no había ordenado preparación de comidas jamás en su vida; no sabría qué decir. Era un ser masculino inútil, que no tenía idea del trabajo que entraña hacer funcionar una casa, y ella lo deseaba con una pasión ridícula. Lo deseaba con ella ya, en ese momento.

Oyó un paso y luego el ruido de una piedra al rodar por el sendero detrás de ella.

Estuvo a punto de gritar «¡William!», estuvo a punto de salir fuera de un salto, pero la cautela la refrenó y simplemente susurró su nombre.

¿Cómo podía saber si era William? Reconocer sus pasos en el suelo del castillo no era lo mismo que oírlos sobre la pedregosa superficie del sendero. William le había ordenado que se mantuviera escondida, fuera de la vista, por su propia seguridad, y ella no le había hecho caso. ¿Y si alguien la había visto y decidido subir a violarla? ¿Y si Nicholas se había escapado y la andaba buscando para retenerla como rehén?

El ruido de más piedras rodando sonó más cerca; los latidos del corazón se le desbocaron y cerró fuertemente las manos en los pliegues de la falda. ¿Qué debía hacer?

Entonces tronó la voz de William al otro lado de la roca.

—¡Saura! ¿Dónde estás?

—¡Aquí! —gritó, saliendo del hoyo—. Oh, William, estoy aquí.

—Dientes de Dios. —De un salto pasó por encima de la roca y fue a caer en los brazos de ella. Al sentirla estremecerse de preocupación y reprimiendo el ataque de nervios, se apresuró a añadir—: Está muerto.

—Lo sé.

—Y el castillo Cran ha sido capturado.

—¿Estás herido?

—Un rasguño. —Le cogió la mano y se la puso en el pecho, y ella palpó la gota de sangre seca.

—He estado tan preocupada. ¿Qué te hizo tardar tanto?

Estaba aterrada, comprendió él. Hizo una inspiración profunda para calmarse. Ella había pasado unas horas horrorosas, no había podido ver el desarrollo del combate abajo. Después podría expresarle su preocupación por ella; en ese momento ella necesitaba paciente comprensión. Haciendo otra inspiración, gruñó:

—¿Por qué no esperaste donde te dejé?

—Me dejaste aquí.

—No —dijo él, seguro y terrible—. No es éste el lugar. ¿Qué has estado haciendo?

—Nada.

—Saaaura.

—Subí a sentarme en una roca desde donde podía oír —ladró ella, desafiante, cogiéndole la camisa—. ¿Es un pecado eso?

Él la estrechó en sus brazos, quitándole el aliento, sin poder decidir si abrazarla o golpearla.

—Sí, te instalé en un lugar no visible para que estuvieras segura. —Comenzó con voz firme y serena, pero fue elevando la voz hasta que acabó gritando—. Mujer, ¿no eres capaz de acatar órdenes ni aunque sea una vez en tu vida?

Respira, se aconsejó ella. Él tenía derecho a estar irritado, lo había tenido difícil unos cuantos días. Había sitiado a un amigo, luego combatido y matado a otro, y luego enfrentado sus propios miedos. Por último, aunque no menos importante, había tenido que reconocer que estaba equivocado. Se merecía una amable disculpa, se merecía que lo tranquilizara diciendo que sólo lo hizo porque estaba preocupada por él. Haciendo otra respiración, gritó a todo pulmón:

—No cuando estoy preocupada por un malhechor bobo y cabezota, que me asusta cada vez que combate, me grita cuando actúo como ser independiente y que —bajó la voz a un susurro— me hace feliz y completa.

Él tuvo que inclinarse para oír sus últimas palabras, pero éstas le desinflaron la indignación.

—¿Me amas, entonces?

—Demasiado.

—¿Demasiado? —preguntó él tiernamente, disipadas su preocupación y angustia por esa confesión susurrada—. ¿Como una buena esposa debe amar a su marido?

—No así, muchísimo más. —No sabía que decir esa verdad le produciría tanto azoramiento, tanto miedo, pero se lo debía. Le debía todo; levantó la cabeza para que él le viera la cara, para que supiera con todos sus sentidos que decía la verdad—: Te he amado desde hace mucho, mucho tiempo. —Levantó la mano para impedirle hablar—. Pero tenías razón, no me fiaba de ti. ¿Cómo iba a poder? Me parecía que todas las necesidades estaban por mi lado y que todo el dar estaba por el tuyo. Si no me necesitabas de ninguna manera, ¿qué ocurriría si algún día te cansabas de mí?

Él la levantó en los brazos, se sentó en la roca y la acomodó en su regazo.

—Bueno, en primer lugar, jamás podría dejarte. Eres ocurrente, ingeniosa, rápida para pensar, y tu conversación es deliciosa. Tienes el tipo de belleza que aumenta con la madurez, que florece con la edad. Eres una dama noble, una castellana. Tienes inteligencia, belleza y habilidades domésticas. Sería un tonto el hombre que se cansara de una mujer así. Por eso insistí en el matrimonio, Saura, aun cuando tú te oponías. Deseaba que te sintieras segura.

—¿Qué seguridad hay en el matrimonio? Los hombres les pegan a sus esposas por ser inteligentes, por ser hermosas. —Pensó un momento—. Aunque no por ser buenas castellanas. Lo que quiero decir es que un matrimonio depende de las necesidades mutuas.

Él echó atrás la cabeza, asombrado.

—¡Yo te necesito!

—¿Por qué?

—¿Por qué? Mujer tonta.

Él parecía resignado, y ella concedió:

—Lo sé, pero no lograba ver que las antiguas necesidades sólo habían cambiado, no disminuido. Antes era muy fácil. Tú me necesitabas. Cuando estabas ciego, me necesitabas, y mucho. Entonces fue cuando comencé a amarte. —Su sonrisa quedó envuelta en el misterio, recordando—. Esa voz dorada, esa rugiente furia.

—No olvides mis besos —bromeó él.

—No, no podría olvidarlos jamás. —Le dio unas palmaditas en la mejilla—. ¿No te fijaste en mi primera reacción cuando recuperaste la vista?

—Dímela.

Ella suspiró y se ruborizó.

—Esto va a empañar tu imagen de mí.

—No. —La recordó sentada en el jergón de Arthur esa brillante mañana de primavera cuando la vio por primera vez con su vista recuperada; recordó la aflicción que le arrugaba la serena frente, y le aseguró—: No creo que te empañe una reacción que es muy humana.

—Ya lo sabes —acusó ella.

—Si pudiera leerte los pensamientos, cariño —acercó los labios a su oído y musitó—: no pasaríamos tanto tiempo gritándonos.

Ella se rió, divertida a su pesar, y cayó en la cuenta de que ya no era tan grande el nudo que tenía en la garganta.

—Esa mañana, esa horrible mañana después de esa gloriosa noche, cuando comprendí que veías, deseé gritar de furia. Me sentí engañada, estafada, horrenda arpía que soy.

—Basta, basta…

Al oírlo chasquear la lengua con aparente diversión, ella levantó la cara hacia la de él.

—Pero es cierto. Ya no me necesitabas. Yo era inútil.

Él le rozó la frente con los labios.

—He cometido un error contigo, cariño

—¿Por qué? —preguntó ella, desconcertada por su falta de reacción y por su comentario.

—Cuando recuperé la vista y comprendí lo terrible que tuvo que ser tu vida con tu padrastro, deseé cuidar de ti, no permitir que volvieras a soportar sufrimientos ni dificultades nunca más. En lugar de eso —añadió, al parecer más divertido—, debería haber puesto obstáculos en tu camino.

—No en mi camino, en nuestro camino. Parecía que no había nada en lo que yo pudiera ayudarte.

—Llevas el gobierno de mi casa y cuidas de los niños. ¿Qué más deseas hacer? ¿Acompañarme a las batallas y luchar a mi lado?

Ella simuló pensarlo y él la encerró en sus brazos, travieso.

—Olvida la pregunta.

—Un solo ejemplo, William —se pasó la mano por la cara para borrarse la sonrisa—. Yo deseaba que me creyeras cuando te dije que no era Charles.

—Ya suponía yo que iba a oír eso —gimió él.

—No es mi intención reprocharte errores pasados —continuó ella—. Lo que intento decirte es en qué me hieres, por qué me parecía que yo era menos importante para ti que… que *Bula*. Yo tengo un talento. No es una gran cosa, pero es útil y nunca falla. Oigo la verdad en las voces. Tú conociste eso cuando estabas ciego, pero cuando recuperaste la vista perdiste ese sentido. No me creíste cuando intenté decirte que estabas equivocado, porque soy ciega y porque soy mujer. Y porque crees que las mujeres no somos lógicas.

—Vamos, Saura, me hieres con mi propia estupidez.

Le cogió las manos, se las puso en su pecho y le apoyó la cabeza ahí también. Ella oyó los fuertes latidos de su corazón; casi sentía su aflicción.

—Eso era lo más importante, supongo. Duele ser tan absolutamente ignorada. No soy tonta. Te casaste con una heredera, pero eres tan rico que no necesitas mi dinero. Puedes estar muy bien sin él.

—Nunca hay que desestimar alegremente el dinero.

—Tú mismo me dijiste que el dinero no era el motivo de que te casaras conmigo —explicó ella, con suma paciencia.

—Dientes de Dios. Me estás arrojando mis propias palabras —protestó él, moviendo las piernas y moviéndola a ella.

—Sí, y siempre podrías encontrar otra mujer. Eres muy grande, fuerte y hermoso.

—Sólo tú piensas eso.

—Ah, en nuestra boda oía las risitas tontas de las mujeres cuando tú estabas cerca. No necesito que me caiga una pared encima. —Hizo un mohín de disgusto. No debía importarle lo que pensaran los demás, pero le importaba—. Esas mujeres me dejaron claro que no me necesitas en la cama, que cualquiera de ellas me reemplazaría alegremente.

A William le importaba lo que pensaban los demás; le importaba lo que pensaba «ella», y se le hinchó de indignación el pecho.

—¿Crees que yo te reemplazaría por una de ellas?

—¡No! —Le dolía la garganta por hablar; le dolía el pecho por las lágrimas contenidas tratando de escapar—. No, no es eso, no. Sólo es que, si yo muriera mañana, tú seguirías viviendo tu vida.

—Bueno —dijo él. Cambió de posición y ella lo sintió peinarse la barba—. Sí, seguiría viviendo. Durante mucho tiempo no sería feliz, y nunca encontraría a una mujer tan apropiada para mí como lo eres tú. De todos modos, viviría y prosperaría, educaría a mi hijo, ayudaría a mi padre. Pero, dime una cosa. Si me hubieran matado allá abajo, ¿tenías pensado arrojarte desde estas rocas?

Ella se quedó inmóvil.

—Eeh…, no.

—¿Tenías pensado encerrarte en un convento y no volver a buscar el mundo nunca más?

—No lo había pensado.

—¿Seguirías viviendo si yo muriera hoy?

Saura no deseaba pensar en una vida sin William, pero se obligó. Sí él moría, ¿volvería a ser esa mujer protegida y mansa que era antes de conocerlo? ¿O seguiría gritando cuando se enfureciera, enseñando sus espinas y riendo fuerte por un chiste? ¿Continuaría insistiendo en tener la libertad para caminar hasta donde el sol le calentara la cara? Se estremeció por el dolor de la verdad que iba a decir, pero dijo, con valiente decisión:

—Sí. Podría estar sobre mis dos pies sin ti.

—Y la marea seguiría subiendo y bajando sin que yo la empuje. La primavera seguiría derritiendo la nieve sin que yo le eche mi aliento caliente. Eres una persona, toda tuya, con esperanzas, pensamientos y sueños distintos de los míos. ¿Crees que deseo a una mujer que necesita apoyarse en mí para ser completa? No, cariño, sólo te deseo a ti, tan completa, autosuficiente y tierna como eres. Deseo saber que si muero mañana eres capaz de sostener a mi padre en su aflicción y criar a mi hijo hasta que sea hombre.

Ella no le dijo que tenía razón, pero él notó que se le aflojaba la tensión del cuerpo y, sonriendo levemente, le rozó el pelo con la mejilla.

—Eso es otra cosa —se lamentó ella—. No necesitas herederos nacidos de mi cuerpo, porque ya tienes un hijo.

—Cierto, no necesito un hijo tuyo para que herede mis tierras. Pero mis sentimientos no tienen nada que ver con necesidad. Deseo tener en mis brazos a un bebé tuyo. Deseo sentir esos bracitos alrededor de mi cuello.

Ella emitió un sonido de anhelo y él la meció.

—Kimball te adora.

—Y yo adoro a Kimball. Pero ya está en edad para ir a educarse en otra casa. Tienes que reconocer que no me necesita.

—Kimball es tan seguro de sí mismo que ni a mí me necesita —señaló él—. Cuando lleguen nuestros hijos, se sentirá feliz por nosotros. Será un buen hermano y nunca les tendrá envidia por ser los herederos de tus tierras.

—Lo sé. Es un niño bueno. Me gusta Kimball.

—Dime, entonces, qué gran revelación te ha hecho confesar tu amor, confesarlo de verdad, no arrojármelo a la cara como algo que crees que yo deseo oír. —En vista de que ella no contestaba, la presionó como un cura instando a alguien a confesarse—. Dime qué te hizo confiar en mí por fin.

—No te va a gustar —le advirtió ella.

—No me ha gustado esta conversación —declaró él—. Sin embargo, es necesario decirlo. Hemos establecido que no te pegaré, que no te torturaré, así que dímelo, por favor.

Ella esbozó una sonrisa que chorreaba miel, por el placer de un sabroso recuerdo.

—Hasta hoy, creía que no me necesitabas, pero me necesitas.

—¿Cómo te llegó esa gran revelación, milady?

—En la mazmorra me necesitaste.

En la mano sintió el calor del rubor que le subía a él a la cara.

—¿En la mazmorra? En la mazmorra lloré como un bebé al que le han quitado la teta. Me estremecí, temblé, me aferré a ti.

—Sí.

—Esperaba que hubieras olvidado la mazmorra.

—Jamás. Nunca se lo diré a nadie, pero, William —le cogió la cara entre las manos—, por esas lágrimas y ese miedo te amo más aún.

—¡Mujer! —Deseó gritarle, pero se le evaporó la exasperación al ver su radiante sonrisa—. Mujer, quiero que lo olvides.

—No lo olvidaré jamás.

Se le desvaneció la sonrisa y volvió a formársele el nudo en la garganta. Los esfuerzos realizados, la muerte y la dicha; todo ello era demasiado; no lo soportó. De repente sus lágrimas le empaparon el pecho a él. Se aferró a él con las dos manos, como si él se fuera a alejar volando; él la estrechó con fuerza y la arrulló con sonidos tranquilizadores. También ese consuelo fue demasiado; se intensificaron los desgarrados sollozos, tanto que la estremecían.

—No llores, por favor —le suplicó él, acariciándola con la ternura de un hombre desesperado.

Ella asintió y continuó sollozando.

—Deja de llorar, por favor. —Le pasó las enormes palmas por la cara, limpiándole las lágrimas antes que cayeran de las mejillas—. No soporto tu llanto, Saura.

Ella asintió y retuvo el aliento, intentando con toda su voluntad detener el torrente. Los estremecimientos la sacudieron, inspiró una bocanada de aire y se frotó los ojos con los dorsos de las manos.

—Si te hace sufrir parar —dijo él, exasperado—, adelante, continúa llorando.

Ella se rió, con la respiración entrecortada.

—Jamás entenderé a las mujeres —gruñó él, aliviado por esa abertura en las nubes—. Te ruego que pares y lloras más fuerte, te digo que sigas llorando y te ríes.

Acurrucada en sus brazos ella se recuperó con el calor del abrazo. Cuando pudo hablar, dijo:

—Siempre es así. Siempre me ha parecido que cuando tengo miedo y estoy contigo, mi miedo desaparece en tu seguridad y confianza. Y ahora sé que yo también puedo asumir tus problemas, darles la vuelta y transformarlos en fuerza. Tú te aferraste a mí, te acurrucaste en mis brazos, me necesitaste. En ese momento comprendí la verdad de lo que decías. Somos dos mitades de un todo. Encajamos. Nadie nos va a separar jamás.

—Mujer tonta, idiota. —En boca de él esas palabras sonaron como un ahogado elogio—. ¿Todo este tiempo has tardado en descubrir esa verdad?

A Saura se le oprimió la garganta, con su corazón latiendo al mismo ritmo que el de él y levantó la cara para acoger su boca que iba bajando. Se besaron como si fueran las dos primeras personas que han descubierto la dicha de besarse. Se besaron y besaron, separando las bocas, volviendo a unirlas una y otra vez, apretándose los cuerpos con exigente necesidad. Ella cambió de posición, montó a horcajadas sobre sus muslos y lo rodeó con las piernas, enérgicamente, con todo su amor, su orgullo y su dicha. Él la apretó más contra su cuerpo, deseándola con una potente marejada de placer. Había ganado sus victorias: la victoria sobre el mal que los amenazaba, la victoria sobre los miedos de Saura. Deseó decirle todo lo que tenía en el corazón, pero los movimientos de ella apretándose contra su cuerpo lo distrajeron, y sus pensamientos se dispersaron en la brisa.

Y así continuaron, apretándose, apartándose, apretándose, apartándose, frustrados por la ropa y desesperados de amor, y sólo una repentina ráfaga de viento del mar le devolvió a William el sentido común.

—Saura —dijo, sosteniéndole quietas las caderas—. Está oscureciendo y va a llover, y mi padre enviará a *Bula* a buscarnos si no llegamos ahí pronto.

—¿*Bula*? —Le cogió la pechera de la camisa—. ¿Mi perro? Oí los ladridos y tuve la esperanza. ¿Era él, de verdad?

—Sí. Pero era un nuevo *Bula*. Luchó como un guerrero. Parece que Nicholas exageró en su fe en lo que un golpe en la cabeza le haría a su duro cráneo.

—Y al duro cráneo de su amo también. —Le sonrió con descarado placer—. Debería haber sabido que era él; ese rugido ronco, amenazante me recuerda tu furia en forma canina.

Él se inclinó a mordisquearle la oreja.

—¿He sido insultado?

Ella ahogó una exclamación y se le escapó una risa temblorosa.

—Si no encontramos pronto una cama, Kimball no tendrá hermanitos de los cuales preocuparse.

—Sí —dijo él, haciendo una inspiración resollante—. Le arrebataré a mi padre la cama del señor. ¡Ah, no!

Ella dejó de friccionarle el pecho.

—¿Qué pasa?

—No te puedo llevar a una cama. —Se levantó, la dejó de pie en el suelo, le limpió y alisó la falda y le pasó los dedos por el pelo, peinándola—. Pero puedo presentarte a un príncipe. Desea conocerte y oír las historias de tu valor.

—¿Un príncipe?

—Está aquí el príncipe Enrique. —Al verla boquiabierta se rió—. Sí, el heredero del trono de toda Inglaterra nos espera en el castillo Cran. Tiene grandes planes para Inglaterra. Tiene grandes planes de paz, y creo que es el hombre que la va a lograr. Nuestros hijos y nuestras hijas tendrán un lugar en la corte del rey, y tú serás una de las joyas del reino.

—¿El príncipe Enrique? —balbuceó ella—. No soy una joya del reino, soy una mendiga. No puedo presentarme ante el príncipe Enrique. Estoy horrorosamente sucia, tengo el pelo revuelto y lleno de nudos, y mis ropas…

—Tus ropas están muy bien para una mujer que acaba de derrotar a un ejército. —Al ver que no estaba convencida, se ofreció—: Con mucho gusto te haré entrar furtivamente en el castillo para hacer el papel de doncella de dama hasta que hayas recuperado tu belleza natural.

—Me conformaría con recuperar mi pulcritud natural —contestó ella, mordaz.

—Te ofrezco una oportunidad que muchas mujeres cogerían al vuelo —gruñó él—, una oportunidad de conocer a un príncipe, y eso no te impresiona. Bueno, si no puedo tentarte con la oportunidad de conocer a nuestro futuro rey, tal vez bajes al castillo por la oportunidad de saludar a tu heroico perro.

Ella le acarició la mejilla.

—¿Tan difícil soy para ti?

—Sí, pero Dios nunca me da más de lo que puedo manejar.

Eso lo dijo en un tono tan altivo que ella se rió y le tendió las manos.

—Mientras tú estés conmigo, soy capaz de hacer frente a cualquiera. Vamos, entonces, y mientras vamos explícame cómo hay que comportarse con un príncipe.

Él la levantó en los brazos y comenzó a bajar el sendero en dirección a las luces del castillo.

—Sé tú misma. Él se va a sentir impresionado y me envidiará mi buena suerte. —Se detuvo a mirar a su amada cara. El polvo blanco que la cubría no ocultaba la belleza de sus rasgos ni atenuaba la radiante luz que brillaba en su alma. La apretó más a su cuerpo y le besó la mejilla—. Mantente erguida, muestra tu orgullo y no olvides nunca que si no fuera por ti yo seguiría acobardado en mi castillo, temeroso de moverme por miedo a la oscuridad. En este mundo tú eres mi luz, mi luz en la ventana.